Émile GENOUVRIER

agrégé de lettres modernes
assistant
à la Faculté des lettres de Lille

Jean PEYTARD

agrégé de grammaire
maître de conférences à la
Faculté des lettres de Besancon

LINGUISTIQUE
et
ENSEIGNEMENT
du français

Préface de J.-Cl. CHEVALIER

LIBRAIRIE LAROUSSE

17, rue du Montparnasse, et boulevard Raspail, 114 - Paris-VIe

© 1970. — Librairie Larousse, Paris.

ISBN 2-03-042171-5

Ce refus sourd — ou éclatant — que tant d'élèves opposent aujourd'hui à l'école traditionnelle — refus si justement analysé par J. Testanière dans la Revue française de sociologie *(1967) sous le nom de* chahut anomique *—, nombre de maîtres, d'excellents parfois, le partagent. A quoi bon imposer un savoir périmé, entrer — et faire entrer — dans un jeu dont on n'accepte plus les règles ? Jeunes et moins jeunes, car nul âge n'est exempt, en sont profondément troublés.*

Il s'en est développé un peu partout un puissant mouvement de rénovation. Et dans l'enseignement du français particulièrement. On ne veut plus de la « dictée et questions », de la répétition de paradigmes invariables, de la vieille explication de textes ; on sait trop que tout cela correspond à un apprentissage du latin qui se rétrécit de jour en jour, à une logique périmée, à une organisation de l'école profondément remise en cause. On veut libre expression et créativité. Et comment ne pas se réjouir de voir tant de maîtres, se réclamant de Freinet et de quelques autres, abattre les murs de l'école pour découvrir à l'élève la vie ? Comment ne pas se joindre à eux ?

Encore faut-il y regarder de près, tant on doit être scrupuleux quand il s'agit des enfants. Et s'alarmer de tout manque de prudence : car si l'éloquente protestation de Célestin Freinet a été un des moments importants du débat pédagogique contemporain, s'il fallait que quelqu'un vînt pour rappeler que l'école est faite pour l'enfant et non l'inverse, s'il fallait que quelqu'un jetât à la face des tenants d'une école impérialiste le grand défi de la création, de la liberté et du bonheur, on s'inquiète lorsque cette grande voix de contestation devient parole dominante. Quel est le rôle d'une école transparente à la vie ? Quelles potentialités de changement contient cette indéfinie confiance en une « nature » humaine abandonnée à elle-même ? Quelle résignation à un ordre naturel qui n'est peut-être qu'une fiction ? C'est à Bachelard que j'emprunte la réponse :

« En résumé, dans l'enseignement élémentaire, les expériences trop vives, trop imagées, sont des centres de faux intérêt. On ne saurait trop conseiller au professeur d'aller sans cesse de la table d'expériences au tableau noir pour extraire aussi vite que possible l'abstrait du concret. Il reviendra à l'expérience mieux outillé pour dégager les caractères organiques du phénomène. L'expérience est faite pour illustrer un théorème. [...] Mieux vaudrait une ignorance complète qu'une connaissance privée de son principe fondamental (¹). »

Le développement humain, ici, c'est l'apprentissage de l'abstraction, des règles qui sous-tendent les phénomènes, des formes et des modèles qui l'organisent. En dehors de cette visée, il n'y a que confusion et liberté fausse. Confusion où on voit vite réapparaître le jeu ancien des formes, ancien nécessairement, puisqu'une démarche scientifique réellement

---

(1) G. BACHELARD, *la Formation de l'esprit scientifique* (écrite en 1938).

neuve ne peut être qu'explicite. On ne fait plus de dictées, certes, mais on recopie des paragraphes ; plus d'analyse grammaticale, mais l'enfant tâtonne à identifier des « chefs de phrase », des « pilotes de navires » verbaux ! Et quand le maître est las de laisser les enfants balbutier dans la « composition libre », il les conduit insidieusement à imiter un journal ou une lettre ou un panneau-réclame. Il leur donne un modèle. Mais obscurément.

Il est temps de cesser ce jeu de masques et de nombreuses écoles expérimentales l'ont déjà fait. L'enfant contemporain vit dans un monde hanté par le jeu provocant des signes, dont il est comme envahi. C'est en ce monde même qu'il faut lui apprendre à s'orienter. Tâche difficile, car il ne s'agit plus d'imposer un savoir tout fait, mais de partir de ces systèmes dont l'enfant est pétri et constamment renouvelé, qu'il incorpore en dehors de la classe (car le savoir maintenant est partout, l'école n'en ayant plus l'exclusivité) et qu'il reconnaît pas à pas. Tâche en principe facilitée par les multiples études en tous lieux parues sur les systèmes de signes. Mais où et quand le maître trouvera-t-il le temps de lire ces monceaux de publications que le spécialiste même désespère de jamais épuiser ? A mon sens, l'école ne fonctionnera bien que lorsque seront mises en place des équipes de savants, unissant leurs recherches à celles des enseignants-enseignés, et lorsque ces équipes pourront sortir sans complexe du ghetto de la classe ; alors l'école sera cet immense laboratoire de progrès dont rêvait Freinet. En attendant, l'enseignant isolé happe, à ses rares heures de liberté, de-ci de-là, des fascicules de vulgarisation : Martinet en trois paragraphes et Chomsky en deux pages. Qu'en retirer, sinon banalités et conscience naïve ?

Le livre d'Émile Genouvrier et Jean Peytard me paraît d'une tout autre portée et unique en son genre. Ces auteurs ont une profonde expérience des Écoles normales, ces centres de la vie pédagogique, mais comptent aussi parmi les spécialistes français actuels de la linguistique ; ils savent les voies de communication obligées entre ces deux domaines, ils savent comment elles sont — et seront désormais — les canaux d'une incessante recherche.

On verra se déployer dans leur livre la simplicité et la fécondité des théories contemporaines ; on verra comme à la fois elles postulent les capacités créatives de l'enfant, comme elles tiennent jalousement compte de sa puissance à modifier les modèles, mais aussi comme elles conduisent à la rigueur de pensée, indispensable au développement de la réflexion scientifique. Grâce à de tels livres, ce jeu incessant entre les représentations de l'imagination et les formulations du rationalisme que notre époque développe explicitement, le maître ou l'enfant peut apprendre, jour après jour, à mieux le connaître — pour mieux faire naître des ordres nouveaux.

Jean-Claude CHEVALIER
Professeur à l'Université de Paris-Vincennes

4

AVANT-PROPOS

En quelques décennies, la linguistique a opéré dans le domaine des langues et des sciences du langage ce qu'il n'est pas abusif d'appeler une révolution. Sans prétendre avoir résolu tous les problèmes, elle est en droit de revendiquer une place de choix parmi les sciences de l'homme d'aujourd'hui : l'intérêt que lui accorde maintenant un public toujours plus large et plus nombreux le prouve assez.

L'enseignement connaît lui aussi les exigences d'une transformation essentielle. Les deux soucis complémentaires d'une efficacité plus grande et d'une adaptation aux besoins de notre époque conduisent un nombre croissant d'enseignants de tous ordres à approfondir leur réflexion sur la pédagogie. L'enseignement des mathématiques est engagé dans une profonde réforme; celui du français attend la sienne, et la prépare déjà. Mais dans un domaine qui échappe partiellement à la science exacte et où s'expriment autant le savoir du pédagogue que sa personnalité profonde, l'effort novateur se heurte à mille difficultés. Dans les recherches isolées, comme dans l'entreprise collective que dirige l'Institut pédagogique national, des idées font leur chemin, qui conduiront demain à enseigner le français selon d'autres méthodes et à donner à la pédagogie de la langue maternelle un autre contenu. Les acquis de la linguistique y contribuent, et chacun, le sachant ou le devinant confusément, s'interroge sur le statut, les méthodes et les apports de cette discipline. C'est à ce besoin d'information que nous avons voulu répondre.

Ce livre n'est pourtant pas un manuel de linguistique générale : c'est à tort qu'il aurait prétendu concurrencer ceux dont dispose déjà le lecteur. Qu'on n'y cherche donc pas un traité de phonologie, un exposé complet des divers problèmes de la sémantique ou de la lexicologie, une grammaire. A fréquenter nos collègues des 1er et 2e degrés et nos étudiants, il nous a paru les voir inquiets devant un nouveau savoir, ignorant par quels chemins y accéder, troublés par l'apparente diversité des écoles, déconcertés par un vocabulaire technique que les dictionnaires en usage n'aident pas toujours à élucider. Nous leur proposons donc ici une sorte de propédeutique à notre discipline : définir son statut, circonscrire ses différentes branches, décrire ses concepts fondamentaux et ses techniques d'investigation, c'est, nous l'espérons, permettre au néophyte de tirer meilleur parti des lectures fondamentales que nous lui proposons dans différentes bibliographies raisonnées.

Nous avons toujours essayé de garder à l'esprit que nous nous adressions principalement à des enseignants ou à de futurs enseignants; la nécessité pédagogique a donc guidé notre réflexion, sans pourtant l'enfermer. Nous n'avions pas à tenir un rôle qui ne nous revient pas : définir avec précision ce que doit être l'enseignement du français; nous croyons d'ailleurs qu'en ce domaine les vérités définitives n'existent pas. Tout au plus pouvions-nous critiquer ce qui nous paraissait caduc dans la pédagogie d'hier, non pour lui contester sa valeur de la veille, mais pour signaler, çà et là, des conduites anachroniques. Aussi n'avons-nous cherché qu'à proposer, et simplement proposer, quelques directions de pensée et de recherche sur la pédagogie du français, de façon plus ou moins élaborée selon que nous nous y étions nous-mêmes concrètement engagés ou non. Pas plus qu'un manuel de linguistique générale, on ne saurait donc faire de cet ouvrage un traité de pédagogie.

Nous avons conscience des limites de l'entreprise : le domaine du français est si vaste qu'il imposait des choix. Nous avons renoncé à un équilibre rhétorique qui eût accordé à chaque sujet la même importance. Allant à l'essentiel, nous avons choisi, dans les domaines de la linguistique, ceux dont la fréquentation serait la plus profitable au pédagogue : phonologie et prosodie, grammaire, lexicologie et lexicographie, problèmes du style et de la rédaction. L'orthographe aurait mérité de plus amples développements; la littérature est laissée pour compte. Encore une fois nous devions choisir, et nous avons fait porter tous nos efforts sur l'enseignement de la langue française dans ses systèmes phonologique, grammatical et lexical.

Nous avons systématiquement passé sous silence les apports de la psychologie; qu'on n'y voie pas un oubli significatif. Parce qu'ils avaient besoin de donner à leur discipline un statut propre, par réaction aussi contre ce qui fut moins de la psychologie que du psychologisme, les linguistes s'étaient pour un temps séparés des psychologues. Il n'en va plus de même aujourd'hui, et une collaboration prometteuse s'est établie d'un domaine à l'autre. La psycholinguistique est déjà si riche que vouloir sérieusement l'approcher nous aurait conduit à écrire un autre manuel. Plutôt que d'en mal parler en quelques pages, nous avons préféré n'en pas parler du tout.

Notre tâche est remplie si, par-delà ces lacunes et d'autres, nous sommes parvenus à donner au lecteur la possibilité et le goût de parfaire son information linguistique; si nous avons pu le convaincre de la nécessité de faire se rejoindre linguistique et pédagogie du français, en l'assurant que, difficile, déchirante pour certains qui voient remises en cause leurs certitudes d'hier, l'entreprise demeure assez passionnante pour que l'on travaille à sa réussite.

LES AUTEURS

Nos plus vifs remerciements vont à tous ceux qui nous ont apporté leur amicale et précieuse collaboration; et particulièrement à Jean-Claude CHEVALIER, *Michel* GLATIGNY, *Alexandre* KOPER, *Pierre* LAVAYSSIÈRE *et Élizabeth* LHOTE.

PREMIÈRE PARTIE

Langage et communication

L'enseignement du français, en tant que langue, à des élèves francophones est à plus d'un titre un objet paradoxal.

Enseigner est une démarche : il s'agit toujours de conduire (ce que signifie le mot même de **pédagogie**) un *enseigné* vers un ensemble de doctrines ou de disciplines qui sont ressenties comme inconnues ou étrangères. Ainsi les mathématiques, ainsi l'histoire, que l'on tient pour univers situés hors de l'enseigné. C'est en effet dans la conscience qu'il a ou qu'il prend d'une distance de lui-même à l'objet d'enseignement que l'enseigné comprend sa condition : il est celui que l'on initie.

En revanche, tout fait vécu comme naturel paraît exclure la procédure pédagogique. Par exemple, l'acte de marcher, sitôt qu'il est acquis, se confond avec un réflexe que je ne peux que rééduquer, si l'usage en a été momentanément aboli, que je ne peux que parfaire, si je désire qu'il ait plus grande efficacité ou plus de grâce (ce qui justifie le « professeur » de maintien); mais, au demeurant, pour vivre, il me suffit que persistent les fonctions essentielles de la marche : une pédagogie de la marche, sauf durant la période des « premiers pas », ne relève pas de la nécessité.

On peut adopter la même attitude à l'égard du langage, car parler une langue n'exige rien de plus que l'effort minimal qui assure, entre autrui-auditeur et moi-locuteur, une certaine compréhension. Parler, une fois l'apprentissage des premières années terminé, devient un acte naturel, que l'usage social, progressivement, affine; il suffit à cela d'un minimum de contacts. N'est-ce pas ce fait qui explique en bonne partie que longtemps la société ait pu se dispenser de rendre obligatoires la connaissance et le maniement de la lecture et de l'écriture?

Le locuteur est comme installé dans sa langue et, selon les données de la linguistique, dès l'âge de six ans. On tient pour acquis que l'enfant a dès lors pouvoir d'« engendrer », et cela à l'infini, des phrases, non seulement celles qui ont été préalablement entendues, mais aussi celles qu'il n'a jamais perçues. En retour, il lui est donné de pouvoir comprendre toute phrase nouvelle. Remarquer ce « pouvoir » permet de concevoir comme non nécessaire une pédagogie du langage : initie-t-on quelqu'un à ce qu'il possède?

Il est de fait aussi que tout locuteur, quel que soit son niveau socio-culturel, peut en appeler à son intuition (son sentiment linguistique) pour discerner le correct de l'incorrect. Tout Français, de la sorte, corrige ou croit pouvoir corriger l'étranger qui « fait des fautes de français ». Seconde nature, la langue maternelle peut se moquer de cette culture qu'est la pédagogie.

On voit immédiatement les conséquences de cet état de fait : la principale étant une confiance, ou une croyance, à la spontanéité de l'élève en matière de langage. Expliquons-nous. Et pour cela situons-nous au point de plus haute contestation, c'est-à-dire celui de l'enseignement de la grammaire.

On connaît cette phrase de C. Freinet : « L'enfant apprend à parler à la perfection sans jamais connaître aucune des règles du langage parlé »; c'est sur cette affirmation qu'il fonde sa pédagogie du français : « Si on réalisait pour l'enfant à l'école les conditions d'expression et de vie qui existent naturellement pour le langage, les enfants apprendraient à lire et à écrire avec la même rapidité et la même sûreté, absolument sans aucune leçon. » Sans vouloir ici développer une argumentation qui trouvera sa place plus loin dans l'ouvrage (TROISIÈME PARTIE), il est intéressant toutefois de constater que C. Freinet se limite à relever que la langue nous est familière, proche, « naturelle » et qu'il suffit, dans des conditions qui miment la vie, de puiser en elle pour bien parler, bien lire, bien écrire. Créer les circonstances répondrait à tous les problèmes de l'enseignement de la langue.

Il est un autre point sur lequel il faut également insister. Le français, pour des élèves francophones, est le véhicule de toutes les connaissances que l'école distribue : on parle français, on lit le français, que l'on aborde les mathématiques ou la géographie, les sciences naturelles ou la chimie. Tout ramène au français, à tout instant de la journée scolaire. L'enseignement du français est comme une « éducation permanente » installée dans la forme même de toutes les disciplines. De là naît ce sentiment chez le pédagogue, qu'il ne cesse et n'en finit pas d'enseigner le français, que les leçons de prononciation, de vocabulaire ou de rédaction se renouvellent chaque fois qu'il convient de comprendre un mot de la terminologie des sciences ou de rédiger la solution du problème de calcul. Par ce caractère de *support*, le français se distingue une fois de plus des autres matières d'enseignement.

Au bout du compte, à quoi bon une pédagogie spécifique de la langue maternelle, cet outil qui est comme un don de la nature et de la vie et que l'on perfectionne suffisamment dans l'apprentissage et l'usage des sciences et techniques qui, elles, sont à **apprendre?**

On ne peut justifier un enseignement du français comme langue que par une réflexion sur la notion même de langue et par l'analyse de la situation linguistique où tout individu est, malgré lui, engagé.

I. La situation linguistique

A. Les deux grands types de messages

a) Conscience d'une synchronie

Notre vie quotidienne se déroule parmi un ensemble de « messages » que la société nous fournit. Images, tableaux, films, dessins, dans l'ordre visuel. Danse, mime, pantomime, dans l'ordre gestuel. Bruits, cris, musique, dans l'ordre auditif. Mais la plupart des messages reçus sont de nature linguistique : que la langue accompagne, en commentaire, un message de l'ordre visuel, comme l'affiche, ou qu'elle se présente *seule* comme dans toute conversation.

Toutes les fois que nous cherchons à établir entre le milieu social et notre activité un relatif équilibre c'est à la langue que nous empruntons. Retenons comme exemples les moyens que nous utilisons pour connaître les « événements du monde » : le journal que nous **lisons**, la radio que nous **écoutons**.

Les « nouvelles » nous parviennent tantôt sous forme **écrite** (par la « presse écrite »), tantôt sous forme **orale** (par la « presse parlée »). S'agit-il de la publicité ? Celle-ci nous assaille, soit par l'affiche, souvent accompagnée d'une légende **écrite**, soit par la « réclame » radiophonique, où le **parler** fait partie même du produit vanté. Ainsi, par expérience quotidienne, découvrons-nous que le message linguistique se réalise tantôt **oralement**, tantôt **graphiquement**.

Il arrive souvent que le même message, comme une médaille, possède face et revers, se laisse ou **lire** ou **écouter** : un poème d'Aragon nous parviendra alors soit par le **livre**, soit par le **disque**. Dans un cas, le **lecteur** déchiffre une suite de signes graphiques; dans l'autre, l'**auditeur** une suite de signes phoniques. C'est la marque de notre commune condition : notre activité de *locuteur* connaît une double sollicitation. Tantôt nous délivrons, oralement, nos messages par exemple dans le dialogue du bureau ou de la rue; tantôt nous les enchaînons graphiquement, par exemple dans un rapport écrit ou une lettre de félicitations.

Admettons donc que nous nous éprouvons comme situés, ici et maintenant, dans une **synchronie linguistique,** où les messages sont susceptibles de connaître une double réalisation : orale et/ou graphique.

b) Connaissance d'une diachronie

Dans l'ensemble des messages perçus, tout ne se situe pas au même niveau. Certains messages nous installent dans l'actualité : la radio, la presse, l'affiche; d'autres, au contraire, nouent un lien de l'actuel au passé : ainsi, très souvent, le livre.

La lecture d'un chapitre des *Essais* ou d'un roman de Flaubert renvoie le lecteur à une certaine période de l'histoire. Par le moyen du livre imprimé, les écrits des siècles antérieurs s'adressent à nous. Le passé émet en direction du présent ses propres messages. Ainsi ressentons-nous la langue française comme antérieure à notre expérience actuelle; le français que nous parlons nous cerne, puisque nous en sommes contemporains, et nous porte, puisqu'il a une histoire. Les signes de la langue nous rattachent aux innombrables éléments de l'ensemble social et sont sur nous comme la griffe des âges écoulés.

Avoir d'une langue une première connaissance revient à l'éprouver à la croisée des axes d'une synchronie et d'une diachronie. Et c'est ainsi qu'une première justification peut être trouvée à une pédagogie du français : conduire l'enseigné parmi les signes de sa langue, pour qu'il comprenne la période contemporaine et pour qu'il accède lucidement au passé où la culture s'enracine.

B. La situation linguistique de l'enseigné

a) La découverte de l'écrit

Pédagogie suppose découverte. Or, tant que le locuteur connaît sa langue par le seul usage oral, on peut affirmer qu'il ne la connaît pas vraiment : c'est la situation de l'enfant avant son entrée au Cours préparatoire. Il faut, pour que la langue soit appréhendée comme telle (en dehors de toute étude et de toute analyse), qu'elle prenne un nouvel aspect, ce qu'elle fait quand elle se présente sous les traits de l'**écriture**. C'est pourquoi la pédagogie du français commence quand l'enfant se heurte au problème à deux faces de la « lecture-écriture ». La langue, qui n'était que succession de sons, prend forme sous l'effet de la transcription graphique. Par son apparence écrite, la langue se « matérialise » aux yeux de l'enfant : elle devient objet de regard. Domaine étrange et étranger, auquel il faut, pour y accéder, subir une initiation. Pour l'élève qui entre au Cours préparatoire et qui prend contact avec le livre et ses lettres à déchiffrer, la langue française est, sur fond blanc, une série de lignes noires.

b) L'apprentissage de l'écrit

La première distance éprouvée et vécue à l'égard de la langue tient donc au contact de l'enfant avec l'écrit. C'est cela qui caractérise sa situation d'enseigné. La conséquence est évidente : ce n'est pas dans l'acte d'articulation orale qu'il prend possession de sa langue, mais bien par le geste de l'écriture. Appropriation par la plume. Et il ne s'agit pas encore pour lui d'orthographe, mais de simples gestes de graphie. La langue française devient un objet que l'on façonne et que l'on « produit » par l'écriture. Inversement, elle est objet que l'on « consomme » par la lecture.

Cette dialectique (pour employer un grand mot) de la lecture et de l'écriture est avant tout une expérience qui fonde la conscience, encore peu claire,

de la réalité de la langue comme objet extérieur à l'enseigné. Et si notre pédagogie du français paraît privilégier l'écrit au détriment de l'oral, la raison n'en
est pas d'abord dans la primauté que l'on donne à la littérature, modèle de
beau langage et de bon usage, mais bien dans cette expérience linguistique
fondamentale du Cours préparatoire que la langue est un dessin perçu qui
suscite une certaine parole.

c) Le « parler » de l'écrit

Lire c'est découvrir dans la graphie des signes une suite ordonnée de sons.
Insistons sur ce fait que la lecture, durant toute la durée de l'enseignement
élémentaire, se fait à haute voix. On « parle l'écriture ». C'est dire que l'enseigné
découvre sa parole et l'entend, mais n'en est plus la source : il parle à partir
d'un texte. Par cette parole, il comprend l'écrit ; il lui faut l'aide de l'oral pour
que se révèle la graphie.

Cette pratique s'étend à tous les niveaux de l'enseignement élémentaire.
Il n'est que de consulter les *Instructions officielles :* au Cours préparatoire,
il faut apprendre à déchiffrer, « tâche ingrate qui consiste à associer des sons
et des formes sans rapport apparent », mais l'on déchiffre à haute voix. Au
Cours élémentaire, la lecture devient « courante ». Au Cours moyen, à côté de
la lecture silencieuse, subsiste l'excercice oral de « lecture expressive » où l'on
apprend à placer les accents de groupes, à distinguer les valeurs des pauses,
à moduler une courbe intonatoire, la lecture parlée devenant preuve que l'on
a bien compris le texte écrit. Bien que la récitation ne soit pas à classer parmi
les exercices de lecture, il faut cependant noter qu'il s'agit d'un exercice oral
qui prend son départ dans un texte écrit et qui renforce ce sentiment de l'enseigné que l'on ne parle sa langue, et bien, qu'à partir de l'écriture.

Il est, de la sorte, évident que l'écriture suscite un type de langue orale
(dont le modèle est peut-être indistinct, mais réel), qui prend source dans les
livres. Ainsi la situation linguistique de l'enseigné est-elle d'user de deux langues
d'expression orale : celle qui lui appartient par apprentissage « naturel », celle
qu'il confectionne pour connaître l'écrit, et à partir de l'écrit. Expérience de
portée capitale et pour l'élève et pour le maître.

d) Les deux moments de l'écrit

Si l'écrit est présent au départ, on ne tarde pas à le retrouver à l'arrivée.
La leçon de lecture, au Cours préparatoire par exemple, commence par la
reconnaissance, au début du moins, d'une forme perçue globalement et par
l'articulation des mots porteurs du sens de cette forme ; cette articulation est
renforcée par des répétitions que proposent les « exercices de lecture » ; mais,
finalement, la leçon d'écriture arrive, qui fixe ce que l'on a oralement appris.
La leçon de grammaire connaît la même procédure : par l'observation d'un
texte écrit au tableau, l'élève doit percevoir et analyser le « fait grammatical » ;

succèdent à cette analyse des exercices de type oral ou des comparaisons (dans le meilleur des cas) avec la langue orale; mais, tout s'investit, au terme de la leçon, dans le cahier, où l'on écrit les règles apprises et les exercices susceptibles de les fixer. Le cheminement est toujours de l'écrit à l'écrit par le moyen terme de l'oral.

Tout aussi révélateur est le fait que la pédagogie du français dans notre enseignement primaire connaisse si mal et si peu la pratique des exercices et des techniques de l'élocution : on prend prétexte de la maladresse à s'exprimer oralement que montrent les jeunes élèves. Mais leur inaptitude à l'expression écrite n'est-elle pas plus grande et plus grave? Et pourtant on ne songerait pas à négliger l'exercice de rédaction. Pourquoi? Parce que la rédaction bénéficie du prestige de l'écrit. Elle n'est pas autre chose (toute comparaison de niveaux mise à part) qu'une leçon d'écriture, corollaire nécessaire de la leçon de lecture. Au Cours préparatoire, il fallait fixer le contour et l'image des lettres; au Cours moyen, il faut fixer certains tours de phrases, certain vocabulaire, vus et emprun-tés aux pages du livre de lecture. Quand même l'élève fait effort d'originalité et d'imagination, il ne rédige son paragraphe qu'avec le modèle, proche ou lointain, de ce qu'il a lu. Car c'est dans le livre de lecture que repose la langue élégante et correcte.

Il ne faut pas s'y méprendre : à l'école, l'élève parle sur l'écriture et avec le modèle de l'écriture. Si imparfait que soit ce modèle, il existe comme contrainte. L'élève sent bien que l'école le conduit à un autre langage que celui qu'il a jusqu'ici employé naturellement. Ce langage, il est né avec le livre de lecture, il se fortifie par la pratique de la lecture et son imitation. La situation linguistique de l'enseigné est celle de qui prend graduellement conscience que bien parler s'acquiert par bien lire et écrire.

II. Le schéma de communication

A. L'expression orale

La situation ci-dessus évoquée explique, en partie, que l'on ait oublié — ou que l'on ait tendance à négliger — à tous les niveaux de notre enseigne-ment l'aspect oral de la langue. Or, quelle que soit la part ou l'importance de l'écrit, la langue orale reste présente de façon permanente comme référence nécessaire : l'élève, en effet, ne comprend ce qu'il lit que parce qu'il retrouve, en « parlant sa lecture », cette langue qu'il utilise quotidiennement.

La leçon de grammaire n'est possible que par un recours à l'intuition de l'élève; or cette intuition, comment s'est-elle formée en lui, sinon par l'usage oral de la langue? L'exercice de rédaction, s'il contraint l'élève à se placer dans la langue écrite, ne s'effectue que par opposition à un certain langage parlé, qui est marqué par ses tournures et son vocabulaire et dont l'élève tend à s'écarter quand il écrit, mais qu'il investit aussi, volontairement ou non, dans le texte de sa rédaction (v. *infra*, CINQUIÈME PARTIE).

Que l'on recherche le contact du français parlé ou que l'on se garde de toute contamination, il n'est pas possible d'échapper à sa présence. Simultanément, l'oral sous-tend et menace l'écrit. Aussi n'est-il aucune pédagogie possible du français sans une connaissance précise, c'est-à-dire scientifique, de l'aspect oral de la langue.

C'est à ce niveau que la linguistique nous apporte l'aide de ses principes et de ses résultats, en nous permettant, comme nous le verrons, d'étudier les « faces » orale et graphique du message et de procéder à une analyse des conditions générales qui l'entourent.

B. Les pôles du message

Négligeons provisoirement la double réalisation — orale et écrite — dont est susceptible le message et plaçons-nous à un niveau assez général pour que soient saisies les caractéristiques de son fonctionnement. Quelles sont les conditions minimales pour que la communication — fonction première de la langue — s'établisse?

a) Émetteur/récepteur

Un **message** ne peut exister que s'il relie deux sujets l'un à l'autre. Le sujet A s'adresse au sujet B. Appelons le sujet A l'**émetteur**, le sujet B le **récepteur**. Nous pouvons déjà distinguer au moins deux grands types de messages :

1. Le message échangé entre A et B est tel que chaque sujet alternativement émet et reçoit (type constitué par la **conversation**) :

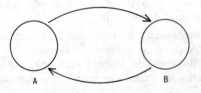

N. B. — Le discours intérieur et le monologue à haute voix ne sont que des variantes de la conversation.

2. Le message échangé entre A et B est tel que seul le sujet A se comporte comme émetteur, B étant récepteur (sans alternance de rôles pour les sujets). Ce type de message est constitué par la **diffusion** (radio, journaux, etc.) :

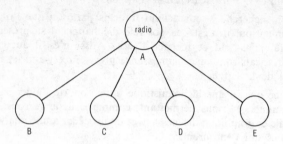

b) Le canal de communication

Pour que le message puisse de A parvenir à B (et *vice versa* dans le cas de la conversation), il faut un contact établi de façon permanente entre A et B. Ce contact est rendu possible par un **canal de communication** (dont l'image la plus simple est fournie par la technique du téléphone). Sous ce terme, les linguistes et les psycholinguistes regroupent plusieurs notions. Ainsi R. Jakobson (*Essais de linguistique générale*, p. 214) écrit : « Le message requiert un contact, un canal physique et une connexion psychologique »; S. Moscovici et M. Plon (*les Situations-Colloques*, v. BIBLIOGRAPHIE) donnent la définition suivante : « Les canaux de communication sont définis par le milieu physique, social, psychologique, par les moyens techniques auquel un sujet parlant a accès pour faire parvenir un message au destinataire de son choix. » Il faut donc donner à l'expression « canal de communication » un sens qui déborde celui de simple procédure technique (l'image du téléphone est trop étroite).

c) Le référent

Le message se constitue sur quelque chose, à propos d'un événement, à partir d'un certain thème. « Le message requiert un contexte auquel il renvoie. » (R. Jakobson, *Ibid.*) Utilisons pour désigner ce *contexte* le terme, généralement admis par les linguistes, de **référent**. On peut distinguer, schématiquement, deux types fondamentaux de référents :

● **Le référent situationnel** : ce sont tous les éléments qui appartiennent à l'entourage de A et B, au moment de l'émission et de la réception. Ces éléments sont innombrables, comme sont, par leur variété, innombrables les situations dans lesquelles des messages s'instaurent;

● **Le référent textuel** : ce sont tous les éléments actualisés par et dans le message à l'aide des signes linguistiques qu'utilisent A et B. Par exemple, si A évoque un souvenir, il le fera à l'aide de phrases qui renverront à un moment de son passé : des lieux, des êtres seront ainsi signifiés qui sont absents au moment où le message est émis; par exemple encore, lorsque A reprend certains mots appartenant aux phrases déjà prononcées, c'est-à-dire lorsque A renvoie à son propre discours, il vise le **référent textuel.**

Toutefois, ni canal de communication ni référent, pour nécessaires qu'ils soient, ne peuvent être tenus pour suffisants. Encore faut-il que A et B se comprennent.

d) Encodage et décodage

Supposons que A émette un message en anglais et que B soit un récepteur ne parlant que le français. L'incompréhension est absolue. B percevra une suite de sons, modulés d'une certaine façon, découpés de pauses, devinera peut-être des accents d'intensité variable (v. *infra*, DEUXIÈME PARTIE), mais sera incapable de distinguer, c'est-à-dire de découper des groupes sonores auxquels il puisse attribuer un sens. B se trouve devant le message de A comme devant un message chiffré dont il faut connaître la clef pour parvenir à lever le mystère. Si B ne dispose pas du **code,** le message de A est une énigme sonore. Autrement dit, pour que A et B puissent communiquer, il leur faut en commun un **code.**

Comment définir un **code?** Disons que c'est un ensemble de règles permettant de combiner des signes et de construire des unités significatives. Ainsi deux interlocuteurs français disposent du même code, qu'une analyse des règles régissant la langue permet de décrire.

Toutefois, il ne suffit pas absolument que le code soit commun pour que la compréhension soit bonne. Deux sujets appartenant à la même communauté linguistique peuvent fort bien ne parvenir qu'à un degré relatif d'intercompréhension. Si A et B n'ont pas exactement en commun le même répertoire de signes, la compréhension ne sera que partielle. Ce que l'on peut représenter schématiquement ainsi :

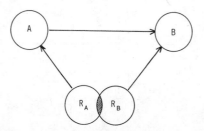

$R_A \cap R_B$: partie commune
des répertoires
(intercompréhension)

N. B. — Il convient de retenir quelques termes très usités, au demeurant fort simples : pour désigner l'activité de l'émetteur A, on dira qu'il **encode** un message (d'où le terme d'**encodeur,** comme synonyme d'émetteur); pour dénommer l'activité du récepteur B, on dira qu'il **décode** un message (d'où le synonyme de **décodeur** pour récepteur). **Encodage** et **décodage** fondent la communication.

e) Bruit et redondance

Lorsqu'il existe une communauté de code entre A et B, la communication peut s'instaurer. Cependant, la transmission du message peut connaître des perturbations propres à gêner une bonne intercompréhension. Ces perturbations affectent le canal de communication de manière très fréquente, sous diverses formes parasitaires : tantôt B reçoit mal le message parce que A a mal prononcé un mot, ou bien parce qu'une autre voix a couvert momentanément celle de A, ou bien parce que B a été inattentif, etc. On désigne du terme de **bruit** tout phénomène qui voile, à des degrés et des niveaux divers, le message dans sa transmission.

Corrélativement, pour compenser les pertes d'information dues au bruit, pour faire qu'un signe mal perçu retrouve sa valeur à un autre point du message, la langue offre à l'émetteur une procédure spécifique que l'on désigne du nom de **redondance** : il ne s'agit pas de cette redondance de type rhétorique par quoi la même idée est reprise sous des formes différentes, mais d'un redoublement de marques, par exemple de type grammatical. Dans la phrase « la petite fille est heureuse », la marque du féminin est présente quatre fois : par l'article *la*, par l'adjectif *petite*, le nom *fille* et l'adjectif attribut *heureuse*. Nous dirons que l'information « féminin » est marquée quatre fois dans le message. Phénomène de redondance dont nous aurons à relever l'importance dans l'étude de la grammaire.

Pour conclure sur le schéma de communication, nous rassemblons dans la figure ci-dessous les différents éléments analysés :

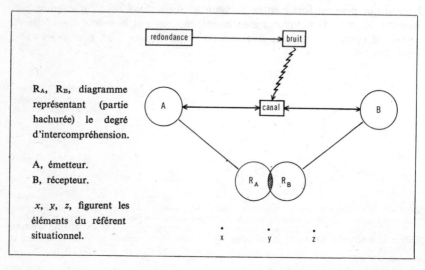

R_A, R_B, diagramme représentant (partie hachurée) le degré d'intercompréhension.

A, émetteur.
B, récepteur.

x, *y*, *z*, figurent les éléments du référent situationnel.

III. Les deux faces du message

A. Code oral, code écrit

Nous avons vu comment les messages linguistiques sollicitaient sous leur double réalisation, orale et/ou graphique, le sujet dans son rôle d'émetteur ou de récepteur. Nous savons maintenant comment se dessine la configuration de l'acte de communication. Il nous reste à tracer les lignes essentielles qui parcourent et structurent les deux faces du message.

Un message oral s'échange entre émetteur et récepteur, dans le cas de la conversation (v. *supra*, II B), de manière immédiate : il n'y a pas, ou pratiquement pas, de long intervalle de temps entre l'émission et la réception. Quand A a parlé, B peut à son tour prendre la parole; la réponse est instantanée. Un message écrit, échange de lettres, par exemple, demande un intervalle de temps assez long, selon la rapidité des services postaux et/ou la volonté du récepteur.

Un message oral place émetteur et récepteur dans un contexte situationnel identique, et souvent utilise par allusions ou implicitement des éléments du référent qui complètent l'information du message. Inversement, le message écrit doit, s'il veut faire jouer un rôle au contexte situationnel, le décrire : il y aura beaucoup plus de descriptions dans un roman (type de message écrit) que dans une pièce de théâtre jouée et parlée dans un décor qui tient lieu de contexte.

Le message oral utilise des éléments informateurs que le message écrit ne retrouve que de manière indirecte et imparfaite : les intonations, les pauses, le débit, les accents d'intensité (v. *infra*, Deuxième Partie) sont extrêmement importants pour la compréhension du message par le récepteur. Or, comment le message écrit peut-il conserver tout ce qu'apportent ces éléments dits **prosodiques ?** Il emploie la ponctuation, procédure inadéquate, et se trouve totalement démuni pour marquer l'intonation (il ne peut que la décrire à l'aide du vocabulaire). D'autre part, toute conversation s'accompagne de gestes, que le message écrit ne peut que compenser par l'évocation descriptive, une fois de plus.

C'est pourquoi le message écrit est relativement plus long que le message oral. Nous remarquerons que ces différences ne tiennent pas à la personne de l'émetteur, mais qu'elles appartiennent, comme des caractères contraignants, au type même des messages. Et ce sont ces caractères qui fondent la distinction établie par les linguistes entre **code oral** et **code écrit**.

B. Phonèmes et graphèmes

Nous savons que l'enseigné se trouve sollicité en permanence par l'un et l'autre code. Nécessité est faite à l'enseignant de s'adapter à cette situation, c'est-à-dire de connaître les descriptions parallèles que la linguistique propose de l'une et l'autre face des messages. Nous verrons, au cours de cet ouvrage, que les descriptions se situent à des niveaux différents. Mais sans entrer dans les problèmes de méthode qui permettent de distinguer ces niveaux et d'en marquer les rapports mutuels, il est possible, par expérience et sur intuition (tout enseignant peut en appeler à son « métier »), d'envisager les trois domaines suivants : les sons, la grammaire, le vocabulaire.

Prenons un exemple :

Homme libre, toujours tu chériras la mer!

Admettons, conventionnellement, que le mot écrit soit un assemblage d'éléments — que nous appelons des **graphèmes** — et que les limites du mot écrit soient constituées par deux blancs, l'un situé à sa gauche, l'autre à sa droite. Nous pouvons dénombrer, sur ces critères, sept mots, dans ce vers de Ch. Baudelaire, séparés par six blancs (nous omettons les deux blancs du début et de la fin du vers). Il n'est pas laissé de choix à qui veut transcrire sous dictée orale ce vers : on doit obligatoirement, en français, séparer les mots par des blancs et chaque mot possède sa graphie également obligatoire. Écrire *homme* simplement « ome », est tenu pour une faute contre un usage contraignant.

Ce même vers de Baudelaire, essayons de le transcrire de manière que seuls les sons apparaissent :

[ɔmǝlibʀǝ / tuʒuʀ / tyʃeʀiʀa / lamɛʀ]
(Homme libre, toujours tu chériras la mer)

Compte tenu de l'expression orale (v. *infra*, DEUXIÈME PARTIE) et du caractère spécifique de la diction poétique, nous obtenons non plus sept mots, mais quatre; non plus cinq blancs, mais trois. Si nous comparons le nombre des **graphèmes** au nombre des **phonèmes** représentés ici par autant de lettres empruntées à un alphabet de transcription phonétique (v. TABLEAU DES PHONÈMES, p. 39), nous obtenons le résultat suivant :

graphèmes		phonèmes	
homme libre	: 5 + 5	[ɔmǝlibʀǝ]	: 8
toujours	: 8	[tuʒuʀ]	: 5
tu chériras	: 2 + 8	[tyʃeʀiʀa]	: 8
la mer	: 2 + 3	[lamɛʀ]	: 5

donc, au total, 33 graphèmes pour le **code écrit** et seulement 26 phonèmes pour le **code oral**.

La différence s'explique par le caractère orthographique du code écrit du français. Il ne s'agit pas de déplorer cette distance de l'oral à l'écrit (encore que le code écrit, à ce niveau, puisse, par réforme, être allégé) mais de la constater pour, comparativement, mieux pénétrer le fonctionnement de l'un et l'autre code. Car une conséquence pédagogique immédiate apparaît du fait de cette dissymétrie entre les deux codes : il ne faut plus privilégier l'un au détriment de l'autre, mais étudier et éclairer l'un par l'autre. Il est capital que l'enseignant comprenne que le contenu et la méthode de son enseignement dépendent de la conscience et de la connaissance qu'il a de la double réalisation (orale/écrite) de la langue.

Essayons de le montrer en nous plaçant à un autre niveau, celui de la grammaire.

C. Grammaire de l'oral et grammaire de l'écrit

Dans sa *Grammaire structurale du français*, Jean Dubois conduit l'analyse simultanée des deux codes. Nous lui empruntons quelques exemples.

a) Le nombre

Voici une phrase et sa transcription dans le code oral :

> *leurs livres sont ouverts.*
> [lœʀlivʀ / sɔ̃tuvɛʀ].

Indiquons par le signe + la présence de la marque du nombre (ici le pluriel), par le signe — son absence :

écrit : *leurs livres sont ouverts.*
     +   +   +   +

oral : [lœʀlivʀ / sɔ̃tuvɛʀ].
     —   —   +   —

Il s'agit, en comparant les deux réalisations, de relever les points où la marque du pluriel est située; il est évident que le « pluriel » n'existe que par opposition au « singulier », puisque la langue française fournit cette double possibilité d'expression.

Dans l'oral, rien ne sépare le singulier du pluriel lorsque je prononce le groupe : [lœʀlivʀ].

En revanche, l'écriture distingue :

singulier : *leur livre*
pluriel : *leurs livres.*

Dans l'oral, si je choisis le singulier pour le deuxième groupe, j'obtiens : [ɛtuvɛʀ]; si je choisis le pluriel, [sɔ̃tuvɛʀ]. La langue, en réalisation orale, oppose [ɛ(t)] (3e pers. du sing.) à [sɔ̃(t)] (3e pers. du plur.). Le point où la marque est située est donc [sɔ̃(t)], tandis que l'adjectif reste inchangé.

Dans l'écrit, *est ouvert* va s'opposer à *sont ouverts*. Au pluriel, nous avons pour l'adjectif un graphème supplémentaire : *s*. Quant aux formes *est* et *sont*, elles présentent des combinaisons de graphèmes très dissemblables.

Conclusion : dans cette phrase, au pluriel, la langue porte sur sa face orale **une** marque de pluriel, sur sa face écrite **quatre** marques.

Mais il arrivera qu'il y ait une correspondance absolue entre les deux faces :

écrit : *les travaux sont originaux*
              +   +   +   +
oral :   [letRavo sɔ̃tɔRiʒino].
              +   +   +   +

Le pluriel, en effet, suppose que l'on choisisse quatre fois une marque différente du singulier, pour chacune des réalisations :

singulier : *le travail est original*
              lə tRavaj ε(t) ɔRiʒinal

pluriel :   *les travaux sont originaux*
              le tRavo sɔ̃(t) ɔRiʒino.

L'exemple suivant confirmera combien peut être fructueuse la comparaison des deux codes.

b) Le genre des adjectifs

Nous empruntons les analyses suivantes au traité de M. Csecsy et E. Wagner : *Du français oral au français écrit* (édité par le *BELC*).

Il est insuffisant, au plan de la description et de la pédagogie, de s'en tenir à la distinction traditionnelle qui propose comme base le masculin de l'adjectif dont on dérive le féminin par adjonction d'un *e* sourd [ə] :

clair | claire   petit | petite

Si l'on essaie de tenir compte des deux réalisations, orale et écrite, on peut parvenir à un classement pertinent : deux grandes catégories se délimitent.

Catégorie 1 : constituée par les adjectifs invariables dans la langue écrite et/ou dans la langue orale :

a) Adjectifs invariables dans la langue orale comme dans la langue écrite :

large, triste, capable, inique, civique, etc.

b) Adjectifs invariables dans la langue orale, mais variables dans la langue écrite :

noir/noire	*public/publique*
[nwaR]	[pyblik]
clair/claire	*cruel/cruelle*
[klɛR]	[kRyɛl]

Catégorie 2 : constituée par les adjectifs variables dans la langue orale et dans la langue écrite :

a) A l'oral, le féminin se termine sur une consonne qui disparaît au masculin ; à l'écrit, le masculin présente le graphème de la consonne, que l'on retrouve au féminin assortie de *e* :

verte/vert   *grande/grand*
[vɛrt]/[vɛr]   [gʀɑ̃d]/[gʀɑ̃]

REMARQUE. — Pédagogiquement, il sera utile de montrer comment, en fait, il est très souvent possible de dériver le masculin du féminin, contrairement à l'usage établi par les grammaires qui ne visent que le plan de l'écrit.

b) A l'oral, le masculin se termine par une syllabe ouverte, le féminin sur une syllabe fermée (v. DEUXIÈME PARTIE) ; à l'écrit, le masculin se termine par le graphème d'une consonne, le féminin comporte cette consonne (parfois redoublée) assortie de *e* :

léger/légère   *ancien/ancienne*
[leʒe]/[leʒɛʀ]   [ɑ̃sjɛ̃]/[ɑ̃sjɛn]

N. B. — Nous ne prolongeons pas l'analyse (dont on trouvera le détail soit dans le traité signalé ci-dessus, soit dans la *Grammaire structurale* de J. Dubois, soit encore dans la *G.L.F.C.* [1]). Il ne s'agit ici que d'indiquer des tendances, des perspectives qui ouvrent et enrichissent la réflexion et la technique pédagogiques.

c) Marques du présent de l'indicatif (1ᵉʳ groupe)

Dernier exemple de description parallèle, l'analyse des formes du paradigme verbal suivant :

	écrit	oral
1 —	*je chante*	ʒəʃɑ̃t
2 —	*tu chantes*	tyʃɑ̃t
3 —	*il chante*	ilʃɑ̃t
4 —	*nous chantons*	nuʃɑ̃tɔ̃
5 —	*vous chantez*	vuʃɑ̃te
6 —	*ils chantent*	ilʃɑ̃t

Notre étude comparative vise essentiellement les marques de la « personne », que, par simplification, nous désignons par des numéros de 1 à 6.

a) A l'écrit comme à l'oral nous constatons que les formes, de 1 à 6, se distinguent par des éléments (morphèmes) préposés ou postposés à un élément central (radical) *–chant–/–ʃɑ̃t–*.

---

(1) Nous désignerons ainsi, tout au long de ce manuel, la *Grammaire Larousse du français contemporain*.

b) Cependant les réalisations sont différentes :

ÉLÉMENTS PRÉPOSÉS

- **à l'écrit** : 6 morphèmes distincts : *je, tu, il, nous, vous, ils.*
- **à l'oral** : 5 morphèmes distincts : ʒə, ty, il, nu, vu;

ÉLÉMENTS POSTPOSÉS

- **à l'écrit** : 5 morphèmes distincts : *–e, –es, –ons, –ez, –ent.*
- **à l'oral** : 2 morphèmes distincts : –ɔ̃, –e; 1 morphème « absent » en 1, 2, 3, 6, que l'on désigne comme « morphème zéro ».

Nous constatons une fois encore que l'écrit est plus riche en marques que l'oral et que la « personne » est exprimée, à l'oral, essentiellement par les morphèmes préposés (dits « pronoms de conjugaison »). Alors que nous n'avons de redondance à l'oral qu'en 4 et 5, la redondance est présente de 1 à 6, à l'écrit.

D. Conséquences pédagogiques

Il faut distinguer le point de vue de l'enseignant de celui de l'enseigné. Tout ce que l'enseignant acquiert, informations, culture, érudition, n'est pas à transmettre tel quel à l'enseigné. Rappeler cela n'est qu'énoncer un truisme. Mais souligner qu'il n'existe pas de vraie et solide pédagogie sans un souci de science et de connaissance théorique n'est pas du domaine de l'évidence, tant il est facile de limiter la pédagogie à une technique et à un ensemble de procédés.

Si nous prétendons qu'il faut, pour donner à l'enseignement du français son efficacité et son agrément, une initiation aux principes et aux résultats de la linguistique, c'est que nous voyons dans cet acquis théorique le moyen de dominer les problèmes fondamentaux de la langue française et de découvrir les voies les plus fécondes pour l'initiation de l'enseigné. Ainsi, essayons de comprendre la portée de la distinction établie entre code oral et code écrit.

a) L'au-delà de la graphie

Tout enseignant a reçu sa culture par la lecture, et la langue, il la perçoit sous la forme de l'écriture et dans la littérature. Or nous avons déjà entrevu que l'expression orale ne fonctionnait pas comme l'expression écrite et que, pour saisir la langue dans sa double réalisation, il fallait savoir aller au-delà de la simple graphie. La linguistique, qui insiste sur le rôle primordial de l'expression orale dans la langue, peut seule aider l'enseignant dans ce « passage au-delà des apparences graphiques ». Connaître sa langue, pour un enseignant francophone, exige, en premier lieu, un effort pour abandonner un ensemble d'images visuelles et de rapports établis entre elles; en second lieu, une attention au *parler* qu'il entend.

b) La « dialectique » graphie/phonie

La conscience que l'expression orale joue un rôle primordial n'implique pas, en retour, que l'on minimise l'expression écrite. Ce qui est le plus important et le plus efficace, au niveau de l'information de l'enseignant, c'est l'aptitude que ce dernier peut acquérir (par le soutien de la linguistique) à passer d'un plan à l'autre et, par comparaison, à cerner et poser les problèmes de la langue. Les différences qui séparent les deux codes, lorsqu'elles sont mises en évidence, permettent toujours de lancer la réflexion de l'enseignant et souvent de susciter l'observation de l'enseigné.

On verra comment ce va-et-vient de la phonie à la graphie et *vice versa*, ce que nous appelons une « dialectique », peut fonder l'enseignement du français.

c) Le point de vue des « Instructions officielles »

La référence aux deux codes est constante dans les *Instructions*. Si nous prenons celles qui visent l'enseignement de la grammaire, voici ce que nous relevons.

● **1923** : « L'enseignement grammatical doit être concret. Le maître doit partir des **textes placés sous les yeux** des enfants... Il s'agit, par la pratique du **langage parlé ou écrit,** d'amener les enfants à classer... les formes verbales. » Rien n'est dit sur l'exploitation pédagogique des deux codes distingués, mais l'attention est attirée sur la nécessité de tenir compte de l'un et de l'autre.

● **1938** : Ces *Instructions*, beaucoup plus développées et précises que celles de 1923, soulignent, avec un certain bonheur, l'usage que le maître peut faire de l'observation des deux codes. Il est précisé, dès le début, que « l'enseignement élémentaire de la grammaire a pour objet de faire acquérir la correction de la **langue parlée et écrite** »; plus loin, que « **c'est des faits de la langue parlée** qu'il faut partir, parce que c'est la langue parlée qui est seule bien connue des enfants » : à ces énoncés de principes, des exemples apportent l'illustration d'une méthode. On propose de distinguer le singulier du pluriel par la comparaison de *un cheval, deux chevaux*, parce que ces deux formes font « entendre » à la terminaison les marques du nombre; inversement, on fait constater que « malgré l'identité de la prononciation, dans la plupart des verbes, la forme écrite, l'orthographe, n'est pas la même après un nom au singulier qu'après un nom au pluriel : *mon frère parle, les élèves parlent* »; et, dernier relevé, « presque toutes les confusions grammaticales qui donnent lieu à des fautes d'orthographe disparaissent aussitôt que l'on recourt à la langue parlée, pour reconnaître le genre ou le nombre des noms, la personne, le temps ou le mode des verbes ». N'est-ce pas ainsi souligner cette *dialectique* que nous avons déjà évoquée? Mais, plus importante que ces exemples, voici une phrase qui justifie notre entreprise : « Certains font à ce procédé (le recours à la langue parlée) le reproche de mécanisme; il n'en est rien; il a, au contraire, pour effet d'amener les élèves à prendre une conscience claire d'opérations mentales si familières qu'elles s'accomplissent dans un automatisme inconscient. »

Il est évident que l'enseignant ne peut bien conduire ses élèves au niveau de la « conscience claire » que s'il a lui-même une connaissance **scientifique** des phénomènes typiques de la langue dans les deux codes. C'est pourquoi, en restant sur le plan des grandes tendances, nous revenons à l'analyse des deux faces du message.

E. Le français fondamental

Le rôle du maître — et les *Instructions* insistent sur cet aspect de son travail — est d'apprendre la correction de la langue à ses élèves. Il doit donc connaître les règles de ce que les grammairiens ont appelé le *bon usage*. Autrement dit, l'enseignement du maître revêt un aspect normatif. Cependant, la connaissance scientifique du fonctionnement de la langue conduira le maître dans des régions où la correction ne règne pas, mais qu'il est pourtant nécessaire d'explorer si l'on veut apercevoir les phénomènes typiques. Singulièrement quand il s'agit de la langue orale.

a) Remarques sur un dialogue

Nous disposons maintenant de données précises concernant le vocabulaire et la grammaire du français oral, grâce à l'enquête du « français fondamental ». Avant même de donner quelques-uns des résultats les plus intéressants de cette enquête, voici un échantillon de ce français parlé (v. DOCUMENT I, ci-contre).

Quelles remarques pouvons-nous faire sur ce texte?

1. Il s'agit de la transcription d'un dialogue conduit dans un langage de type « familier ». On remarquera combien le vocabulaire et la grammaire s'écartent de ce que l'on est convenu d'appeler la « norme » (c'est-à-dire l'ensemble des prescriptions ressenties pour que le texte soit considéré comme correct) :

● pour le **vocabulaire,** des expressions comme *c'est marrant, j'ai emmené son aile, leur rentrer dedans, cent soixante balles* classent aussitôt le locuteur comme appartenant à un groupe qui use d'un langage relâché;

● pour la **grammaire,** nombre de traits sont à placer dans la « grammaire des fautes », pour reprendre le titre d'un ouvrage excellent (v. BIBLIOGRA-PHIE) : par exemple, emploi de *faut,* pour *il faut, ça* pour *cela, il dit,* pour *dit-il, je sais pas* pour *je ne sais pas, pourquoi que tu t'es mis là* pour *pourquoi t'es-tu mis là,* etc.

Pourrions-nous trouver ces « écarts » dans un texte écrit? Absolument, si celui qui écrit, le *scripteur,* a choisi de s'exprimer dans un style familier et relâché. Ce n'est pas à ce niveau lexical et grammatical que l'on peut découvrir les traits propres au code oral, c'est-à-dire les traits qui n'apparaissent jamais dans un message écrit.

Le français oral

Dialogue (enregistré au magnétophone) entre un chauffeur d'autobus de la R.A.T.P. et un voyageur.

(C = *chauffeur*; V = *voyageur*; E = *enregistreur*)

C. — C'est marrant, hein, les accidents. Tu vois là, je vais pas en avoir de cinq, six mois, et puis tout d'un coup, je vais en avoir un aujourd'hui, toute la semaine je vais en avoir...

E. — Et tu crois pas que c'est dû à ce que...

C. — ... et puis je reste sans en avoir.

E. — ... quand tu en as eu un, tu dis : « Bon Dieu! il va encore m'arriver quelque chose! »

C. — Oui, ça doit être ça... quelque chose comme ça...

V. — Mais tu y penses quand tu en as eu un?

C. — Non, j'y pense pas... ça t'énerve, tu es... je sais pas, tu es peut-être plus énervé. Tu sais quand tu es... y a des fois, moi, j'ai envie de leur rentrer dedans, moi, je les vois, là, ils se croient... Une fois à Saint-Lazare, tu sais, les gens descendent, et puis faut aller tourner à la Place, alors, tu sais, un bus, ça se tourne pas comme une voiture... un taxi, il vient, il allait se mettre là-bas. Il s'arrête juste à ras de moi, comme ça. Puis il voyait que j'allais tourner! « Eh ben! je lui dis, pourquoi que tu t'es mis là? tu voyais bien que j'allais tourner? — Oh! il dit, moi j'ai le temps, je bouge pas. — Tu veux pas bouger? »... Toc! j'ai mis en première, j'ai tourné. Puis j'ai emmené son aile, tu sais tu entendais : crac! crac! crac! crac! crac! Tu voyais la voiture dans le rétroviseur, elle sautait! « Ah! arrête! Ah! » il gueulait comme un veau! « Ah, j'ai dit, mon vieux tu as pas voulu bouger, moi ça me coûtera cent soixante balles. » C'est à peu près ça.

L'Élaboration du français fondamental, p. 252.

2. Un certain nombre d'indices peuvent nous aider à découvrir la spécificité du code oral :

- Nous remarquons un emploi répété du verbe *tu sais*, qui n'apporte pas un sens précis au message, mais qui fonctionne plutôt comme une « ponctuation orale », en même temps qu'il sollicite l'attention de l'interlocuteur; c'est la présence de ce dernier qui provoque cet emploi de *tu sais :* hors de cette présence, il y a peu de chances pour que cette « ponctuation orale » soit réalisée;

- La fréquence des exclamations et des onomatopées *(ah! crac!)* qui rythment le message, jouent le rôle de véritables accents d'intensité, que le message écrit est impropre à restituer; certains mots ne sont employés qu'en référence à des gestes simultanés, comme *il s'arrête juste à ras de moi, comme ça;*

- Enfin, trait plus important, ce message présente un type de phrase inusité en code écrit : une phrase est amorcée : *Tu sais quand tu es... y a des fois, moi, j'ai envie de...,* puis, brusquement, interrompue : on ne trouve pas l'attribut qui devrait suivre le verbe *être,* la phrase dévie. Autre exemple, celui de la phrase coupée par une réplique : *Et tu crois pas que c'est dû à ce que... — ... et puis je reste sans en avoir. — ...quand tu en as eu un, tu dis...,* qui est la conséquence d'un chevauchement des messages, phénomène fréquent de tout dialogue oral, où l'interlocuteur ne laisse pas le temps au locuteur d'achever sa phrase, parce qu'il en a compris le sens avant qu'elle soit donnée intégralement. Cette « troncation phrastique » (appelons-la ainsi) peut être tenue pour un trait spécifique du code oral, car elle demande pour se produire une situation où s'affrontent locuteur et interlocuteur.

A la lecture de ce dialogue, on devine le rôle que doivent jouer, pour conférer au message toute sa force informationnelle, les accents d'intensité, les intonations, le débit et les gestes, traits propres au code oral et que l'écrit ne restitue que par des artifices (la ponctuation, par exemple) ou des moyens lexicaux.

b) Les tendances de la langue orale

Ce texte n'a été cité que pour nous faire sentir, peut-être d'une manière extrême, comment l'oral offre une face que l'écrit ne montre guère, sinon jamais. Cette divergence a pu être caractérisée à l'aide de dénombrements portant sur des sujets variés. Un traitement statistique des résultats fait apparaître les tendances de l'oral. Pour le détail, il faudra se reporter à l'*Élaboration du français fondamental* ou au livre de P. Imbs, *l'Emploi des temps verbaux en français moderne* (p. 216 *sqq. :* « Éléments de statistique »).

Que pouvons-nous succinctement relever, si nous n'envisageons que le domaine du système verbal?

• Le nombre des temps verbaux du subjonctif n'est pas le même à l'oral qu'à l'écrit. La langue orale ne connaît que le « présent » et le « passé » *(qu'il chante/qu'il ait chanté)*, la langue écrite, surtout dans sa version littéraire, offre en plus l'« imparfait » et le « plus-que-parfait » *(qu'il chantât/qu'il eût chanté)*.

• La même réduction s'opère dans l'indicatif (mais compensée par une création) : le « passé simple » n'est plus usité dans la langue orale (sauf dans certains cas de récit de type radiophonique), non plus que son correspondant dans les formes composées, le « passé antérieur ». En revanche, un nouveau temps verbal est maintenant enregistré dans les tableaux de conjugaison (v. *G.L.F.C.*), le « futur périphrastique » *(je vais chanter)*, en face du « futur simple » *(je chanterai);* les relevés statistiques montrent, en effet, que la langue orale emploie un futur périphrastique pour deux futurs simples.

• Il est possible de dresser un tableau de la fréquence d'emploi des temps verbaux; voici celui que propose P. Imbs (p. 224), où il est tenu compte des emplois parallèles dans le code écrit :

« 1. Un premier groupe comprend les quatre temps sur lesquels toutes les statistiques s'accordent pour les quatre premières places du classement : présent / passé composé / imparfait / futur /. Aucune différence quant au rang entre la langue écrite et la langue parlée;

« 2. Un deuxième groupe comprend le plus-que-parfait, le futur prochain et le passé récent. [...] La langue écrite y ajoute, en tête de liste, le passé simple, dont quelques exemples figurent aussi dans les enregistrements du français élémentaire;

« 3. Un troisième groupe comprend les autres formes simples ou périphrastiques. [...] La langue écrite y intercale le passé antérieur;

« 4. D'après l'enquête du français élémentaire, le conditionnel modal et le subjonctif forment un bloc dont les éléments se présentent dans l'ordre suivant : conditionnel présent / subjonctif présent / subjonctif passé / conditionnel passé. Ce bloc prend rang entre le futur prochain et le passé récent (groupe 2). » *(L'Emploi des temps verbaux en français moderne.)*

Il est manifeste que la réalisation orale de la langue présente des divergences et des dissymétries absolues, sur un grand nombre de points, avec la réalisation écrite. Des ouvrages comme ceux de A. Sauvageot *(les Procédés expressifs du français contemporain* et *Français écrit, français parlé)* proposent un nombre considérable d'exemples sur lesquels tout enseignant pourra réfléchir. Nous en resterons cependant là, car notre dessein, dans ce chapitre liminaire, n'est pas de présenter des analyses que la suite de cet ouvrage développera, mais de placer quelques jalons, et dessiner à grands traits quelques voies.

Conclusion

Nous avons présenté les conditions de la communication linguistique, en soulignant les moments essentiels du message et en situant les interlocuteurs dans l'espace qui sépare l'oral de l'écrit. Pour comprendre les caractères spécifiques du langage quotidien, il convient aussi de le distinguer des autres moyens que la société utilise pour que la communication s'établisse entre ses membres. Ainsi, la musique, la peinture, les langages techniques (code de la route, signaux de transmission) ou les transcriptions conventionnelles des mathématiques peuvent être considérés comme des *langues*. Elles permettent, en effet, de communiquer un message (tout en utilisant des procédés différents de ceux de la langue quotidienne) et font en cela partie de l'ensemble des codes.

Comment distinguer la langue naturelle dans cet ensemble? Nous empruntons au linguiste danois, Hjelmslev, cette définition : « La langue naturelle est une langue dans laquelle toutes les autres langues se laissent traduire. » Une partie d'échecs est, à sa manière, un message échangé entre deux joueurs; une partie d'échecs peut être traduite, c'est-à-dire contée, en français, par exemple, mais toute phrase française ne peut pas être traduite dans la *langue des échecs*. La langue naturelle inclurait de la sorte toutes les autres langues. Elle n'est pas conçue en vue de certaines fins particulières, mais elle est applicable à toutes les fins. « Les langues naturelles sont caractérisées par leur universalisme. » (Hjelmslev.)

Une langue naturelle peut aussi se définir comme un système de signes. Et nous ferons, pour cela, référence aux analyses de F. de Saussure. Dire que la langue est un système implique que ses éléments constitutifs soient considérées non comme un simple agrégat, mais comme un ensemble d'unités qui ont entre elles des relations telles que chacune se définit par la totalité des relations qu'elle entretient avec les autres. C'est à dessiner et à révéler les relations formelles qui prennent dans leur réseau les multiples unités du système que s'emploie la linguistique structurale. Ces unités, ce sont des **signes.**

Le signe linguistique peut être défini comme un « total résultant de l'association d'un signifiant et d'un signifié » (Saussure). Par exemple, le mot *table* est un signe appartenant à la langue dite le « français ». Lorsque ce signe est prononcé devant un sujet parlant le français, ce sujet perçoit une succession de sons, c'est-à-dire un ensemble sonore, et à cette perception s'associe simultanément un concept. Dans un autre système linguistique, l'italien, le même concept sera associé à un ensemble sonore différent du français : *tavola*. L'ensemble sonore, que le linguiste peut analyser en unités élémentaires, constitue le **signifiant**; le concept lié nécessairement au signifiant constitue le **signifié.** L'analyse du signifiant conduit, pour une langue donnée, à établir le système des sons **(phonèmes)** et des lettres **(graphèmes)**; l'analyse du signifié, à définir le sens des mots **(lexique** et **sémantique)** et les relations qui s'instaurent entre eux pour que le sens puisse se réaliser.

C'est cette démarche analytique qui a dicté le plan des développements de cet ouvrage, où l'on étudiera successivement les rapports de l'oral à l'écrit, les problèmes de la description grammaticale et lexicale, et les variations que l'expression de la langue peut présenter (problèmes du « style »). Il reste, évidemment, que la visée de cet ouvrage sera avant tout d'éclairer les problèmes de l'enseignement de la langue française par les analyses que les linguistes ont pu scientifiquement proposer.

Bibliographie

R. JAKOBSON, **Essais de linguistique générale,** Éditions de Minuit, Paris, 1963.

On y trouve des analyses passionnantes concernant soit les problèmes de la linguistique générale, soit la phonologie, ou bien la grammaire. A retenir surtout la quatrième partie *(Poétique)*, où l'on trouvera en plus des analyses du schéma de communication, une théorie de la poétique très fructueuse.

RECUEIL COLLECTIF : **Aspects du langage,** numéro de janvier 1966 du *Bulletin de psychologie* publié par le Groupe d'études de psychologie de l'Université de Paris.

Ensemble d'articles écrits par des psychologues et des linguistes. Fait le point de la recherche dans les domaines les plus divers touchant au langage : langage oral, langage écrit, lecture, écriture, les aphasies. C'est dans cet ensemble que prend place l'article de Serge Moscovici et Michel Plon, « les Situations-Colloques : observations théoriques et expérimentales », pp. 702-722.

J. DUBOIS, **Grammaire structurale du français** (vol. 1 : **Nom et pronom;** vol. 2 : **Le verbe;** vol. 3 : **La phrase et ses transformations),** Larousse, Paris, 1965-1969.

Ouvrage fondamental par le renouvellement méthodologique qu'il apporte. On sera sensible dans le premier volume à la démarche qui maintient en parallèle les ordres de l'oral et de l'écrit et découvre le parti que la pédagogie de la grammaire peut en espérer.

G. GOUGENHEIM, R. MICHÉA, P. RIVENC, A. SAUVAGEOT, **l'Élaboration du français fondamental (1**er **degré),** Didier, Paris, 2e éd., 1964.

Un ouvrage qui rassemble les données d'une enquête sur le français parlé des années 50. De très nombreux renseignements sur les couches du langage selon les fréquences d'emploi des mots. Doit être utilisé pour établir les progressions d'enseignement du vocabulaire et de la grammaire.

H. Frei, **la Grammaire des fautes. Introduction à la linguistique fonctionnelle,** Geuthner, Paris, 1929.

Ouvrage très riche par les exemples qu'il donne du « français avancé ». Les analyses sont conduites dans une optique saussurienne et sont très suggestives. A utiliser.

P. Imbs, **l'Emploi des temps verbaux en français moderne** (Essai de grammaire descriptive), Klincksieck, Paris, 1960.

Présente une analyse intégrale du système verbal français, et donne en annexe des « éléments de statistique » sur l'emploi des formes verbales. A comparer avec les résultats de l'enquête du « français fondamental » (v. *supra*). Analyses neuves des emplois des temps.

A. Sauvageot, **les Procédés expressifs du français contemporain,** Klincksieck, Paris, 1957.

Témoignage sur « la langue française de nos jours » qui fait une large part à l'expression orale. Ouvrage de lecture aisée. Des remarques suggestives sur les types de phrases.

A. Sauvageot, **Français écrit, français parlé,** Larousse, Paris, 1962.

Conduit à une étude parallèle qui met en évidence (mais sans donner lieu à une analyse des systèmes) les divergences qui opposent code oral et code écrit. Montre les atteintes que subit la norme écrite du fait de l'extension de l'oral. Appelle à une action de l'État pour une politique de sauvegarde du français.

DEUXIÈME PARTIE

Phonie, prosodie, graphie

La première partie a mis en évidence la double réalisation possible — orale et écrite — de tout message linguistique, et signalé les problèmes de l'émetteur/récepteur : situation de tout individu installé dans une communication linguistique et qui doit être capable d'encoder et de décoder correctement les messages qu'il émet ou reçoit; il met alors en œuvre des aptitudes acoustico-vocales (code oral), visuelles et manuelles (code écrit), qui engagent des processus psycho-physiologiques complexes.

Le pédagogue connaît bien les problèmes de l'encodage et du décodage graphiques (il enseigne l'orthographe et la lecture), beaucoup moins, le plus souvent, les réalités propres du code oral : parler est tellement naturel qu'il peut sembler superflu de s'y attarder, et l'écrit a envahi à ce point la vie scolaire qu'il retient exclusivement l'attention.

Il n'est pourtant que manifestation seconde : une langue peut n'y pas recourir et assurer sa tradition par l'oral seul; l'enfant parle avant d'écrire... Bref, c'est d'abord dans sa texture orale qu'une langue devrait s'imposer à l'attention de l'enseignant. Si l'on souhaite comprendre le fonctionnement de sa **graphie,** ce ne peut être que par référence à sa **phonie.** Ainsi, par exemple, de l'orthographe, qui sera jugée « régulière » ou « aberrante » par référence aux sons manifestés à l'oral; ainsi encore de la lecture...

Comment se présente en français un énoncé oral? C'est à cette question que nous voudrions répondre, au moins sommairement. Il s'agit donc de proposer au lecteur quelques aperçus de **phonétique** et de **phonologie** (c'est ce que nous entendons par le terme, volontairement ambigu, de *phonie*), d'envisager certains des problèmes de la syllabation, d'approcher brièvement l'accentuation et l'intonation — habituellement regroupées sous le terme générique de **prosodie** —, de mettre en évidence certaines des difficultés propres à la **prononciation** du français. Il nous a semblé logique de situer aussi dans ces pages quelques remarques sur la **graphie**, l'orthographe étant précisément une tentative pour fixer dans un autre ordre les réalités orales de notre langue.

Ne dire de la théorie que l'essentiel — voire en rester à des notions parfois très élémentaires —, c'était demeurer fidèles à notre propos général; et nous l'avons fait avec d'autant moins d'hésitation, dans ce cas précis, qu'il existe sur ces sujets des ouvrages nombreux, bien informés et d'accès relativement aisé : deux bibliographies y renvoient le lecteur.

CHAPITRE PREMIER

PHONIE ET PROSODIE

I. Position des problèmes

A. Considérations pédagogiques

Il est important pour le pédagogue d'avoir quelque connaissance des réalités orales de la langue qu'il enseigne; ne lui revient-il pas, à tous les stades de la scolarité, de reprendre des prononciations défectueuses, de conduire la lecture de ses élèves? Le professeur de lettres doit tenir compte de la texture phonique d'un poème : comment la mettre en évidence sans une information suffisante sur le système phonologique du français? L'instituteur guide les premiers pas de l'enfant vers la lecture et se heurte aux difficiles problèmes des interférences — particulièrement sensibles en français — entre le son et la lettre : comment éviter les pièges, si on ne les aperçoit pas?

Nous nous arrêterons précisément sur quelques extraits de manuels de lecture récents destinés aux Cours préparatoires pour signaler quelle confusion y règne généralement entre les domaines graphique et phonique — confusion dangereuse pour l'enfant et que permettrait d'éviter une information linguistique élémentaire.

Exemple 1 : $\hat{e} = \grave{e} = est$.

On s'est placé ici sur le plan de la prononciation; ne craint-on pas les déboires orthographiques? Par ailleurs, *est* est-il le même groupe dans *est* et *veste?*

Exemple 2 :   *Le bébé a dit $\dfrac{o}{au}$ dada : « hue, hue ».*

L'intention est louable de vouloir aider l'élève à prononcer correctement un groupe graphique complexe en lui substituant un graphème qu'il connaît mieux. Mais en adoptant la même typographie, comment distinguer ce qui est de la prononciation et ce qui est de la graphie?

33

EXEMPLE 3 :

C'est orthographiquement juste mais phonétiquement faux (le premier est [o] et le second [ɔ]).

EXEMPLE 4 :

Dans la meilleure des hypothèses, on prononcera les deux premiers [ə] mais jamais le dernier : il est hasardeux de les mettre sur le même plan.

EXEMPLE 5 :

On reconnaît ici la méthode qui consiste à isoler dans des mots appris globalement des syllabes à partir desquelles on formera d'autres mots. En l'occurrence, l'exemple n'est satisfaisant ni sur le plan graphique (introduction d'un *m* parasite) ni sur le plan phonétique (le *o* en finale absolue est toujours fermé alors que graphié *o* devant un *n* prononcé il est généralement ouvert).

EXEMPLE 6 :

L'exemple est parallèle mais plus éloquent peut-être :

● Si l'on considère la graphie, pourquoi emprunter le *t* de *arrête* à *vite* plutôt qu'à *forêt*?

● Si l'on considère la prononciation, une erreur est commise dans la mesure où l'on emprunte deux fois un [R] prononcé dans *ardoise* et dans *forêt*, alors que *arrête* n'en contient qu'un (la double consonne n'est pas prononcée).

Il reste évidemment facile de relever les erreurs dans les manuels des autres, et là n'était pas notre intention. Nous avons simplement voulu rendre sensible l'urgence d'une information théorique qui permettrait, ici d'éviter de constantes interférences entre le son et la lettre, là (et nous pourrions dire : chemin faisant) de mieux apercevoir la réalité orale de la phrase ou les problèmes de la syllabation. Sans vouloir présenter la linguistique comme une panacée, nous pensons qu'il est paradoxal pour un pédagogue de devoir enseigner la langue française sans connaître les rudiments de son système phonologique et prosodique.

B. Considérations théoriques

Examinons un instant ce passage choisi au hasard dans un manuel de lecture :

« *Voici Georges avec une poupée.*

— *A qui est la poupée? — A moi* », dit Gilberte.

Si nous voulions transcrire la réalisation de ce « message », voici ce que nous obtiendrions :

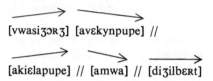

[vwasiʒɔRʒ] [avɛkynpupe] //

[akiɛlapupe] // [amwa] // [diʒilbɛRt]

Cette transcription peut évidemment sembler barbare au premier abord; en fait, elle repose sur quelques principes très simples :

● Le fait que nous ayons dû recourir à un autre alphabet souligne la distance qui sépare la graphie du français de sa prononciation et inversement. Il suffit par exemple de constater que ce que nous avons transcrit par le même signe [ɛ] est orthographié dans notre passage de deux façons différentes : *e* (avec *Gilberte*) et *est*; que du groupe *oi* de *voici*, nous n'entendons ni le *o* ni le *i*, etc. Les linguistes ont donc été conduits à adopter un alphabet dit **alphabet phonétique**, propre à transcrire le message oral et reposant sur ce principe rigoureux : **un signe pour un son, un son par signe.** Pour des raisons évidentes de commodité, les linguistes s'accordent, quel que soit leur pays, à utiliser un alphabet commun : l'**alphabet phonétique international.** C'est celui que nous emploierons ici. Par convention, tout signe phonétique est écrit entre crochets;

● Nous constatons aussi que dans notre transcription nous avons adopté une séparation des unités qui ne correspond pas à la distribution en mots : c'est que lorsque nous énonçons *voici Georges*, nous le faisons d'une seule traite, sans marquer de rupture entre *voici* et *Georges;*

● Par ailleurs, les signes de ponctuation ont disparu; mais ils ont été remplacés par des doubles barres qui notent symboliquement une pause de la voix (par ex. entre *poupée* et *à moi*);

● Enfin, des flèches indiquent si la voix monte ou descend, ou encore reste plane, comme dans la dernière proposition.

Cette codification n'est que le reflet d'un certain nombre de problèmes dont le pédagogue ne peut se désintéresser :

● La relation entre le son et la graphie est le problème fondamental de l'apprentissage de la lecture; avant même qu'il se pose intervient celui de la prononciation correcte du français;

● La répartition en groupes accentuels (v. *infra;* chaque groupe entre crochets, dans notre transcription, forme un groupe accentuel) pose le problème de la lecture courante et, du même coup, celui d'une lecture syllabique. On doit donc encore se demander quelle relation existe entre le *phonème* (v. *infra*) et la syllabe;

● Les règles essentielles de l'intonation (notée par nos flèches) doivent être connues pour amener le jeune élève à répartir correctement la hauteur de sa voix.

Nous étudierons donc successivement : les phonèmes, la syllabation, l'accentuation, l'intonation, quelques problèmes de prononciation.

II. Les phonèmes du français

A. Considérations théoriques

a) Qu'est-ce qu'un phonème?

Tout message linguistique oral repose sur l'émission de certains bruits par notre appareil phonateur (d'une manière très grossière, ce dernier comprend les cordes vocales, les fosses nasales et la cavité buccale; un grand rôle est en outre joué par la position du voile du palais, celle de la langue et des lèvres). Ces bruits sont spécifiques et s'opposent par exemple, pour rester dans le domaine des codes, à ceux du morse ou de la musique. Mais tous ne font pas partie du système de la langue (ainsi les vocalises); comment reconnaître ceux qui en font partie?

Comparons ces deux messages :

Prenez la lampe!
Prenez la rampe!

Leur sens est différent : un Français ne s'y trompera pas. Au niveau de leur signifiant, ils diffèrent en un seul point : le « son » initial qui distingue *lampe* et *rampe*. Nous en déduirons que les sons [l] et [ʀ] font partie du système de la langue française (on les retrouve en opposition dans *longe/ronge, plier/prier* par exemple).

Considérons maintenant le même message :

Prenez la rampe!

prononcé, en français standard d'une part, par un Bourguignon de souche d'autre part; les deux réalisations orales sont différentes : dans le premier cas, *rampe* sera prononcé avec un [ʀ] (*r* dorsal qui répond à la norme actuelle de la prononciation française), dans l'autre avec un [r] (*r* apical dit « *r* roulé »); mais le signifié du message ne diffère pas pour autant : dans les deux cas, le récepteur du message répondra de la même manière à l'ordre qui lui est donné.

Nous dirons que [ʀ] et [r] sont deux sons différents, mais qu'ils ne s'opposent pas à l'intérieur du système des sons du français parce que leur échange au sein du signifiant d'un signe donné n'entraîne pas une modification du signifié de ce signe, au contraire de [l] et [ʀ].

Nous apercevons maintenant que le **phonème :**

• est la plus petite unité qu'il est possible d'isoler à l'intérieur du signifiant d'un signe linguistique (ainsi, dans *lampe* [lɑ̃p], on aperçoit que [lɑ̃] ne forme pas une seule unité, puisque [l] peut à lui seul être échangé avec [ʀ] pour former un autre signe du français; à l'inverse, l'unité [l] ne peut se segmenter en unités plus petites [1]);

• est une unité qui s'oppose à d'autres d'un même système : l'opposition de ces unités au niveau du signifiant permet l'opposition des signifiés (ainsi de *lampe/rampe*). Il a donc une **fonction** à l'intérieur du système de la langue; on dit qu'un son du langage qui répond à cette qualité est **pertinent;**

• n'a pas de sens par lui-même (2); il se situe uniquement sur le plan du **signifiant;** on dit encore : de l'**expression.**

Nous pouvons nous résumer :

Le phonème est la plus petite unité de son capable de produire un changement de sens par simple commutation (3), sans avoir de sens lui-même.

Et plus abstraitement :

Le phonème est l'unité minimale pertinente d'une langue donnée.

On voit par ce qui précède que l'inventaire des phonèmes d'une langue s'établira par commutations successives : dans une série d'énoncés seront identifiées comme phonèmes toutes les unités minimales qui par commutations

---

(1) C'est par souci délibéré de simplification que nous passons sous silence l'existence de *traits distinctifs* : il existe sur ce point assez d'ouvrages et articles d'accès facile pour que nous nous permettions d'y renvoyer le lecteur (v. BIBLIOGRAPHIE).
(2) Certains phonèmes peuvent, à eux seuls, constituer le signifiant d'un signe ([u], [ɑ̃], etc.). Il s'agit alors d'un autre ordre d'analyse (v. *infra*, TROISIÈME PARTIE, p. 111).
(3) *Commutation :* échange de deux unités de même classe en un même point de la chaîne parlée. Substituer [ʀ] à [l] dans [lɑ̃p] pour obtenir [ʀɑ̃p], c'est faire une commutation.

réciproques sur la chaîne parlée auront entraîné une modification sur le plan du signifié. Ainsi, dans la série :

	pie,	*lit*,	*vie*,	*mie*,	*scie*,	*riz*,	*fi*,	*qui*,	*gui*
	[pi]	[li]	[vi]	[mi]	[si]	[ʀi]	[fi]	[ki]	[gi]

on peut identifier les phonèmes :

[p], [l], [v], [m], [s], [ʀ], [f], [k], [g].

L'étude fonctionnelle des phonèmes s'appelle la **phonologie**; on la distinguera de la **phonétique** (¹), qui s'intéresse plus généralement aux propriétés acoustiques des sons du langage et aux aspects physiologiques de leur production.

b) Premier classement des phonèmes

Une fois l'inventaire des phonèmes terminé (le processus décrit ci-dessus ayant été conduit de façon systématique), il reste encore à les classer.

La phonétique descriptive, qui étudie le mecanisme de la formation des sons, répartit les phonèmes en voyelles, consonnes et semi-voyelles (ou semi-consonnes). « Les voyelles sont des sons musicaux, tandis que les consonnes sont des bruits (consonnes sourdes) ou des combinaisons de sons musicaux et de bruits (consonnes sonores) [²]. » « Les termes SEMI-VOYELLES (ou SEMI-CONSONNES) ont été employés pour désigner les consonnes [j], [ɥ], [w], dont l'articulation est voisine de celle des voyelles [i], [y], [u] (³). »

Par d'autres voies, une méthode fonctionnelle comme celle de la glossématique (⁴) parvient à un classement similaire (⁵); on met en évidence que, dans le système du français, une voyelle forme le noyau syllabique (*crèche* [kʀɛʃ]; *visqueuse* [viskøz]), peut à elle seule former une syllabe (*abattre* [abatr]; *iris* [iʀis]) et même coïncider avec une unité du signifié (*houx* [u]; *haie* [ɛ]; *an* [ɑ̃]). La consonne ne peut satisfaire à ces critères; elle suppose toujours une voyelle.

Il n'est pas de notre propos d'entreprendre ici une étude systématique des phonèmes; nous en proposerons la liste (v. TABLEAU ci-contre), nous contentant ensuite de quelques brèves remarques.

c) Deuxième classement des phonèmes

La phonétique ne se contente pas de répartir les phonèmes en voyelles, semi-voyelles et consonnes; à l'intérieur de ces grandes catégories, elle les classe encore de façon rigoureuse. Sans entrer dans tous les détails de cette opération, nous devons cependant signaler les faits essentiels.

---

(1) Voir aussi sur cette distinction *infra*, p. 105.
(2) *G.L.F.C.*, p. 14.
(3) *Ibid.*, p. 21.
(4) École linguistique dont le chef de file était le Danois Louis Hjelmslev (mort en 1965).
(5) Cf. K. TOGEBY, **Structure immanente de la langue française**, Larousse, p. 38 *sqq*.

LES PHONÈMES DU FRANÇAIS

VOYELLES	[i]		*mie, midi, livide*	
	[e]	(*é* fermé)	*des, les, brûlé, chantai*	
	[ε]	(*è* ouvert)	*lait, mets, chantais, tête*	
	[a]	(*a* antérieur)	*vache, sac, patte, ta*	
	[ɑ]	(*a* postérieur)	*tas, pâte, âne*	
	[ɔ]	(*o* ouvert)	*Paul, bol, sotte*	
	[o]	(*o* fermé)	*Paule, La Baule, sot*	
	[u]	(*ou* français)	*choux, cour, moule*	
	[y]	(*u* français)	*sur, sûr, j'eus*	
	[ø]	(*eu* fermé)	*affreux, meute, heureuse*	
	[œ]	(*eu* ouvert)	*jeune, bonheur, œuvre*	
	[ə]	(*e* sourd ou muet)	*cheveux, me, tendreté*	
	[ɛ̃]	([ε] nasalisé)	*brin, frein, main, faim*	
	[œ̃]	([œ] nasalisé)	*un, brun, humble*	
	[ɑ̃]	([ɑ] nasalisé)	*franc, tante, tente*	
	[ɔ̃]	([ɔ] nasalisé)	*rond, mouton, monter*	
CONSONNES	[p]		*pédicure, appétit*	
	[b]		*babouche, aborder, abbé*	
	[t]		*tendre, porter, attendre*	
	[d]		*dorer, adorer, pardon*	
	[k]		*coque, croquer, képi*	
	[g]		*gage, naviguer*	
	[f]		*fraise, phantasme*	
	[v]		*vagabond, wagon*	
	[s]		*satin, assez, maçon, cerf, six*	
	[z]		*zigzag, prison*	
	[ʃ]		*louche, chat*	
	[ʒ]		*jardin, bourgeon*	
	[m]		*marmite, pomme*	
	[n]		*nourrir, nonne*	
	[ɲ]		*rogner, montagne*	
	[l]		*laisser, mille*	
	[ʀ]		*rare, fourrage*	

SEMI-VOYELLES	[j]		*yeux,*	*œil,*	*renier,*	*fille*
			[jø]	[œj]	[ʀənje]	[fij]
	[ɥ]		*fuir,*	*puits,*	*bruit*	*duel*
			[fɥiʀ]	[pɥi]	[bʀɥi]	[dɥɛl]
	[w]		*oui,*	*foi,*	*loin,*	*fouet*
			[wi]	[fwa]	[lwɛ̃]	[fwɛ]

1. Voyelles

Le français en compte seize. (Nous remarquons au passage comme nous sommes loin de la langue écrite; nous avons tous appris à l'école que notre langue distinguait six voyelles.)

● On opposera les voyelles **orales** et les voyelles **nasales** :

a) Si l'air phonateur emprunte la cavité buccale, la voyelle est dite **orale**; ainsi :

[i] *(nid)*, [e] *(né)*, [ɛ] *(lait)*, [a] *(car)*,
[ɑ] *(pâte)*, [y] *(rue)*, [ø] *(bleu)*, [ə] *(cheval)*,
[œ] *(cœur)*, [u] *(four)*, [o] *(pot)*, [ɔ] *(port);*

b) Si l'air phonateur emprunte à la fois la cavité buccale et les fosses nasales, la voyelle est dite **nasale**; ainsi :

[ɑ̃] *(blanc)*, [ɔ̃] *(rond)*, [ɛ̃] *(brin)*, [œ̃] *(brun).*

● On opposera, par ailleurs, les voyelles **ouvertes** et les voyelles **fermées,** en observant la position de la langue par rapport au palais pendant l'émission de la voyelle : selon qu'elle en est plus ou moins rapprochée ou éloignée, la voyelle sera dite plus ou moins fermée ou ouverte; en partant des plus fermées pour aller vers les plus ouvertes, nous obtenons ces trois séries (la parenté des voyelles de chaque série repose sur d'autres critères) :

a) [i], [e], [ɛ], [a];

b) [y], [ø], [ə], [œ];

c) [u], [o], [ɔ], [ɑ].

Ce dernier classement nous laisse apercevoir que certaines voyelles ont toujours le même timbre (exemple : [i], [u], [y]). D'autres au contraire peuvent en changer et être *soit* ouvertes, *soit* fermées (exemple : [e]-[ɛ]; [o]-[ɔ]; [ø]-[œ]). Il est évident que le pédagogue aura à tenir compte de la difficulté supplémentaire posée par ces dernières.

N. B. — Signalons que les oppositions [e]/[ɛ], [o]/[ɔ] sont plus ou moins respectées selon les régions; la distinction du [ɑ] et du [a] tend à disparaître, de même que celle du [ɛ̃] et du [œ̃].

2. Semi-voyelles ou semi-consonnes

Le noyau syllabique est habituellement formé d'une seule voyelle. Dans certaines langues, il peut cependant en comporter deux, qui se groupent alors en une seule émission de voix; dans ce cas on est en présence d'une **diphtongue** (étymologie : *double son*) : en anglais, *I* [ai]; en allemand, *Haus* [haus].

Le français a autrefois connu des diphtongues, ce qui explique certaines de nos graphies (v. *infra*, ORTHOGRAPHE) : *roi* se prononçait [ʀɔi]; *faut* se prononçait [faut].

Le français moderne ne possède plus de diphtongues, mais il a conservé trois phonèmes consonantiques très proches de la voyelle : [j], [w], [ɥ].

Ces phonèmes posent des problèmes de prononciation (v. *infra*) dans la mesure où l'on risque de les confondre avec la voyelle correspondante, ainsi : *prier* [pʀije] mais *lier* [lje], *brouette* [bʀuɛt] mais *mouette* [mwɛt], *cruelle* [cʀyɛl] mais *ruelle* [ʀɥɛl].

Cette parenté explique le procédé poétique appelé **diérèse,** qui consiste à faire passer la semi-voyelle à la voyelle qui lui correspond en obtenant une syllabe supplémentaire; la diérèse est très fréquente pour [j], plus rare pour les deux autres :

> *Le violon frémit comme un cœur qu'on afflige* (Baudelaire).
> [viɔlɔ̃]
> *Sa chair spirituelle a le parfum des anges* (Baudelaire).
> [spiʀityɛl]

3. Consonnes

Le français en compte dix-sept.

On opposera les consonnes **orales** et les consonnes **nasales** (le critère est le même que pour les voyelles). Il y a trois consonnes nasales : [m] *(mais)*, [n] *(nid)*, [ɲ] *(bagne)*. Les autres sont orales.

On opposera en outre les consonnes **sourdes** aux consonnes **sonores**. Si, lors de l'émission d'une consonne, les cordes vocales entrent en activité, la consonne est dite **sonore**; sinon, elle est **sourde**.

Le français compte six consonnes sourdes, qui ont toutes leur correspondante sonore :

sourdes		sonores correspondantes	
[p]	*(pas)*	[b]	*(bas)*
[t]	*(toi)*	[d]	*(doigt)*
[k]	*(car)*	[g]	*(gare)*
[f]	*(fils)*	[v]	*(vis)*
[s]	*(rosse)*	[z]	*(rose)*
[ʃ]	*(roche)*	[ʒ]	*(j'ôte)*

[l], [ʀ] sont sonores; elles n'ont pas de correspondantes sourdes. Sans entrer dans le détail, sachons qu'on peut les réunir sous le terme de **liquides.**

Nous retiendrons les parentés suivantes :

    1. [m], [n], [ɲ];
    2. [p], [t], [k], [f], [s], [ʃ];
    3. [b], [d], [g], [v], [z], [ʒ];
    4. [l], [ʀ];

ainsi que la série d'oppositions :

> [p]/[b]; [t]/[d]; [k]/[g]; [f]/[v]; [s]/[z]; [ʃ]/[ʒ].

d) Troisième classement des phonèmes

Tous les phonèmes n'ont pas dans la langue la même fréquence d'emploi; le pédagogue sait d'instinct que son élève risque plus souvent de rencontrer un [ə] qu'un [ɲ]. On peut donc, comme le fait P.-R. Léon dans sa *Prononciation du français standard* (v. BIBLIOGRAPHIE) signaler avec chaque phonème sa fréquence d'emploi. Ce dernier ouvrage nous apprend ainsi que, dans la langue orale, le [i] a une fréquence de 5,6 p. 100; le [y] *(rue)* de 2 p. 100, etc.

En nous fondant sur les fréquences qu'il indique, nous obtenons un classement hiérarchisé (v. TABLEAU, ci-dessous).

Les voyelles étant au cœur de chaque syllabe, elles auront évidemment des fréquences importantes; cependant, certaines voyelles comme le [ø] *(feu)* sont beaucoup moins employées que certaines consonnes comme le [ʀ] ([ø] 0,6 p. 100; [ʀ] 6,9 p. 100). Aussi confondrons-nous cette fois tous les phonèmes pour ne les classer que selon le critère de fréquence. Le classement part des phonèmes les plus employés pour aller à ceux qui ont les fréquences les plus basses. Nous considérons ici la langue orale (par rapport à la langue écrite, seule existe une différence très importante pour le [ə]).

LA FRÉQUENCE DES PHONÈMES EN FRANÇAIS

PHONÈMES	EXEMPLES	FRÉQUENCE (p. 100)	PHONÈMES	EXEMPLES	FRÉQUENCE (p. 100)
[a]	plat	8,1	[y]	rue	2,0
[ʀ]	rat	6,9	[ɔ̃]	ton	2,0
[l]	lait	6,8	[ø]	jeu	1,7
[e]	dé	6,5	[ɔ]	bosse	1,5
[s]	soc	5,8	[ɛ̃]	brin	1,4
[i]	lit	5,6	[f]	fin	1,3
[ɛ]	paix	5,3	[b]	bain	1,2
[ə]	cheval	4,9	[j]	taille	1,0
[t]	tas	4,5	[w]	oui	0,9
[k]	cas	4,5	[ɥ]	puis	0,7
[p]	pas	4,3	[z]	zèbre	0,6
[d]	dos	3,5	[ø]	pneu	0,6
[m]	mot	3,4	[ʃ]	vache	0,5
[ɑ̃]	blanc	3,3	[œ̃]	brun	0,5
[n]	nid	2,8	[œ]	cœur	0,3
[u]	cour	2,7	[g]	gare	0,3
[v]	vie	2,4	[ɑ]	pâte	0,2
[o]	mot	2,21	[ɲ]	borgne	0,1

B. Réflexions pédagogiques

a) Considérations méthodologiques

Cette étude peut sembler aride; en fait, il suffit d'un peu de pratique pour manier correctement l'alphabet phonétique. (Le professeur d'école normale aura intérêt à y entraîner régulièrement ses jeunes stagiaires.)

Encore faut-il convaincre le pédagogue ou le futur pédagogue de l'intérêt de l'opération.

La mise en évidence du phonétisme d'une langue permet de prendre conscience de l'extraordinaire économie de ce code particulier : les 36 phonèmes du français permettent par leurs combinaisons d'engendrer des phrases en nombre infini; on ne saurait imaginer plus haut rendement. Il importe donc à l'évidence d'amener le jeune enfant à une maîtrise parfaite de ces éléments de base; on ne saurait trop insister sur ce point.

L'étude fonctionnelle des phonèmes est intéressante dans sa démarche même et représente parfaitement celle du structuralisme. Nous avons, en effet, considéré un système où chaque unité n'a de valeur que par opposition aux unités qui lui sont voisines; ainsi le [t] n'a pas de valeur en soi, mais seulement dans la mesure où il s'oppose par exemple à [d], et inversement (cf. *temps* et *dent* [tɑ̃], [dɑ̃]). La cohérence du système repose sur les relations de ses diverses unités, toutes se définissant par leurs oppositions respectives. Par ailleurs, les phonèmes n'ont pas de sens par eux-mêmes; mais en se combinant, ils vont former des mots qui, eux, auront un contenu sémantique : l'ensemble obtenu par la combinaison des unités (exemple : *tempête* [tɑ̃pɛt]) n'est pas équivalent à la somme de ces unités (en l'occurrence [t] + [ɑ̃] + [p] + [ɛ] + [t]). La démarche pourra servir d'exemple au pédagogue soucieux de conduire rigoureusement son enseignement grammatical (v. partie GRAMMAIRE) :

• Les phonèmes se définissent par leurs oppositions, oppositions que nous pourrions marquer en transcrivant les mots *cour, car, cœur, corps, cure* suivant le schéma ci-contre :

$$
k \quad \begin{array}{l} u \\ a \\ \text{œ} \quad \text{R} \\ \text{ɔ} \\ y \end{array} \uparrow
$$

• Les phonèmes se combinent pour former des mots; ce que nous pourrions marquer en transcrivant les mots *lait, laisse, laisser* suivant le schéma ci-contre :

$$
\begin{array}{llll} l & ɛ & & \\ \hline l & ɛ & s & \\ l & ɛ & s & e \end{array} \longrightarrow
$$

43

Nous venons de mettre en évidence deux axes, l'un vertical, l'autre horizontal : ces deux axes sont fondamentaux dans le fonctionnement d'une langue et nous aurons à nous en servir constamment pour nos études grammaticales.

La phonologie permet ainsi de mieux saisir l'économie d'une langue — ce qui est indispensable à tout pédagogue tant soit peu désireux de dominer son enseignement; en outre, elle introduit à la démarche fondamentale qui oriente toute la linguistique contemporaine. (Non exclusivement d'ailleurs; faut-il rappeler que toute une partie de la sociologie contemporaine reconnaît clairement sa dette envers la phonologie pragoise?)

b) La prononciation correcte des phonèmes

Nous avons vu (PREMIÈRE PARTIE) qu'identifier un message oral revenait à établir une relation entre sa « matière acoustique » (nous savons maintenant qu'elle repose sur la combinaison de 36 phonèmes, pour ce qui concerne le français) et son sens. Nous savons aussi que les phonèmes se définissent par leurs oppositions; ces dernières sont souvent faciles à identifier ([a]/[l]; [p]/[ʀ]) mais parfois aussi minimes ([p]/[b]; [y]/[ɥ]). Nous proposons ci-dessous une série de mots dont l'identification demande une articulation parfaite (v. P.-R. Léon : « la Prononciation par les exercices structuraux », dans *Le français dans le monde*, nº 41) :

oppositions vocaliques	oppositions consonantiques
roc / rauque	prier / briller
cotte / côte	la tresse / l'adresse
beau / bon	marche / marge
eux / un	trempe / trente
pur / peur	dépend / défend
défunt / défont	le faon / le vent

« Plus une opposition est minime, plus elle demande de précision articulatoire » (P.-R. Léon, *ibid.*, p. 33.) Il est évident que cette précision est nécessaire pour une bonne compréhension du message oral; mais elle jouera aussi son rôle au niveau de l'orthographe [1] et de la lecture; l'élève sera d'autant plus à l'aise dans ces deux disciplines qu'il maniera avec aisance les phonèmes de sa langue maternelle.

Il nous semble donc nécessaire qu'un entraînement systématique à une articulation correcte des phonèmes soit conduit avant tout apprentissage de la lecture; c'est-à-dire en dernière année de Maternelle. (Au Cours préparatoire,

---

(1) Elle pourrait, par exemple, lui éviter d'écrire sous la dictée : *ble* ([ə]) pour *bleu* ([ø]).

toute leçon de lecture sera précédée d'un exercice de contrôle.) Ces exercices pourraient être conçus par le maître dans une progression qui conduirait l'enfant de l'acquisition de phonèmes isolés à celle de phonèmes en opposition. Exemples, à propos de [p] :

- On fait « tenir » la consonne (après l'avoir au besoin appuyée sur différentes voyelles : [pa], [pi], [py],...);
- Exercices où [p] sera prononcé en toutes positions : initiale *(pain, poule)*, intérieure *(lapin, sapin)*, finale *(soupe);*
- D'autres consonnes ayant été étudiées de cette manière, on peut parvenir à des exercices d'oppositions (*pain/bain, pont/ton,* etc.) en s'assurant que l'enfant, comprenant des **signifiés différents,** perçoit effectivement des **signifiants distincts.**

Il n'y a là qu'une direction de travail. On veillera particulièrement aux oppositions les plus difficiles (cf. voyelles à double timbre, opposition consonnes sourdes-consonnes sonores, semi-voyelles, etc.).

On sera en outre attentif à l'ordre des phonèmes (nous avons vu qu'ils se combinent sur un axe horizontal); des exercices de combinaison ([pi]/[ip], [py]/[yp], etc.) prépareront eux aussi la lecture (on ne dira plus : « [o] et [i] = [wa] », ce qui entraîne parfois l'enfant à lire [pwaʃ] pour [pjɔʃ] *(pioche)*, etc.).

« On a fait trop longtemps de l'enseignement de la prononciation un domaine à part, il est temps de l'inscrire à sa véritable place, qui est la base même de la structure linguistique. » (P.-R. Léon, *ibid.,* p. 36.)

c) Du graphème au phonème : l'apprentissage de la lecture

Nous touchons ici aux problèmes propres au code écrit; mais chacun sait que si l'adulte opère directement dans sa lecture le passage du signifiant écrit au signifié, il n'en va pas de même du petit élève qui commencera par lire « à haute voix », se servant ainsi du signifiant oral comme d'un tremplin entre le signifiant écrit et le signifié. Aussi ne sortons-nous pas du cadre de notre sujet et pouvons-nous rappeler une fois encore l'importance de l'acquisition par l'élève du phonétisme de sa langue. On doit, en outre, se demander s'il ne serait pas souhaitable de fonder la progression d'une méthode d'apprentissage de la lecture sur les lois que nous avons mises en évidence; tout au moins devrait-on tenir grand compte de la cohérence phonologique.

1. Difficultés

Examinons brièvement la progression d'un manuel de lecture, d'ailleurs choisi au hasard.

Ordre suivi (nous citons en respectant les graphies) :

i - o - e - u - a - é, ê, è - l - p - t - s - m - v - f - r - n - d - j - h - b - g - ch - c - ou - tr, pr, vr, gr - fr, dr, cr, br - pl, fl, gl, bl, cl - on, om - oi - eu.

Cette progression appelle les remarques suivantes :

• L'ordre de fréquence des phonèmes n'est pas pris en considération; nous trouvons successivement *i* (5,6 p. 100), *o* [ouvert + fermé] (3,7 p. 100), *e* [de *le*] (4,9 p. 100), *u* (2 p. 100) et plus loin *l* (6,8 p. 100), *r* (6,9 p. 100);

• La progression est graphique et non phonétique; ainsi ne sont pas distingués [o] et [ɔ], [ø] et [œ]; le groupement dès le départ de *é, è, ê* le montre bien et risque d'entraîner des confusions tant sur le plan de la lecture correcte que sur celui de la graphie; le *h* est mis sur le même plan que le reste et passe, par exemple, avant *b* et *g*, alors qu'il n'est jamais prononcé en français (tout au plus peut-il entraîner une absence de liaison);

• On n'utilise pas le système des oppositions phonétiques; seule la suite *v, f* fait exception, sans doute par hasard; de toute façon, il serait préférable d'adopter l'ordre *f, v*, le sonore étant la plus difficile à réaliser.

2. Perspectives

Sans tomber dans un rigorisme absolu, on peut essayer d'adopter des principes de progression plus cohérents.

Nous avons dit que les phonèmes avaient dans la langue une fréquence d'emploi propre; il semble *a priori* logique de la respecter; car si [a], [ʀ], [l], [e] ont les fréquences les plus élevées, les faire acquérir d'abord à l'enfant, c'est lui permettre d'identifier un nombre de mots importants très rapidement.

On peut faire plusieurs objections à cette thèse :

• Certains phonèmes peu fréquents sont pourtant au centre de mots clés; ce qui est exact : ainsi [œ̃] (0,5 p. 100) se trouve dans *un ;* mais le cas est isolé, et les quelques mots de ce genre (outils grammaticaux indispensables) peuvent être appris globalement en attendant d'être identifiés nettement par la suite [1];

• Certains phonèmes sont d'articulation plus difficile que d'autres; ce qui reste à prouver au niveau où en sont les élèves, surtout si l'on a pratiqué — et que l'on continue de le faire — des exercices systématiques de prononciation;

• Il faut tenir compte de la difficulté de graphie du phonème étudié. Cette fois, l'argument est capital. Car [ɛ] (5,3 p. 100) a près de vingt graphies différentes (cf. *balai, valet, rêve*, etc.); au contraire [ɲ] (0,1 p. 100) n'en a qu'une (« gn »). Il ne viendrait pourtant à l'esprit d'aucun maître de faire apprendre le [ɲ] avant le [ɛ]; tout simplement parce qu'il est peu fréquent dans notre langue et qu'on aurait bien du mal à construire de petites phrases avec les mots qui le contiennent. Pourquoi alors ne pas tirer de cet argument toutes ses conséquences?

---

(1) Du reste, la distinction [œ̃] / [ɛ̃] a pratiquement disparu du français oral contemporain.

En effet, on peut suivre (ou à peu près) l'ordre de fréquence des phonèmes tout en tenant compte des difficultés de graphie : il suffit d'apprendre d'abord à reconnaître la graphie la plus courante et d'introduire les autres peu à peu, selon leur importance.

Soit les quatre premiers et quelques graphies possibles :

[a]	a *(ma)*, as *(tas)*, â *(âne);*
[R]	r *(ver)*, rr *(verre)*, rh *(rhume);*
[l]	l *(sel)*, ll *(selle)*, lh *(Alhambra);*
[e]	é *(bonté)*, ée *(vallée)*, er *(chanter)*, ers *(volontiers);*
	ai *(chantai)*, ez *(chantez)*, es *(les).*

Les premières leçons ne retiendront que les graphies *a, r, l, é;* on bannira évidemment des petites classes les graphies *rh, lh, ers;* les autres seront introduites progressivement; ainsi, après avoir parfaitement identifié les graphies simples, pourra-t-on proposer à l'enfant des exercices d'oppositions non plus phonologiques, cette fois, mais graphiques, du type :

[R]	graphies *r* et *rr;*
[l]	graphies *l* et *ll;*
[e]	graphies *é* et *ée*, *é* et *er*, *é* et *ez.*

(Il reste au maître à doser ces difficultés; à savoir quelles sont celles qui peuvent être surmontées au niveau orthographique, etc.)

Par ailleurs, les exercices d'oppositions phonologiques seront évidemment poursuivis, de toute façon sur un plan purement oral (avant de lire le [s], par exemple, on pourra travailler l'opposition [s]/[z] et reprendre la série des sourdes), puis progressivement sur le plan écrit (*pour, tour, cour,* etc.).

d) Utilisation de l'alphabet phonétique

Il suffit de se reporter à ce que nous avons dit des interférences dans les manuels de lecture entre phonèmes et graphèmes pour se rendre compte des services que l'alphabet phonétique peut rendre au niveau des petites classes; on n'en serait plus réduit à écrire, comme dans un manuel en usage : *ceci = se si* (ce qui risque d'être catastrophique pour l'orthographe), ni *eau = au = o* (sans savoir s'il s'agit du *o* de *pot* ou de celui de *poche*, ce qui entraîne une mauvaise prononciation), mais *ceci* = [səsi], *eau* = [o].

On objectera que les interférences avec l'orthographe risquent d'être pires encore et que l'enfant écrira *byro* pour *bureau*. Ce n'est pas prouvé si l'on prend soin de nettement distinguer la graphie phonétique en l'isolant par des signes conventionnels (crochets, cercle, etc.) et par une couleur propre.

La difficulté réside plutôt dans l'aptitude de l'enfant de quatre ou cinq ans à manier les symboles. Une solution provisoire serait peut-être d'associer en

Maternelle chaque phonème à un dessin particulièrement adapté; les 36 graphismes figureraient sur un grand tableau et serviraient d'unique référence; on pourrait même amener les enfants à en manier des reproductions réduites lors des exercices. Au Cours préparatoire, la maîtresse partirait de ces symboles pour l'apprentissage de la lecture. Une autre solution consisterait à associer chaque phonème à un mot court et simple, appris globalement et servant de constante référence. Par exemple, pour les voyelles : *mi, ré, lait, la, lu, peu, fleur, le, loup, do, sol, mât, brin, un, bon, pan.*

Il semble de toute façon possible d'introduire l'alphabet phonétique au niveau du Cours moyen 1.

Cette référence phonétique sera utile à tous les niveaux :

• à l'école primaire pour l'apprentissage de la lecture, la reprise d'une prononciation incorrecte (il ne nous semblerait pas aberrant de poursuivre jusqu'au Cours moyen 2 les exercices de prononciation, en s'en tenant progressivement aux seules difficultés);

• dans le premier cycle du second degré pour reprendre une prononciation incorrecte, mettre en évidence la richesse musicale d'un vers, expliquer certains faits de grammaire; par exemple :

L'article porte les marques du genre et du nombre :

écrit : *le chien* / *les chiens;*
oral : [ləʃjɛ̃] / [leʃjɛ̃].

III. Des phonèmes aux syllabes

A. Considérations théoriques

Nous avons dit que les phonèmes n'ont pas de contenu sémantique; ce sont des unités purement formelles qui se combinent pour former le signifiant des mots.

Mais les mots eux-mêmes, sur le plan articulatoire, comportent des unités intermédiaires, les **syllabes** :

• Un phonème peut à lui seul former une syllabe ([u] dans « ouvert »); c'est un cas limite. Le plus souvent la syllabe comporte plusieurs phonèmes (ainsi la deuxième du même mot « ouvert »).

• Une syllabe peut à elle seule former un mot. Ainsi les mots *houx, et,* etc. C'est encore un cas limite. Et surtout les plans sont cette fois nettement différents, car la syllabe, comme le phonème, se situe sur le plan formel du langage. Le mot, lui, appartient à la fois au plan du signifiant et à celui du signifié.

a) Définition de la syllabe

D'une manière générale, on se place pour définir la syllabe du point de vue de la phonétique descriptive et l'on considère les possibilités articulatoires de l'individu :

Une syllabe est un phonème ou un groupe de phonèmes que l'on prononce d'une seule émission de voix.

D'un point de vue plus fonctionnel, on peut proposer, comme le fait K. Togeby (*op. cit.*, p. 34) une autre définition :

La syllabe est décomposable en groupe vocalique et groupe consonantique.

Il n'y a pas contradiction entre ces deux définitions. Nous en ferons la synthèse :

Une syllabe est constituée d'une voyelle et éventuellement des consonnes et/ou semi-consonnes qui l'accompagnent dans la même émission de voix.

(Il s'agit évidemment ici des unités phonétiques, et non graphiques.)

b) Problèmes

1. Compte des syllabes

Des problèmes peuvent naître, dus notamment au *e* muet et aux semi-voyelles (*jouer :* 1 ou 2 syllabes? *cheval :* 1 ou 2 syllabes?) [v. *infra*, PRONON-CIATION].

2. Quelles consonnes appartiennent à quelle syllabe ?

Nous avons défini la syllabe comme composée d'une voyelle et éventuellement des consonnes qui l'accompagnent; ces dernières ne sont pas toujours faciles à identifier.

On peut se reporter à ces règles générales, auxquelles échappent quelques exceptions, mais qui recouvrent la plupart des cas possibles :

● Une consonne prononcée placée entre deux voyelles appartient à la deuxième syllabe : *locomotive* [lɔ - kɔ - mɔ - tiv];

● Deux consonnes prononcées différentes se séparent, sauf si la seconde — et elle seule — est [ʀ] ou [l] : *problème* [pʀɔ - blɛm], mais *argument* [aʀ - gy - mɑ̃].

N. B. — Les doubles consonnes ne sont généralement pas prononcées (v. sur ce point, *infra*, PRONONCIATION); elles ne posent donc pas de problème particulier. Nous nous situons évidemment sur le plan phonique et non graphique.

3. Syllabes ouvertes et syllabes fermées

● Quand la syllabe se termine par une voyelle prononcée, elle est dite *ouverte* : [bʀy - mø] *(brumeux)*. C'est le cas de 80 p. 100 des syllabes françaises.

● Quand la syllabe se termine par une consonne prononcée, elle est dite *fermée* : [vɛʀ - niʀ] *(vernir)*.

● La tendance fondamentale du français est à la syllabation ouverte.

B. Réflexions pédagogiques

Les problèmes dont on vient de débattre intéressent évidemment l'instituteur désireux de savoir à quoi s'en tenir quand on lui parle de méthode « syllabique » d'apprentissage de la lecture.

● Il est intéressant de citer ici les auteurs de la méthode **Je veux lire**, Hachette, 1967, fiche pédagogique nᵒ 24 :

« La syllabe étant essentiellement variable, il n'en faut mémoriser aucune. Au cours du déchiffrage, l'enfant fait la synthèse des syllabes qu'il rencontre en lisant successivement les phonèmes; lorsqu'il lit globalement, il ne déchiffre pas les syllabes une à une pour les assembler ensuite très rapidement : leur mémorisation ne présente donc aucune utilité. »

Ce point de vue nous paraît tout à fait sain. Nous avons notamment dénoncé au début de ce chapitre le procédé qui consiste à composer **systématiquement** un mot à partir de syllabes repérées dans d'autres mots. (Si on le pense utile, on devra alors se méfier des interférences entre le plan de la graphie et celui des phonèmes.)

Il est clair que le phonème est une unité constitutive de la langue comme, sur un autre plan, le mot en est une; selon ses convictions (car il y a presque une « mystique » de la lecture), le maître partira de l'une ou de l'autre. La syllabe est une unité articulatoire, ce qui est totalement différent.

Il s'agit donc moins de faire retenir à l'élève des syllabes comme [pa], [py], [pi], etc., que de le rendre capable de combiner des phonèmes de manière systématique afin qu'il identifie ensuite les combinaisons qu'il rencontrera dans les mots (à l'étude du phonème [p], il combinera [pa], [py], [pi], [po], [ap], [yp], [op], mais sans mémoriser ces groupes syllabiques : l'important est qu'il connaisse les phonèmes et **leurs propriétés de combinaison**; on proscrira évidemment les combinaisons impossibles en français).

• Nous avons dit que la tendance du français était à la syllabation ouverte. La conséquence en est que la structure syllabique d'une phrase sera souvent éloignée de la distribution de la phrase en mots. P.-R. Léon cite cette phrase :

Il a l'air aimable et bon [i-la-lɛ-ʀe-ma-ble-bɔ̃].

On voit que les mots *il*, *air*, *aimable*, qui se terminent par une syllabe phonétiquement fermée, se sont intégrés à l'ensemble, où nous ne retrouvons plus que des syllabes **ouvertes**. Le discours oral n'est pas une suite de mots, mais se distribue en groupes homogènes (v. *infra*, L'ACCENTUATION) dont l'unité articulatoire est la syllabe.

C'est pourquoi la lecture syllabique prend le caractère si pénible de l'ânonnement. Car en fait, elle n'est pas syllabique au niveau du groupe, mais du mot. Nous donnons ci-dessous les deux versions :

Cette enfant est venue me voir.
[sɛ-tə-ɑ̃-fɑ̃-ɛ-və-ny-mə-vwaʀ]   (syllabation par mots).
[sɛ-tɑ̃-fɑ̃-ɛ-vny-mvwaʀ]   (syllabation par groupes).

Si l'on pense que le premier stade est de toute façon indispensable, du moins devrait-on toujours le faire suivre du second, et cela dès le début de l'apprentissage de la lecture.

IV. L'accentuation et ses problèmes

A. Considérations théoriques

Au terme de nos précédentes analyses, on pourrait considérer tout énoncé comme une suite linéaire de syllabes. Nous en resterions à un plan purement formel, et il nous serait alors à la limite impossible de saisir le sens d'un tel énoncé.

En effet, si nous énonçons ce qui suit :

[ɛlaa / ʃteɑ̃mɑ̃ / totʀɛʒɔ / li] (¹)

nous n'avons pas l'impression de nous trouver devant une phrase française.

---

(1) Nous avons pris pour conventions :
- de noter l'accent par un trait (/);
- de mettre entre crochets ([]) la transcription phonétique d'un énoncé;
- de délimiter par une barre (/) deux groupes accentuels;
- de signaler par une double barre (‖) les pauses plus importantes.

Il suffit pourtant que nous changions notre débit pour que les mêmes syllabes, différemment disposées, deviennent les signifiants d'un énoncé au sens parfaitement clair :

$$[\varepsilon\text{laa}\int\text{te} / \text{œ}\tilde{\text{m}}\tilde{\text{a}}\text{to} / \text{tr}\varepsilon\text{ʒɔli}]$$
(Elle a acheté un manteau très joli.)

Nous constatons alors que la prononciation correcte d'une phrase est commandée par certaines exigences, que les groupes prononcés ne correspondent pas à la division graphique en mots.

Nous voici devant les problèmes de l'accentuation.

● « L'accent dit d'intensité consiste à mettre en relief, dans un mot de plusieurs syllabes, une syllabe par rapport aux autres, au moyen d'une dépense accrue d'énergie et d'une augmentation de la durée d'émission. » (*G.L.F.C.*, p. 21.)

● On sait que certaines langues ont un accent d'intensité (appelé encore *accent tonique*) très important; cet accent n'est pas distribué de la même façon sur tous les mots de leur lexique (anglais : *beautiful, across;* allemand : *der Vater, die Philosophie*). Ce sont des langues à accent de mot.

● Le français possède aussi un accent d'intensité mais :

a) il est à place fixe et frappe toujours la dernière syllabe articulée : *amateur, patriotisme.*

N. B. — Cet accent provoque le plus souvent un allongement de la voyelle qui lui correspond.

b) le français est une langue à accent de groupe, non de mot. (Chacun sait que des langues comme l'anglais ou l'allemand ont un accent d'intensité; on ignore, au contraire, généralement que le français en possède un.) On opposera ainsi :

ANGLAIS	ALLEMAND	FRANÇAIS
a beautiful girl	*ein schönes Mädchen*	*une fille, une belle fille, une très belle fille.*
Chaque mot « plein » conserve son accent.		L'accent ne frappe pas chaque mot plein, mais délimite un groupe qui a son unité.

Voici quelques autres exemples :

[ɛlɛvnymvwaʀ / avɛksamɛʀ] *(elle est venue me voir avec sa mère)*.

[vuzosi / vuvjɛ̃dre] *(vous aussi vous viendrez)*.

[sasœʀ / etɛtakɔ̃paɲe / *(sa sœur était accompagnée*

paʀsamɛjœʀami] *par sa meilleure amie)*.

On s'aperçoit que les accents tendent à délimiter dans la phrase des groupes de « sens » et à en déterminer la bonne « respiration ».

• L'accent coïncide parfois avec une pause, qui permet au locuteur de reprendre son souffle; ces pauses sont plus ou moins importantes et dépendent étroitement du débit du locuteur; les pauses déterminent ce qu'on appelle des *groupes de souffle;* la plus importante est celle qui sépare deux phrases; on la note dans une transcription phonétique par une double barre verticale. Ainsi :

[ilnɛpavnymvwaʀ / dəpɥiɥiʒuʀ ‖ ilavɛlaɡʀip]
(Il n'est pas venu me voir depuis huit jours. Il avait la grippe).

• Régulièrement répartis, les accents peuvent servir à des fins esthétiques, particulièrement en poésie.

• L'accentuation normale peut parfois être accompagnée d'une autre, utilisée par le locuteur dans deux cas particuliers :

— pour traduire son émotion; le mot important est alors détaché par une accentuation de sa première syllabe :

[sɛtœ̃naksidɑ̃ / ɛfʀɛjɑ̃] *(C'est un accident effrayant);*

— pour mettre en évidence une syllabe capitale pour la compréhension du message :

[infopakɔ̃fɔ̃dʀ / ɛ̃vɛʀse / edevɛʀse] *(Il ne faut pas confondre* **in**verser *et* **dé**verser).

B. Réflexions pédagogiques

• Ces informations viennent compléter ce que nous avons dit de la syllabation; tout se passait alors comme si le débit oral du français reposait sur une succession de syllabes et non de mots. Nous savons maintenant que cette succession n'est pas monocorde, mais s'accompagne d'accents d'intensité qui déterminent des **groupes de sens** cohérents. Aussi l'apprentissage de la lecture devrait-il tenir grand compte des groupes accentuels, pour que la phrase lue retrouve sa cohérence orale.

• L'accent devient fondamental en poésie; il est important d'apprendre à l'élève qui « récite » le respect, sans caricature, du rythme d'un vers.

V. L'intonation et ses problèmes

A. Considérations théoriques

Il suffit de s'entendre prononcer une phrase pour se convaincre que la voix ne conserve pas d'un bout à l'autre la même hauteur. On dit que la phrase s'accompagne d'une certaine mélodie, appelée **intonation** (quelquefois aussi **modulation**). Seuls des enregistrements en laboratoire peuvent nous fournir à ce sujet des renseignements complets. (On pourra se reporter aux tracés reproduits dans *G.L.F.C.*, pp. 40-44.) Nous nous en tiendrons à l'essentiel.

Soit la phrase : *Il est parti*. Selon l'intonation adoptée par le locuteur, l'auditeur reconnaîtra une simple **assertion** ou une **question** qui lui est posée.

* **Phrase assertive** (*Il est parti.*) : la voix monte par paliers pour redescendre sur la dernière syllabe.

[ilɛpaʀti]

* **Phrase interrogative** (*Il est parti ?*) : la voix ne cesse de monter et reste en suspens.

[ilɛpaʀti]

* **Phrase impérative** (*Partez d'ici !*) : la voix, au contraire, part d'assez haut et ne cesse de descendre.

[paʀte disi]

D'une manière générale, l'intonation du français repose sur une courbe mélodique ascendante et une autre descendante : la première peut correspondre à une question que l'on se pose ou que l'on pose : la voix reste en suspens et attend la réponse. La seconde semble, au contraire, interdire toute question comme toute réponse : elle est caractéristique de l'ordre.

Dans la phrase assertive normale, une sorte d'équilibre est établi : la voix utilise d'abord la première, puis la seconde. Si la phrase est courte (v. nos exemples), la seconde intervient au moment de l'articulation de la dernière syllabe. Si elle est longue, le problème devient plus complexe : la voix « décroche » sur une syllabe plus ou moins proche de la fin de phrase, difficile à préciser rigoureusement ; ainsi, dans cette phrase de Giraudoux (*Amphitryon 38*, II, 2) :

> *Je ne sens pas en elle cette part de jeu ou d'erreur, qui provoque, sous l'effet*
> *du vin, de l'amour, ou d'un beau voyage, le désir de l'éternité.*

la voix monte de façon plus ou moins régulière jusque *voyage* puis redescend progressivement pour retrouver sa hauteur initiale.

REMARQUE. — Il est évident que ces données se compliquent singulièrement si l'on veut procéder à une analyse minutieuse de la mélodie. Ce n'était pas notre propos. Nous signalerons seulement que cette mélodie varie en fonction du locuteur, notamment quand il s'agit d'un texte littéraire lu par divers acteurs. Ces variations n'infirment pas les lignes générales que nous avons dégagées.

B. Réflexions pédagogiques

Il n'y a guère à dire sur ce point; le maître sait parfaitement que tout exercice de lecture doit satisfaire aux intonations exigées par le texte. Il s'agissait surtout de clarifier en quelques lignes cette question au niveau théorique.

On constate néanmoins que beaucoup de jeunes élèves ont du mal à obtenir une intonation juste : ou bien ils ne parviennent pas à faire « retomber la voix » en fin de phrase, ou bien, voulant « mettre le ton » à tout prix, ils font varier au petit bonheur la chance la hauteur de leur voix. C'est souvent que pour eux le texte écrit reste *écrit ;* ils ne parviennent pas à opérer le passage naturel de la phrase écrite à sa correspondante orale; ou que, le sentant, ils cherchent à retrouver le débit oral en caricaturant ses intonations.

La lecture par groupes accentuels devrait pallier ces difficultés. Par ailleurs, le maître peut s'aider de la main ou d'un graphisme pour « dessiner » dans l'espace ou au tableau l'intonation de la phrase en la lisant. Des exercices de ce genre seraient utiles dès le Cours préparatoire.

VI. Problèmes de prononciation

A. Considérations théoriques

a) Difficulté des problèmes

Il ne s'agit pas ici de reprendre ce que nous avons dit à propos de l'étude des phonèmes, mais de mettre en évidence quelques problèmes difficiles qui concernent la prononciation du français. La question intéresse évidemment au plus haut point le pédagogue. Il reste pourtant impossible de lui donner sur ce sujet des réponses toutes faites, et pour plusieurs raisons :

• La graphie du français repose le plus souvent sur des bases étymologiques et ne peut servir de guide en la matière; comparez la prononciation de l'*x* dans les mots : *six* ([s]), *exact* ([gz]), *sixième* ([z]), *texte* ([ks]), etc.

• La prononciation du français diffère selon les régions où il est parlé. S'il est besoin d'exemples, une enquête récente [1] montre qu'une opposition s'établit entre la partie méridionale de notre pays et l'autre dans la prononciation de certaines voyelles. Ainsi le Français du Sud continue à différencier *Rome* et *rhum* par la prononciation de l'[ə], alors que dans le Nord les deux mots sont confondus. Inversement, le Sud confond *patte* et *pâte*, alors que persiste — à des degrés différents — dans la moitié Nord l'opposition du [a] antérieur et du [ɑ] postérieur.

---

[1] G. DEYHIME, « Enquête sur la phonologie du français contemporain », dans *la Linguistique*. n° 1, 1967.

• A ces difficultés, on doit encore ajouter celle des niveaux de prononciation. Des individus de milieux socio-culturel différents ne prononceront pas de la même façon une phrase pourtant identique. Le même individu aura par ailleurs tendance à faire varier sa prononciation en fonction du contexte dans lequel il se trouve. Il n'est pas sûr que vous surveilliez la vôtre dans une conversations à bâtons rompus avec des collègues comme il vous arrive peut-être de le faire devant votre supérieur hiérarchique.

Considérons par exemple la phrase : *Je le lui ai dit.* Selon le niveau de prononciation adopté, nous obtiendrons les réalisations phonétiques suivantes :

[ʒələlɥiɛdi], [ʒləlɥiɛdi], [ʒəllɥiedi],
[ʒlɥiedi], [ʒɥiedi], [ʒiedi], [ʒjedi].

On voit clairement qu'il ne s'agit pas essentiellement ici d'une utilisation de phonèmes différents, mais d'une réduction du nombre des phonèmes utilisés : le locuteur ayant tendance à « économiser » ses efforts. On s'aperçoit que la dernière transcription met en évidence un seuil au-delà duquel le sens du message ne peut plus être compris.

Comment pallier ces difficultés ? Il n'est pas de remède miracle. On considère généralement que la prononciation correcte du français est celle du « Parisien cultivé ». Il est clair que l'expression reste ambiguë... et qu'il faudrait encore préciser ce que l'on entend exactement par « cultivé »...

Quelques points de repère sont proposés ci-dessous, mais ils sont insuffisants. Le plus sage, en cas de doute, est de s'en remettre aux ouvrages conseillés dans notre bibliographie et aux deux dictionnaires suivants, particulièrement informés et attentifs à ces problèmes : *D.L.F.C.* ([1]) et *Robert* (« *petit* » ou « *grand* »).

b) Quelques points de repère

1. Prononciation des consonnes

Le système des consonnes du français est stable et leur prononciation ne soulève guère de problèmes (outre ceux qui sont mentionnés *supra*). On prendra cependant garde à la graphie « double consonne ».

Contrairement à l'opinion courante, les doubles consonnes se prononcent comme la simple correspondante : *pomme* [pɔm], *terrible* [tɛribl], *essentiel* [esɑ̃sjɛl].

Cependant, on prononce la double consonne dans certains cas :

• lorsqu'on se trouve devant un cas de préfixation : *immense* [immɑ̃s], *irradier* [iʀʀadje], *surréalisme* [syʀʀealism] ;

• lorsque la double consonne, au sein d'une forme verbale, sert à opposer un imparfait et un conditionnel : *courait ≠ courrait;*

---

(1) Nous désignerons ainsi, tout au long de ce manuel, le *Dictionnaire Larousse du français contemporain.*

• lorsque deux consonnes identiques sont mises en rapport sur le plan oral par suite de la chute d'un *e* muet (v. *infra*) : *tu me mens* [tymmɑ̃] ≠ *tu mens* [tymɑ̃] (cité par P.-R. Léon) — *tu le lui as dit* [tyllɥiadi] ≠ *tu lui as dit* [tylɥiadi].

REMARQUES. — **1.** Le *h* n'est jamais prononcé en français, même quand il est dit *aspiré*. Dans ce dernier cas, cependant, il interdit devant lui toute liaison et toute élision.
2. On distingue en théorie [ɲ] et le groupe [nj] ([ɲ] est toujours graphié *gn*, [nj] *ni*) : *rogner* [ʁɔɲe] mais *renier* [ʁənje].

2. Prononciation des semi-voyelles

Comme nous l'avons signalé lors de l'étude des phonèmes, on risque constamment de confondre la semi-voyelle avec la voyelle correspondante, surtout lorsqu'elle en adopte la graphie habituelle : *i (nier)*, *u (ruer)*, *ou (nouer)*.

Dans ces cas-là, nous avons toujours à faire à des semi-voyelles, sauf quand le nombre des consonnes qui précèdent est trop important pour que la semi-voyelle puisse permettre une bonne articulation du groupe (on a souvent alors : voyelle + semi-voyelle); ainsi :

lier [lje]	mais	*crier* [kʁije]
fier [fjɛʁ]	mais	*prière* [prijɛʁ]
mouette [mwɛt]	mais	*brouette* [bʁuɛt]
ruelle [ʁɥɛl]	mais	*cruelle* [cʁyɛl]

La règle simple est qu'on a à chaque fois une semi-voyelle sauf quand son emploi rend impossible la prononciation.

3. Prononciation des voyelles

De gros problèmes se posent ici, dus d'une part au *e* muet, d'autre part aux voyelles à double timbre.

◆ Le *e* « muet »

On l'appelle encore « *e* caduc » ou « *e* instable »; cette dernière expression souligne parfaitement les problèmes qu'il pose. D'une manière générale, il se reconnaît aisément, car il est toujours graphié *e* (ou, en désinence, *es*, *ent*); il occupe de loin la première place dans la langue écrite (fréquence : 10,06 p. 100); sa fréquence dans la langue orale (4,9 p. 100) prouve à quel point il est effectivement « caduc ». Il peut se trouver dans un mot en toutes positions.

Sa prononciation éventuelle dépend étroitement de données géographiques (on le chérit dans la France du Sud)... et du niveau de prononciation adopté (v. p. 56). On se reportera sur ce point aux excellentes pages que P.-R. Léon lui consacre dans sa *Prononciation du français standard* (pp. 68 à 73).

Nous indiquerons simplement quelques points de repère en précisant cependant dès maintenant qu'on doit se soucier de la place du [ə] non pas dans le « mot » mais dans le **groupe accentuel** où il se trouve.

● Il peut être au début d'un groupe accentuel : *Je pars — Que faites-vous ?* Sa prononciation est alors

— nécessaire : dans le pronom interrogatif *que*, dans le mot *dehors* et derrière deux consonnes prononcées pour aider l'articulation *(prenez donc...)* ;

— facultative dans les autres cas ;

● Il peut être à la finale d'un groupe : *Faites-le — Elle est blanche.* Dans ce cas sa prononciation est toujours superflue, sauf dans les mots *le, ce, parce que* lorsqu'ils sont accentués *(Faites-le)* où elle est nécessaire ;

● Il peut être à l'intérieur d'un groupe : *un cheval de course.* Dans ce cas sa prononciation dépend du niveau adopté ; généralement elle est nécessaire quand elle aide à la bonne articulation du groupe (*e* précédé de plus d'une consonne prononcée : *de belles crevettes* [dbɛlkʀəvɛt], évitée dans le cas contraire (*e* précédé d'une seule consonne prononcée : *un cheval de course* [œ̃ʃvaldəkuʀs]).

N. B. — **1.** Une fois encore, on s'aperçoit de l'importance d'une lecture par groupes accentuels.
2. La prononciation du *e* muet dans la poésie classique est régie par des lois strictes.

◆ **Les voyelles à double timbre**

En se limitant à des indications sommaires, on peut remarquer que les règles suivantes sont généralement suivies :

	En syllabe accentuée	En syllabe inaccentuée
[ɑ] - [a]	La distinction n'est pratiquement plus respectée.	La voyelle est toujours antérieure, sauf quand elle est orthographiée *â* (*pâté, bâtardise*).
[o] - [ɔ]	● **A la finale absolue** : la voyelle est toujours fermée (*rôt, pot*). ● **Devant consonne prononcée** : elle tend à s'ouvrir (col, porte) ; elle est cependant fermée devant [z] (*rose*) et quand elle est orthographiée *au* (*saule*) ou *ô* (*hôte*).	● La voyelle tend à s'ouvrir (*collier, portique*). ● Elle est fermée devant [z] (*rosier*), quand elle est orthographiée *au* ou *ô* (*hôtel, laudanum*) et dans *-otion* (*dévotion*).
[e] - [ɛ]	● **A la finale absolue** : la voyelle est fermée quand elle est orthographiée *é* (*fermé*), *ez* (*nez*), *ed* (*pied*), *ef* (*clef*) ou *er* (*chanter*) ; elle est ouverte dans les autres cas (*mais, abcès, raie, forêt*) [1]. ● **Devant consonne prononcée** : la voyelle est toujours ouverte (*bec, messe, verre, bête*).	● La voyelle tend à se fermer (*pétition, beffroi*). ● Elle est ouverte devant la graphie *rr* (*serrure*), devant un groupe de consonnes prononcées (*lecture, texture*) et quand elle est orthographiée *ai* (*paisible*), *ei* (*reinette*), *ê* (*bêtement*) ou *è* (*sèchement*).

(1) Selon la norme, la graphie *ai* doit être prononcée [e] dans les formes verbales (*parlai, parlerai*) ; on observe alors une opposition phonétique pertinente entre les premières personnes du singulier du futur simple *(parlerai* : [e]) et du conditionnel présent *(parlerais* : [ɛ]); cette distinction n'est pratiquement plus observée.

Pour prudentes qu'elles soient, ces indications sont parfois remises en cause, notamment quand la prononciation de certains mots est troublée par des facteurs extérieurs (par exemple, l'analogie : *nettoyer* se prononce avec un *e* ouvert, comme *net ;* ou encore les exigences de l'harmonie vocalique : le mot *aigri* devrait se prononcer [εgʀi], mais le [i] qui le termine, étant une voyelle très fermée, tend à fermer la voyelle qui le précède, et la prononciation devient [egʀi]). On ne saurait donc trop conseiller à l'usager dans le doute de se reporter aux ouvrages que nous avons indiqués ci-dessus.

4. Les liaisons

Le problème de la liaison est spécifique des langues qui, comme le français, n'adoptent pas une orthographe phonétique. La liaison consiste en effet à prononcer une consonne finale d'un mot — ordinairement muette — lorsque ce mot s'intègre dans un groupe et que sa consonne finale entre en contact avec la voyelle (ou, graphiquement, avec l'*h* « muet ») qui ouvre le mot voisin. Ainsi : *un enfant charmant* [ʃaʀmɑ̃] mais *un charmant enfant* [ʃaʀmɑ̃tɑ̃fɑ̃].

Il est difficile de dire avec précision quand il faut ou non faire la liaison. Entre notamment en jeu le niveau de prononciation adopté (cf. *supra*); à la limite, on trouve la poésie qui exige une prononciation très liée.

Le pédantisme conduit en ce domaine au ridicule (nous pourrions en caricaturer l'attitude par cet exemple : *Mon père porta toujours un grand soin à son collier admirable* [... tuʒuʀz ɶ̃ gʀɑ̃ ... kɔlieʀadmiʀabl]). La conversation quotidienne évite au contraire, et de plus en plus, de lier là où il le faudrait.

On doit essentiellement se rappeler que la liaison est un signe supplémentaire de cohésion entre des unités voisines. Du même coup, elle ne peut se faire qu'à l'intérieur d'un groupe accentuel : c'est la grande loi à connaître. On ne liera donc pas un mot accentué à son suivant. Ainsi : *un petit enfant* [ɶ̃pətitɑ̃fɑ̃], mais : *un enfant petit et fragile* [ɶ̃nɑ̃fɑ̃] [pəti] [efʀaʒil].

La liaison est parfois un facteur important de bonne communication. Ainsi dans cet exemple, où l'absence ou la présence de liaison distingue deux énoncés :

un savant aveugle [ɶ̃savɑ̃tavɶgl] où *savant* est adjectif;
un savant aveugle [ɶ̃savɑ̃] [avɶgl] où *savant* est substantif ([1]).

REMARQUES. — 1. Certaines consonnes prononcées en liaison ne correspondent pas à ce que leur graphie eût laissé attendre; ainsi :
- *s* et *x*, qui se prononcent [z] : *grands enfants* [gʀɑ̃zɑ̃fɑ̃], *beaux habits* [bozabi].
- *d*, qui se prononce [t] : *grand ami* [gʀɑ̃tami].
- *f*, qui se prononce [v] dans certains groupes : *neuf ans* [nɶvɑ̃].

2. Les voyelles nasales [ɔ̃], [ɛ̃] peuvent se dénasaliser (c'est surtout le cas de [ɛ̃]); on retrouve alors la voyelle correspondante et le [n] : *un certain idiot* [ɶ̃sɛʀtɛnidjo], *un bon exemple* [ɶ̃bɔnɛgzɑ̃pl].

3. Pour tous les cas particuliers, on se reportera à P.-R. Léon, *op. cit.*

---

(1) *G.L.F.C.*, p. 24-25.

B. Réflexions pédagogiques

L'intérêt pour le pédagogue des problèmes de prononciation est évident. Il suffit de rappeler qu'ayant à conduire ses élèves à une prononciation correcte du français, il doit lui-même être parfaitement au courant des difficultés de sa langue.

Nous renvoyons à ce que nous avons dit en II; des exercices systématiques d'orthoépie (art de bien prononcer) nous semblent du plus grand intérêt dès la Maternelle pour toutes les raisons que nous avons signalées; poursuivis sans relâche jusqu'au Cours moyen 2e année, ils pourraient pallier les carences constatées chez de nombreux élèves et devant lesquelles le maître baisse trop souvent les bras, en avouant ne pouvoir rien faire contre la prononciation relâchée que l'enfant retrouvera de toute façon dans son milieu familial ou au contact de ses petits camarades.

On consacre des heures et des heures de patience à apprendre à l'enfant l'utilisation correcte des graphèmes; il y va parfois d'un interligne en trop ou en moins pour une barre de *p*, et cette exigence de précision est parfaitement normale. Mais pourquoi alors se contenter d'à peu près dans le domaine phonétique, base même de la structure d'une langue? Si l'on avait pour le code oral la même exigence que pour le code écrit, bien des progrès pourraient être accomplis tant au niveau de la seule prononciation qu'à celui, nous l'avons dit, de la lecture et de l'orthographe.

Nous avons constaté que, pour un certain nombre de phonèmes, la prononciation du français reste mouvante, en raison notamment de facteurs géographiques. (Les fluctuations dues au niveau de prononciation adopté ne nous paraissent pas poser de problèmes, le maître sachant qu'il doit exiger de ses élèves celui d'une conversation normale, ni relâchée, ni trop affectée; il reste évidemment seul juge en la matière.)

Faut-il imposer aux élèves une prononciation standard et apprendre au petit Provençal à parler comme son homologue parisien? La réponse se devine — ne serait-ce d'ailleurs que par les problèmes de reconversion qui se poseraient au pédagogue lui-même... Reste à savoir aussi si le petit Parisien en question prononce correctement... Faut-il à l'inverse permettre à l'élève du Pas-de-Calais ou de la Somme de dire [œngutʃjɛʀ] pour [yngutjɛʀ] *(une gouttière)* ? Non, sans doute. Mais où trouver des critères stables?

Il nous paraît difficile d'énoncer autre chose que cette proposition dont nous reconnaissons l'imprécision : amener l'enfant à une prononciation aussi proche que possible de celle du « Parisien cultivé », en essayant de faire la part des fautes capitales et de celles qui restent vénielles. On sera particulièrement attentif aux textes de diction, qui doivent de ce point de vue atteindre à la perfection.

Conclusion

La phonologie est, sans doute, le terrain sur lequel la linguistique contemporaine a remporté ses plus solides victoires; c'est compréhensible, puisqu'elle travaille là dans un domaine parfaitement délimité qui permet à l'homme de science d'obtenir à force de patience et de rigueur des résultats très satisfaisants. S'il lui arrive un jour de feuilleter ces pages, il voudra bien se rappeler qu'elles ne s'adressent pas à des spécialistes, mais visent à une initiation aux problèmes qui sont les siens.

Le pédagogue pourra pourtant avoir l'impression qu'il n'a pas à s'embarrasser de réflexions aussi arides. Il est vrai que nous n'avons pas accepté de nous en tenir à quelques remarques qui, à force de se vouloir simples, seraient devenues simplistes et parfaitement inutiles. Vouloir l'aider dans sa tâche, c'était lui proposer des éléments d'information suffisamment détaillés; et c'est une marque d'estime à son égard.

D'ailleurs, les difficultés théoriques sont peut-être moins importantes qu'il n'y paraît à première lecture. Notre expérience prouve par exemple qu'un étudiant parvient à manier correctement l'alphabet phonétique après avoir accepté l'effort de transcrire une cinquantaine de lignes d'un texte écrit.

Enfin, il n'est pas dans notre propos d'avoir la sotte prétention de résoudre toutes les difficultés propres à l'enseignant par un remède magique jusqu'alors inconnu. Nous pensons simplement qu'il est important pour un maître de français de connaître le fonctionnement du code oral de sa langue; nous lui en avons proposé les rudiments et, à partir de là, quelques directions de recherche pédagogiques qui ne sont ni des recettes, ni une nouvelle méthode, ni un substitut de manuel, mais plus modestement des points de repère pour un enseignement que l'on souhaite toujours plus efficace.

Bibliographie

M. LÉON, **Exercices systématiques de prononciation française** (vol. 1 et 2), Hachette-Larousse, Paris, 1964.

Guide indispensable du maître désireux de pratiquer les exercices que nous avons suggérés. Propose particulièrement des types d'exercices de prononciation fondés sur l'opposition phonologique.

P. et M. LÉON, **Introduction à la phonétique corrective**, Hachette-Larousse, Paris, 1964.

S'adresse en principe à des professeurs enseignant le français comme langue étrangère. Mais son intérêt est évident pour l'enseignement du français langue maternelle, dans la mesure où il aborde les problèmes pédagogiques (dans cette discipline, on ne les aborde généralement en France qu'en relation avec la psycho-pathologie). On trouvera dans cet ouvrage une étude très claire des phonèmes du français (avec schémas d'articulation) ainsi que des principaux aspects de la prosodie française (accents, intonation...) et de précieux conseils pour l'enseignement de la prononciation.

P.-R. Léon, **Prononciation du français standard (Aide-mémoire d'orthoépie)**, Didier, Paris, 1966.

Servira de guide général en ce domaine; de maniement très facile (typographie aérée, tableaux, index...) l'ouvrage traite de tous les problèmes intéressant les relations du son et de la graphie.

P.-R. Léon, **la Prononciation par les exercices structuraux**, dans *Le français dans le monde*, n° 41, juin 1966, Hachette-Larousse, Paris.

Peut éventuellement compléter l'ouvrage précédent; article de quelques pages.

B. Malmberg, **la Phonétique**, P.U.F., coll. « Que sais-je? », Paris, 1954.

D'accès facile sans pour autant abandonner une information très solide. Permet d'avoir en peu de temps un aperçu sur les méthodes, les problèmes et les résultats de la phonétique.

A. Martinet, **Éléments de linguistique générale**, A. Colin, Paris, 1961.

Ouvrage théorique aussi riche que concis; le débutant pourra le trouver d'approche un peu difficile, mais s'apercevra très vite que son effort de lecture trouve sa large récompense; capital pour qui veut se mettre au courant des principales données de la linguistique générale; pour ce qui concerne particulièrement la phonologie, on se reportera aux pages 61 à 100 de la dernière édition (1968).

G. Mounin, **Clefs pour la linguistique**, Seghers, Paris, 1968.

Ouvrage très clairement conduit. Se présente comme une introduction à la lecture des **Éléments** de Martinet (ci-dessus). Lecture recommandée pour une initiation.

L. Warnant, **Dictionnaire de prononciation française**, Éditions Duculot, Gembloux, 3e édition, 1968.

Utile en cas d'hésitation (ce qui arrive souvent!) sur la prononciation de tel mot particulier.

N. B. — On trouvera dans l'ouvrage de P.-R. Léon, *Prononciation du français standard* (cf. *supra*), une bibliographie abondante et raisonnée qui guidera le lecteur désireux d'élargir ses connaissances.

CHAPITRE DEUX

VERS UNE DESCRIPTION STRUCTURALE DE L'ORTHOGRAPHE

Introduction

Dans les pages précédentes, nous avons montré comment une analyse linguistique de l'énoncé oral pouvait éclairer les problèmes pédagogiques posés par la lecture et l'élocution. Cependant, si des suggestions ont été faites, nulle méthode d'ensemble n'a été préconisée. Nous procéderons de même pour l'orthographe.

Rappelons d'abord que l'apprentissage de l'orthographe relève de techniques particulières (par exemple, la dictée, préparée ou non), mais reste rattaché à celui de la lecture/écriture. Dans et par le travail d'observation de la forme graphique que réclame la lecture, comme dans l'effort de construction de la même forme qu'exige l'écriture, l'élève fixe déjà la graphie correcte (c'est-à-dire l'orthographe) des mots. D'autre part, l'enseignement de la grammaire a trouvé trop longtemps une de ses principales justifications dans la nécessité de bien apprendre l'orthographe, pour qu'il soit utile d'insister sur leurs rapports mutuels.

Les *Instructions officielles* ne manquent pas de jumeler le programme et la progression orthographiques avec ceux de la grammaire. Au Cours préparatoire : « initiation à l'orthographe, en liaison avec la lecture », au Cours moyen, après avoir recommandé l'étude des « principaux compléments du verbe : objet et circonstances; règles générales d'accord du participe passé; les propositions dans la phrase », etc., on prescrit : « Orthographe : Étude attentive de l'orthographe des mots usuels et de la ponctuation [...] à l'aide de dictées (dictées préparées, dictées de contrôle). » Enfin, pour souligner que l'orthographe n'est qu'un moment de la langue, les « questions de dictée » sont, pour l'essentiel, composées de questions de grammaire et de vocabulaire.

Sur le plan empirique des exercices et de l'enseignement, tout dénote que l'orthographe n'est pas isolée dans le système de la langue. Et, sans être trop excessifs, nous pourrions dire que l'orthographe est souvent le lieu où tout converge dans notre enseignement (au premier degré surtout) de la langue française. C'est aussi une banalité d'avancer que l'orthographe française ronge l'énergie et les horaires des maîtres comme des élèves.

Si l'on accorde une telle importance et si l'on fait une part aussi large à l'orthographe, cela tient d'une part à la société qui exige impérativement une langue écrite selon les canons définis par elle, d'autre part à l'*ensemble orthographique* malaisément dominé par les descriptions que l'on en peut donner.

La société impose l'orthographe, et l'orthographe française déborde toujours la cohérence des analyses proposées par grammairiens ou linguistes. De là le sentiment d'une situation douloureuse et/ou absurde qui fait opter passionnément pour un assainissement et une réforme du « monstre » orthographique. Au niveau de la description, la linguistique nous offre-t-elle quelque recours?

I. Les explications historiques

C'est un lieu commun de rappeler que notre orthographe actuelle est l'image approximative du français tel qu'il pouvait être prononcé au XIIIe siècle. Jugement en grande partie vérifié, mais qui laisserait croire que rien n'a bougé depuis le Moyen Age, quand, au contraire, au long des siècles, l'orthographe n'a cessé de se transformer, non pas radicalement à chaque fois, mais progressivement. Non que ces transformations aillent toutes dans le même sens, qui serait celui d'une adaptation de la graphie à la réalité de la langue à transcrire, mais elles s'inscrivent contre la tendance à penser que rien n'a jamais, en ce domaine, connu de changement.

Bien que cela ne vise ni directement ni immédiatement la technique pédagogique, il est normal que les maîtres acquièrent l'essentiel des connaissances touchant à l'histoire de l'orthographe. Car, ce faisant, ils échappent, partiellement au moins, à l'absurde où l'ensemble orthographique les enferme. De prendre une vue historique sur l'orthographe rétablit un sentiment de « rationalité » qui favorise une approche pédagogique. On domine, au lieu d'être dominé.

Il ne suffit pas, en effet, d'accuser (consciemment ou non) les institutions, les usages, les pouvoirs successifs, de l'incohérence orthographique. Car des nations qui ont connu autant que la nôtre ces pressions ou ces répressions, l'Italie et l'Espagne, disposent d'une orthographe pratiquement « sans problème ». C'est que la langue elle-même, dans son système, a contraint l'orthographe, pour une part importante, à sa forme actuelle.

Au niveau phonique, le français, durant son évolution, va diverger radicalement du latin : sonorisation, puis disparition des consonnes intervocaliques, disparition des consonnes finales, réduction des diphtongues... Au niveau lexical, un divorce s'est instauré entre mots simples et mots dérivés, de nombreux homonymes sont apparus (qu'il fallait distinguer graphiquement). Sur le plan de la grammaire, dont les descriptions ont été (et sont encore) marquées par le modèle latin, il est vrai que l'on a cherché à souligner par l'écrit certains traits que l'oral n'indiquait plus : –e final utilisé pour marquer les mots féminins, –s pour le pluriel... Enfin, devant une langue qui évoluait et se diversifiait, où prendre un modèle graphique qui permît de la transcrire et d'en noter, pour des usagers capables de la lire (et qui apprenaient à lire dans le latin), l'unité d'origine et d'usage? Le latin était seul à pouvoir fournir un matériau graphique qui fût un outil admis par les lecteurs. Il y a, dans ces faits, une tendance qui apparaît à tous les niveaux de la langue, celle de l'analogie.

En revanche, il faut que la lecture d'un texte ne prête à aucune ambiguïté (surtout s'il s'agit de textes administratifs et officiels) et cette exigence implique que les différences graphiques soient marquées le plus nettement possible. C'est la tendance inverse, celle de la différenciation. De là, l'usage du *y* plus lisible que le *i* (il se distingue, par ses « boucles », de l'uniformité linéaire); l'usage des redoublements de consonnes (finales en *–ette*, *–otte*) marquant le *e* ouvert et bref. D'autre part, l'absence prolongée dans notre alphabet des lettres *j* et *v*, consonnes (venues d'Italie et adoptées seulement d'une manière régulière à la fin du XVIIIe siècle), a provoqué ou maintenu des complications orthographiques : par exemple, à l'initiale d'un mot, le son [y] était transcrit par *v*, c'est pourquoi l'*h* était utilisé dans les mots *huit* (du latin *octo*), *huître* (du latin *ostreum*), pour faire comprendre que le *v* de *hvit* ou de *hvitre* représentait la voyelle *u*. Inversement, à l'intérieur du mot, la consonne *v* était ordinairement transcrite *u*, c'est pourquoi devant le *u* apparaissaient des lettres adventices, mais nécessaires : *veufue = veuve; nepueu = neveu*. Il en va ainsi pour notre ponctuation, qui n'a pas toujours existé et n'a été introduite que lentement, sous l'influence des maîtres imprimeurs.

Il paraît donc nécessaire, dans un premier temps, qu'une certaine conscience de ces phénomènes historiques, par la lecture des ouvrages spécialisés (v. BIBLIOGRAPHIE), se forme chez les maîtres, avant que les urgences et les exigences de l'enseignement les ramènent à considérer les aspects **synchroniques** de l'orthographe.

II. Orthographe et synchronie

La pédagogie de l'orthographe a toujours cherché le point d'appui d'une description aussi rationnelle que possible de l'*ensemble orthographique*. La distinction traditionnelle établie entre orthographe d'usage et orthographe de règles en fournit la première preuve. Fonder l'orthographe, autant qu'il est possible, sur la grammaire (sur les règles) témoigne d'une volonté de systématisation. L'application de l'ensemble grammatical sur l'ensemble orthographique vise à introduire l'ordre dans le chaos; l'orthographe d'usage relevant, pour sa part, d'une autre procédure, essentiellement fondée sur une étude de la position des lettres (*graphèmes*) dans le mot, c'est-à-dire de l'entourage de la lettre. De là, de nombreuses règles (¹) : « Devant *m, b, p*, il faut écrire *m* au lieu de *n*, sauf dans *bonbon, bonbonne, bonbonnière, embonpoint, néanmoins* », ou encore : « Lorsque le son final *au* est suivi d'une consonne, il ne prend jamais

---

(1) Ces citations et celles qui suivent sont extraites d'un manuel d'orthographe à l'usage du premier degré.

de *e* (ne s'écrit pas *eau*) : *crapaud*. » Malheureusement, ces règles, si minutieusement établies, trahissent souvent une incohérence méthodologique qu'il faut relever.

Prenons un exemple :

« Les noms masculins en *è* se terminent généralement par *et* et les noms féminins par *aie*, sauf la *paix* et la *forêt*. — REMARQUES. 1° Les noms masculins en *è* qui appartiennent à la famille d'un verbe en -*ayer* s'écrivent *ai* ; exemples : *balai (balayer)*, *étai (étayer)*. 2° Des noms féminins en *aie* désignent un lieu planté d'arbres d'une même espèce; exemple : *une châtaigneraie*. »

Cette analyse, formulée comme une série de règles, fait appel simultanément :
1. à la phonétique : le son *è* (dont on ne décrit pas les caractères; faute vénielle, puisque le livre est celui de l'élève);
2. à la grammaire : on distingue entre noms au masculin et noms au féminin (paradigmes grammaticaux);
3. à la lexicologie : famille de mots en -*ayer* (paradigmes morpho-lexicaux).

On aboutit, certes, à un classement qui doit avoir son efficacité pédagogique, mais qui prouve qu'il n'y a aucune unité méthodologique de la part du descripteur. Et cela entache l'analyse de nombreuses approximations ou d'erreurs. En voici quelques traces :

• On apprend à l'élève à distinguer entre *ill* et *y*, et l'on dit : « Dans le son *ill*, la lettre *i* est inséparable des deux *l* et ne se lie pas avec le son de la voyelle qui précède : *railler, raillerie*. » Au contraire, l'*y* a généralement la valeur de 2 *i*, dont l'un se lie avec la voyelle qui précède et l'autre avec la voyelle qui suit : *rayer, rayure*.

La présentation des difficultés propres à ces deux graphies confond son et lettre : qu'est-ce que le son transcrit par *ill* ? Comment le prononcer dans *ville, imbécillité* ? Quant à *y*, est-il toujours la transcription de deux *i* ? Dans *rayure*, phonétiquement, il y a un [ɛ] suivi d'un [j], nulle part de [i]!

• Même confusion, à propos de la lettre *h* : on en traite d'abord comme d'une lettre muette intercalée et l'on y revient un peu plus tard pour les mots commençant par un *h* muet distingué de l'*h* aspiré (!).

• On présente simultanément : *qu = ch = k*, sans aucune explication, et on ne donne qu'une liste de mots; on indique que *ti = si*, et l'on mêle dans la même liste, *partiel, adoption, satiété, diplomatie*, sans aucune explication.

• On étudie la lettre *y*, et l'on rapproche dans la même série, *myosotis, pyramide* et *yacht*, sans jamais distinguer entre les sons que *y* transcrit.

Cette méthode est efficace par le nombre d'exercices d'« imprégnation » qu'elle propose, semi-cohérente tant qu'elle trouve l'appui de la grammaire, incohérente dès qu'elle pénètre le domaine de l'orthographe d'usage.

Non qu'il s'agisse de condamner — ou de prétendre qu'il est possible de faire beaucoup mieux —, mais il faut souligner que la description serait plus précise (donc, l'application plus solide) si l'on prenait appui sur les données de la linguistique pour distinguer nettement :

- les deux ordres, oral et écrit (qu'il faut constamment étudier de pair),
- les deux axes, syntagmatique et paradigmatique (¹),
- les différents niveaux, phonique, grammatical, lexical, sémantique.

III. Système et orthographe

Peut-on parvenir à une description systématique de l'orthographe française? Autrement dit, l'orthographe forme-t-elle dans la langue un système structuré? Ce sont les questions qui sous-tendent tous les efforts des réformateurs. Vouloir supprimer les « aberrations » orthographiques n'est concevable qu'à la condition de vouloir renforcer ce qu'il y a de systématique dans l'orthographe, de faire apparaître le relief d'un réseau régulier.

Nous laisserons de côté l'examen des projets de réforme (v. BIBLIOGRAPHIE) pour indiquer que les tendances actuelles supposent qu'il existe un domaine ou plusieurs dans l'ensemble orthographique, et que ce sont eux qui ressortissent à une description structurale. Signalons quelques tentatives, marquées plus ou moins profondément de l'esprit de la linguistique structurale.

A. Orthographe et dyslexie

Les études des phénomènes de dyslexie et la rééducation que celle-ci demande se fondent, pour une part, sur les données de la linguistique. Lorsque Cl. Chassagny, dans *la Lecture et l'orthographe chez l'enfant*, traite du problème des rapports de l'enfant avec la parole, d'abord orale, puis écrite, et des difficultés qu'il éprouve à passer du langage oral au langage écrit, il le fait en termes proches de ceux de la linguistique : « Il faudra déchiffrer, à l'aide d'un système de signes, et compléter, dans un ordre déjà établi par la parole, des mots qui ne seront plus une représentation immédiate mais qui deviendront des témoins représentatifs d'expériences vécues par soi ou par les autres » (p. 26).

Il s'agit, certes, de mettre au jour le soubassement psychologique qui supporte l'acte de lecture/écriture, mais l'investigation se poursuit sous l'éclairage de la linguistique. Il en est de même de la notion de *série*, qui est au centre du processus de rééducation : elle est voisine de celle de paradigme et suppose que l'on tienne la langue pour un système dont les structures doivent être exploitées en vue de la réussite de l'acte orthographique. Il reste que le rôle de Cl. Chassagny n'est pas de décrire ces structures, et nous n'avons cité sa démarche que pour y découvrir l'influence des principes de la linguistique.

---

(1) V. *infra*, p. 102 *sqq.*

B. Étude raisonnée du système de l'écriture

Dans un ouvrage documenté, R. Thimonnier essaie de décrire le « système graphique du français ». L'analyse tend à démontrer qu'il n'existe pas de chaos orthographique et que notre « écriture forme un système certes complexe, mais suffisamment cohérent, [...] système régi par quelques principes fort simples ». L'orthographe ainsi étudiée (c'est-à-dire, comme système) « peut désormais figurer en bonne place auprès des autres disciplines scientifiques ». Une science de l'orthographe serait née : l'« orthographique ».

Il s'agit, en réalité, d'une étude raisonnée de l'orthographe qui s'appuie sur les données de l'histoire de la langue et certains principes saussuriens, plus que d'une analyse structurale du système orthographique. Le recours à la linguistique (ainsi qu'à la psychologie) pour améliorer les techniques pédagogiques signale la voie pour une connaissance plus scientifique de l'orthographe. Mais il n'en faudrait pas tirer argument, de manière un peu hâtive, que l'ensemble orthographique doit être maintenu, au prix d'un simple « émondage éventuel ».

Il ne faudrait pas non plus privilégier l'aspect graphique de la langue au point de le tenir pour son fondement essentiel. On peut le craindre, quand R. Thimonnier écrit : « On observera, en effet, que dans la langue actuelle beaucoup de distinctions grammaticales (genre, nombre, personne, mode), autrefois sensibles à l'oreille, **ne sont plus signalées que par l'écriture**. Il s'ensuit que, pour étudier le fait grammatical **dans sa généralité**, c'est **sous sa forme graphique** qu'il convient de la considérer. » Or, nous avons précédemment insisté sur le fait que le linguiste doit se situer dans l'intervalle oral/scriptural pour décrire la langue, et que le pédagogue doit adopter la même attitude. L'analyse exclusivement graphique de la langue néglige nécessairement nombre d'aspects du système que la réalisation orale est seule à révéler. Comment serait-il possible d'analyser le système orthographique du français sans prendre en considération le système phonologique de la langue ? Sur ce point au moins, la démarche de R. Thimonnier (qui insiste à juste titre sur la notion de système) s'écarte des procédures simples de la linguistique.

C. Essais de description structurale

Nous prendrons notre exemple dans les travaux du linguiste soviétique V. G. Gak (v. BIBLIOGRAPHIE), qui a tenté avec la plus grande rigueur de décrire les structures du système orthographique français.

Le point de vue adopté est celui d'une description synchronique, selon les deux axes fondamentaux : combinaisons graphiques *(syntagmatique)* et associations morphologiques *(paradigmatique)* en tenant compte des deux moments complémentaires du message écrit, sa rédaction et sa lecture. Cela présuppose que l'on ne perde jamais de vue le système phonologique et que l'on mette vis-à-vis les phonèmes et les graphèmes.

1. LES DISTORSIONS

Gak distingue trois types essentiels de distorsions entre l'oral et l'écrit, c'est-à-dire, entre le plan des phonèmes et celui des graphèmes :

A
1. graphème simple (ex. : *x*) transcrivant un phonème complexe : [ks] *(excuse)*, [gz] *(exact)*;
2. graphème complexe (ex. : *ch*) transcrivant un phonème simple [ʃ] *(charbon)*.

B
1. graphèmes « synonymes » (ex. : *ai, ei*) transcrivant un phonème identique : [ɛ] *(châtaigne, teigne)*;
2. graphème « homographe » (ex. : *ill*) transcrivant des phonèmes différents : [j], [il] [ij] *(paille, ville, quille)*.

C
1. graphème incomplet transcrivant un mot ou une lexie : *M., C.G.T. (Monsieur, Confédération générale du travail)*;
2. graphème plein transcrivant un phonème zéro (non prononcé) : *ct (aspect)*.

2. LES COMBINAISONS DE GRAPHÈMES

On peut également parfaire l'analyse (dont nous ne donnons que quelques échantillons) en établissant selon quel degré de cohésion certains graphèmes se combinent :

A — Groupes stables *(ia, au, ou ...)* qui ne sont dissociés que par le tréma ou l'*h* interne : *aïeul, archaïsme, trahir.*

B — Groupes relativement stables : voyelles nasales (*an* [ɑ̃], *on* [ɔ̃] ...), mais qui peuvent aussi transcrire une dénasalisation : *animal* [animal]. Font aussi partie de ces groupes :

- *gu* : [g] dans *guigne, bagne*, etc., mais [gɥ] dans *linguistique;*
- *qu* : [k] dans *qualité, coque*, etc., mais [kw] dans *équateur*, et [kɥ] dans *équidistant;*
- *gn* : [ɲ] dans *vigne, ignorant*, etc., mais [gn] dans *ignifuge.*

C — Groupes occasionnels : *ti* qui en suffixe se prononce [si] : *–tie (démocratie), –tion (composition), –tiel (démentiel).*

D — Groupes ambigus, mal délimités (en général trois graphèmes) : *ail, eil* qui valent [aj], [ɛj] *(travail, soleil)*, alors que *oil* vaut [wal], *(poil)* et non [ɔj].

3. Les graphèmes diacritiques

Leur rôle est de permettre à d'autres graphèmes de fixer leur valeur propre. Prenons l'exemple des graphèmes doubles : *ch, ph, th, rh,* qui transcrivent des lettres d'origine grecque. Ces graphèmes sont à distinguer entre eux :

— *ph* est un groupe stable qui transcrit toujours [f];

— *rh* et *th* sont des groupes où l'*h* est démuni de fonction et ne transcrit aucune modification du graphème précédent : ils valent toujours [r] et [t];

— *ch* est encore différent des précédents : dans le groupe *cha (archaïsme)*, *h* est démuni de fonction, car *c + a* vaut toujours [ka]; mais dans *che*, *chi (orchestre, orchidée)*, *h* permet de signaler que *c* doit se prononcer [k].

N. B. — Il est évident que ces analyses ne supposent pas d'appel à l'histoire de la langue et que les constatations faites ressortissent uniquement à un traitement synchronique de la graphie.

Ces analyses regardent aussi bien la lecture (l'apprentissage de la lecture du français à des élèves non francophones) que l'écriture de l'orthographe. Il s'agit de situer les graphèmes (rapportés aux phonèmes) en fonction de leur entourage. Gak relève que la lecture d'une lettre se fait surtout en fonction des éléments qui la suivent (ordre progressif); par exemple, le timbre de *o* est ouvert devant consonne sauf [z], fermé devant [z] ou à la finale *(porter*, mais *pot, vélo)*. Inversement, pour l'écriture, c'est le graphème antérieur qui généralement fixe la forme du graphème envisagé (ordre régressif) : par exemple, *m* et *n* ne doublent jamais après *i* ou *u*. Selon V. G. Gak, l'analyse systématique des « entourages » et des combinaisons de graphèmes permet de déchiffrer et d'orthographier 95 p. 100 des mots français. Le résidu serait donc très mince.

Mais à côté de cette étude **syntagmatique,** il faut entreprendre de situer les graphèmes dans les associations en séries des mots **(paradigmes).** Pour la lecture, il faut tenir compte des oppositions entre mots simples et composés, des regroupements selon le radical : par exemple, dans *ennoblir*, on ne doit pas dissocier *e* et *n* (alors que l'analyse syntagmatique apprend que, devant une voyelle, *en = e + n)* parce que c'est à un composé que le lecteur est confronté. C'est aussi en situant le groupe *-ent* de *ils influent* dans le paradigme des désinences verbales qu'il sera lu comme un *e* muet, alors que dans l'adjectif *influent, -ent* sera lu comme une voyelle nasale. On fera le même usage des paradigmes pour l'orthographe. Ainsi pour le doublement des consonnes, plutôt que d'apprendre des listes suivies d'exceptions, ne vaut-il pas mieux distinguer entre composés à préfixes et mots simples, et montrer que le doublement se fait généralement dans les premiers? De même n'est-il pas plus exact et plus efficace de rapprocher les mots selon les alternances phonétiques : *au/al (cheval/chevaux, haut/altitude), eau/el (beau/belle, morceau/morceler), ai/a (aigu/acuité, aimer/amant, clair/clarté), ain/a (pain/panier, vain/vanité),* etc., que de s'en tenir aux listes habituelles : *grand/grande, vert/verte, champ/champêtre?*

Il est évident que tout n'est pas résolu et que l'orthographe ne s'en trouve pas simplifiée, mais nous sommes, cette fois-ci, devant une étude qui a voulu se fonder sur la linguistique et en éprouver les principes.

Conclusion

En quoi la linguistique peut-elle éclairer les problèmes de l'orthographe? De l'étude précédente nous retiendrons :

1. qu'il faut aborder l'orthographe d'un point de vue historique pour avoir de cet ensemble complexe et contradictoire une vue plus rationnelle;

2. qu'au plan de la synchronie, il convient de distinguer avec précision les ordres (oral et scriptural), de situer l'analyse nettement par rapport aux niveaux fondamentaux (phonique, grammatical, lexical et sémantique), de repérer, dans l'ensemble global, les sous-ensembles systématisés susceptibles d'une analyse structurale;

3. qu'une réforme ne peut être entreprise que par des linguistes qui pourront déterminer le rôle fonctionnel de ce qui est souvent considéré comme anomalie, proposer l'élagage des éléments non fonctionnels, suggérer une étude statistique des fautes d'orthographe les plus fréquentes.

Bibliographie ([1])

1. Ouvrages et articles cités ou consultés

C.E.R.M., **la Question de l'orthographe,** Éditions du C.E.R.M., 64, bd Auguste-Blanqui, Paris, 1966.

Rédigé par une équipe de linguistes, cet opuscule propose un historique (que nous avons utilisé) et un bilan des différents projets de réforme. Exemples de textes transcrits dans des graphies réformées. A lire.

Cl. CHASSAGNY, **la Lecture et l'orthographe chez l'enfant,** P.U.F., collection « Sup », Paris, 1968.

Ne concerne pas la description de l'orthographe; mais comporte des vues pertinentes sur les rapports de l'enfant à son propre langage qui intéressent tous les éducateurs. L'influence de la linguistique est évidente sur la conception que l'auteur présente du langage.

R. THIMONNIER, **le Système graphique du français (Introduction à une pédagogie rationnelle de l'orthographe),** Plon, Paris, 1967.

Ouvrage intéressant par les suggestions qu'il fait à maintes reprises pour une pédagogie simplifiée (mais non simpliste) de l'orthographe.

V. G. GAK, **l'Orthographe française, manuel à l'usage des enseignants,** Moscou, 2e éd., 1959.

V. G. GAK, « l'Orthographe à la lumière de l'analyse structurale, sur l'exemple du français », dans le recueil *Problèmes de linguistique structurale,* Moscou, 1962.

_____

(1) Du CHAPITRE II; pour la bibliographie du CHAPITRE I, voir p. 61.

Ce manuel et cette étude n'ont pas été traduits en français, mais on en trouvera des comptes rendus dans les numéros de juillet 1962 et janvier 1966 du *Français moderne*, par Mme I. Vildé-Lot, auxquels nous avons emprunté les exemples de nos développements. On se reportera donc aux articles de Mme I. Vildé-Lot, qui donnent avec précision l'essentiel des thèses de V. G. Gak.

2. Ouvrages généraux

P. BURNEY, **l'Orthographe**, P.U.F., coll. « Que sais-je? », Paris, 1963.

Ouvrage à lire en premier, qui fait le point sur les travaux et les projets de réforme. Donne des renseignements précieux et nombreux sur la pédagogie de l'orthographe. Bonne bibliographie.

S. BOREL-MAISONNY, **Langage oral et écrit. I. Pédagogie des notions de base. Étude expérimentale et applications pratiques. — II. Épreuves sensorielles et tests de langage**, Delachaux et Niestlé, Genève, 1960.

Ch. BEAULIEUX, **Histoire de l'orthographe**, Champion, Paris (2 vol.), 1927.

Ouvrage capital par un grand spécialiste des problèmes de l'orthographe. A consulter. On complétera par la lecture de la thèse de Mme N. Catach, sur **l'Orthographe française à l'époque de la Renaissance (auteurs-imprimeurs, ateliers d'imprimerie)**, Droz, Genin et Spinard, Paris, 1968.

M. COHEN, **Histoire d'une langue, le français**, Éditions sociales, Paris, 3e éd., 1968.

M. COHEN, **Grammaire et style**, Éditions sociales, Paris, 1953.

Deux ouvrages qui sont à consulter.

Cl. BLANCHE-BENVENISTE et A. CHERVEL, **l'Orthographe**, Maspero, 1969.

Cet ouvrage n'a pas fini de susciter des polémiques : fondant leur argumentation sur une description minutieuse du phénomène orthographique, les auteurs mettent en cause l'existence même de l'orthographe et proposent de la supprimer pour donner au français une nouvelle écriture réellement adaptée à la langue parlée.

G. E. JUNG, « **l'Orthographe** », dans le n° 44 des *Cahiers pédagogiques*.

Bilan et suggestions pour une « réforme ».

3. Les différents projets de réforme

DAUZAT-LAMOURETTE, dans *le Français moderne*, janvier 1953, pp. 37-48.

C. BESLAIS, dans *le Figaro littéraire* du 26 juillet 1952, n° 327.

Ch. BEAULIEUX, **Projet de simplification de l'orthographe actuelle et de la langue par le retour au « bel françois » du XIIe siècle**, Didier, Paris, 1949.

E. LAFITTE-HOUSSAT, **la Réforme de l'orthographe**, Temps futur, Paris, 1950.

D. MONNEROT-DUMAINE, **l'Ortografe du XXIe siècle**, Ed. du Scorpion, Paris, 1963.

PERNOT et Ch. BRUNEAU, Réforme proposée à la commission Langevin-Wallon (projet qui, à notre connaissance, n'a pas été publié).

TROISIÈME PARTIE

Grammaire

> « La meilleure grammaire sera celle qui, rendant compte du maximum de faits, le fera de la manière la plus simple, la plus générale et la plus systématique possible. » N. Ruwet, *Introduction à la grammaire générative*, p. 62.

INTRODUCTION

Chez les Latins, deux haruspices ne se regardaient pas sans rire; ni en France deux grammairiens sans méfiance, voire sans acrimonie. Curieuse passion que la nôtre pour une grammaire (une?) qui sert, avec l'orthographe, de champ clos à de fervents lutteurs. A vrai dire, la grammaire n'existe pas : il y a des grammaires, à la limite une par praticien; ce qui rend le dialogue facile...

Il est vrai que la profession n'est pas une sinécure. Décrire une langue n'est pas de tout repos, quand l'objet d'étude échappe alors qu'on croit enfin l'avoir saisi. Selon la formule d'H. Lefebvre, « le langage n'est ni chose ni esprit; à la fois immanent et transcendant, son statut reste à trouver ». La quête demande longue patience. D'autant que, contrairement aux autres sciences, qui disposent pour cerner l'objet de leur étude d'un métalangage efficace, la grammaire n'a pour étudier la langue... que la langue elle-même : porte ouverte à tous les malentendus.

« Si les choses, les représentations et les perceptions doivent leur existence à la langue et s'il est vrai que nous ne pouvons atteindre en nous ou hors de nous ce qui est, sinon par la forme dont la langue l'a revêtu, la langue est la condition indispensable à toute connaissance, mais d'autre part elle nous empêche de pénétrer derrière la langue, elle nous impose des entraves dont nous ne pouvons nous libérer [1]. »

Dans l'hypothèse la plus pessimiste, la grammaire (et plus généralement la linguistique tout entière) se présente comme une science qui n'aurait pas

---

[1] Cassirer, cité par B. Malmberg, *les Nouvelles Tendances de la linguistique*, P.U.F., Paris, 1968, p. 321.

les moyens de ses ambitions. Ce qui permet à chacun d'avoir l'ambition de ses moyens et de se dire grammairien à l'occasion.

Il reste qu'au niveau pédagogique une crise existe, qui réclame des solutions; un peu partout en France des voix s'élèvent pour dire qu'on ne peut plus continuer à vivre sur un enseignement grammatical dont on aperçoit l'inefficacité, pour demander aux linguistes une intervention immédiate. Nous pensons que ceux-ci n'ont pas de solution définitive à proposer, mais au moins quelques outils méthodologiques solides : dans un monde qui, de plus en plus, exigera de chacun qu'il ait des langues étrangères, mais d'abord de sa langue maternelle, une connaissance très sûre, la linguistique est en droit de dire qu'elle existe et de demander des comptes à une grammaire inadéquate — avant que ceux qui ont à la subir le fassent à leur tour.

Dans les limites de ce manuel, nous voudrions :

● expliquer pourquoi la grammaire scolaire contemporaine se trouve dans une impasse et mettre à jour les présupposés sur lesquels elle se fonde;

● esquisser quelques bases théoriques de la linguistique contemporaine et dire quel renouveau méthodologique elle apporte aux recherches grammaticales;

● proposer enfin quelques éléments de réflexion sur un renouvellement possible de notre pédagogie en la matière.

Nous en avons parfaitement conscience, le praticien eût peut-être préféré que nous confondions les propos des deuxième et troisième parties de notre exposé. Nous avons cependant choisi d'isoler notre étude linguistique afin de rester aussi clairs que possible sur un sujet difficile à dominer en si peu de pages.

Nous avons conscience aussi que le lecteur jugera parfois lointains les rapports entre la deuxième et la troisième partie; celle-là n'est effectivement pas uniquement consacrée à la grammaire; mais nous devions proposer un tout si possible cohérent : une réflexion sur la grammaire ne saurait se disjoindre d'une réflexion sur la langue.

Nous avons conscience, enfin, d'en rester au niveau de l'esquisse dans tous les domaines. Mais là aussi se bornait notre rôle : ouvrir à la lecture des ouvrages fondamentaux de la linguistique, susciter la recherche pédagogique en montrant qu'en ce domaine tout reste encore à faire.

CHAPITRE PREMIER

ÉTAT PRÉSENT DE LA GRAMMAIRE SCOLAIRE

I. Regard sur l'enseignement grammatical contemporain

Plutôt que d'en rester à des considérations générales et abstraites — ou avant d'y parvenir —, il nous a semblé préférable de nous attarder quelques instants à l'examen, même superficiel, de trois aspects révélateurs de la pédagogie de la grammaire : la terminologie officielle, le plan d'un manuel et le schéma d'une leçon.

A. La terminologie

Il n'est pas dans notre intention de nous livrer à une critique en forme de la terminologie, critique qui a par ailleurs été faite à plusieurs reprises, pas plus que d'en proposer une autre [1], mais de considérer quels sont les postulats qui la commandent.

Tout signe linguistique est à la fois forme et sens, signifiant et signifié, pour reprendre la distinction saussurienne; nous disons bien : *à la fois;* or la terminologie officielle se réfère tantôt au sens, tantôt à la forme, plus exactement d'ailleurs à la fonction syntaxique. Ainsi les appellations *préposition, conjonction* se fondent sur un critère de **forme;** celle de *substantif* sur un critère de **sens;** *direct* renvoie au premier; *complément d'objet* au second. Terminologie incohérente et fausse qui place le pédagogue dans une situation souvent difficile. On distingue ainsi les fonctions *épithète* et *apposition;* faut-il rappeler qu'*épithète* signifie en grec ce que veut dire *apposition* en français? Peut-on dire sans humour que dans la phrase : *Il a manqué son train, son* est un *adjectif possessif?* Que dans l'exemple : *Il m'a pris mon livre, m'* est un *complément d'attribution?* Est-il souhaitable de disjoindre *préposition* et *conjonction de subordination*, qui ont la même fonction et de rapprocher cette dernière de *conjonction de coordination*, alors qu'elle s'en sépare très nettement sur le plan syntaxique?

---

[1] Nous entendons bien qu'il devient urgent de réformer une terminologie souvent aberrante. Mais il ne revient pas à ce manuel d'ouvrir le débat.

Héritière des catégories latines (cf. le « complément d'attribution », parallèle au datif), d'une conception aristotélicienne de la langue comme reflet de la pensée et de la logique (cf. la distinction des verbes d'*état* et des verbes d'*action*), invitant à la ratiocination (cf. la liste des compléments circonstanciels), cette terminologie souligne l'anachronisme de notre enseignement grammatical.

Précisons, cependant, que les difficultés qu'elle impose ne doivent pas servir de prétexte à l'inertie; attendre son renouvellement pour renouveler la pédagogie, c'est risquer d'attendre longtemps et renoncer à l'effort avec de mauvaises raisons; nous verrons, en effet, que s'il est très souhaitable que l'on parvienne rapidement à l'élaboration d'une terminologie plus satisfaisante, il reste possible d'adapter celle que nous subissons à une pédagogie plus riche.

B. Le plan d'un manuel

Ce manuel comporte leçons et exercices destinés à des élèves de Cours élémentaire; sa table des matières (DOCUMENT II, ci-contre) est prise à titre d'exemple, comme sujet de réflexion, non pour le louer ou le condamner. Elle est révélatrice d'une certaine façon de concevoir la grammaire, commune à la grande majorité des manuels en cours.

a) Outre la mémorisation des formes verbales, c'est essentiellement l'analyse que l'on vise ici; en fait, une analyse où la syntaxe disparaît presque complètement pour céder toute la place à la morphologie. Ainsi, la phrase, unité fondamentale du discours, n'est envisagée qu'en dernier ressort; la notion de « groupe du nom » intervient à la leçon 36, loin derrière la découverte du nom et de l'article. Les « formes » négative et interrogative sont décrites non comme des transformations fondamentales de la phrase, mais comme particulières au verbe (et on enseigne à la leçon 40 une forme *chanté-je*, au C. E. 1...).

b) C'est dire que la grammaire ainsi pratiquée est strictement une grammaire de l'écrit. Pour preuve supplémentaire, le choix d'un verbe du premier groupe *(chanter)* comme paradigme de la conjugaison du présent de l'indicatif (14) — verbe très peu marqué à l'oral, donc peu significatif pour un tout jeune enfant.

c) Les critères retenus pour l'analyse sont mentalistes, et bien peu linguistiques. Quelle fonction distinctive précise donner à un terme comme *idée* en 4 et 5? Quelle est l'utilité des distinctions de 1, 2 et 3? Un « nom de personne » a-t-il un statut différent de celui du « nom d'animal »? Si l'on admet ces catégories, où ranger, plus tard, des noms comme *destruction, intelligence*, et, dès le Cours élémentaire 1, *anniversaire?*

d) On tombe en outre, et conséquemment, dans un atomisme tel que l'enfant aura mérite à ne pas s'y noyer. Prenons pour seul exemple les leçons 16, 17 et 26, 27, 28 : pourquoi donc tenir à séparer des termes régis par les mêmes lois? Il est tellement plus simple de considérer **globalement** le groupe nominal (article-nom-adjectif) dans ses variations en genre et en nombre.

76

Le plan d'un manuel

1ʳᵉ série

1. Les noms de personnes
2. Les noms d'animaux
3. Les noms de choses
4. Idée du verbe
5. Idée du verbe et de son sujet

2ᵉ série

6. Le nom commun et le nom propre
7. Le nom est au masculin ou au féminin
8. Le nom est au singulier ou au pluriel
9. La première personne : *je, nous*
10. La deuxième personne : *tu, vous*

3ᵉ série

11. L'article
12. Les pronoms *il(s)*, *elle(s)* remplacent le nom
13. Les pronoms personnels
14. Le verbe au présent
15. *Avoir* et *être* au présent

4ᵉ série

16. Le féminin des noms (–e)
17. Le pluriel des noms (–s)
18. Le nom varie au féminin et au pluriel
19. Le verbe au futur
20. *Avoir* et *être* au futur

5ᵉ série

21. L'adjectif accompagne le nom
22. L'adjectif est au masculin ou au féminin
23. L'adjectif au féminin se termine par –e
24. Le verbe au passé composé
25. *Avoir* et *être* au passé composé

6ᵉ série

26. L'adjectif est au singulier ou au pluriel
27. L'adjectif au pluriel se termine par –s
28. L'adjectif varie au féminin et au pluriel
29. Le verbe à l'imparfait
30. *Avoir* et *être* à l'imparfait

7ᵉ série

31. Le nom sujet du verbe
32. Le verbe s'accorde avec le nom sujet
33. Le pronom peut aussi être sujet du verbe
34. Idée de la forme négative
35. Conjugaison à la forme négative

8ᵉ série

36. Idée du groupe du nom
37. L'adjectif uni au sujet par le verbe être
38. La phrase simple
39. Idée de la forme interrogative
40. Conjugaison à la forme interrogative

Cette table des matières trahit une grammaire strictement soucieuse de l'écrit (visiblement la leçon 37 ressortit davantage à l'orthographe qu'à la pratique d'une syntaxe) et d'un « bon usage » qui pour le moins date un peu (cf. *chanté-je*), fondée sur un mentalisme périmé et la pratique envahissante d'une morphologie souvent inefficace ou même, parfois, fausse (cf. la leçon 9, où *nous* est considéré comme le pluriel de *je*).

Il va sans dire que ces critiques ne visent en aucune manière ce manuel particulier, mais la conception grammaticale qui l'inspire, et sur laquelle est fondée tout notre enseignement.

C. Le schéma d'une leçon

Cette leçon (DOCUMENT III, ci-contre), qui s'adresse cette fois à des élèves du 1er degré (exactement du C.M.1), est prise dans un manuel scolaire.

a) Il s'agit d'abord de dégager des mécanismes d'analyse fonctionnelle (remarques préliminaires et première série d'exercices), en l'occurrence d'amener les élèves à distinguer un complément d'objet direct d'un circonstanciel par réponse automatique à des questions précises *(quoi ? comment ? où ?...)*. C'est confondre sans plus de précautions les plans syntaxique et sémantique. C'est aussi oublier la hiérarchie syntaxique : le complément d'objet direct est constituant d'une structure de phrase (sujet-verbe-complément d'objet direct), contrairement au circonstanciel : les questions posées ne permettent en aucune manière de l'apercevoir. Pédagogiquement, le procédé nous paraît inefficace, voire dangereux : l'analyse devient un mécanisme et perd son utilité (une meilleure compréhension de la construction d'une phrase), les questions restent ambiguës et conduisent l'élève à des bévues (*Michel est ingénieur* : « Il est quoi ? — Ingénieur; *ingénieur* est un complément d'objet direct... »).

b) Il s'agit ensuite (deuxième série d'exercices) de conduire à une sorte de « stylistique » et d'amener l'enfant à disposer adroitement ses compléments dans la phrase; non que l'exercice soit mauvais en soi, mais il n'est pas en continuité logique avec la leçon : de quel complément s'agit-il? Pourrait-on de la même façon déplacer *le sapin* dans le groupe *Les enfants regardent le sapin ?*

La leçon aurait précisément dû montrer que la possibilité de permuter le circonstanciel était une propriété syntaxique et pouvait servir à l'identifier par rapport au complément d'objet direct qui, lui, reste quasi inamovible; le passage de la première série d'exercices à la seconde devenait alors évident.

Par ailleurs, certains des exemples proposés sont pour le moins contestables; ainsi, la phrase « *Les enfants attendent, le matin de Noël, des cadeaux et des bonbons* » : en demandant aux élèves d'antéposer le circonstanciel, on les amène tout simplement à retrouver l'équilibre normal de l'énoncé, et non à « attirer l'attention » sur le complément visé, ce qui était plutôt le cas de la première rédaction.

Le schéma d'une leçon

LA PHRASE À PLUSIEURS COMPLÉMENTS

Les enfants regardent le sapin avec des yeux émerveillés

Les enfants regardent quoi? comment?
Je trouve d'autres compléments en répondant aux mêmes questions.

1 — Je complète les phrases en répondant aux questions :

    où? quand?   *Le sapin est dressé .....*
    quoi? comment? *Michel admire .....*
    quoi? à qui?   *Papa distribue .....*

Papa a coupé une touffe de gui sur un pommier
Sur un pommier Papa a coupé une touffe de gui

Remarquons la place des compléments.
Sur lequel attire-t-on l'attention dans la deuxième phrase?

2 — Je déplace le complément pour attirer l'attention sur

    a) le moment : *Maman prépare pour le soir un bon réveillon. — Les enfants attendent, le matin de Noël, des cadeaux et des bonbons,*

    b) le lieu : *Une étoile d'or tremblait au sommet de l'arbre. — Papa offre à Maman un bracelet dans un bel écrin,*

    c) la manière : *Les enfants embrassent leurs parents avec tendresse. — Guy dénoue, avec impatience, le cordon doré de sa boîte.*

Nous retrouvons ici une grammaire qui, d'une part, essaie de calquer des faits de langue sur des catégories de la pensée — et envisager ainsi la « logique » de la langue conduit inévitablement à une analyse d'autant plus contestable qu'elle s'appuie sur une série de recettes très dangereuses —, qui, d'autre part, essaie de rejoindre le plan de l'« expression » mais de manière inefficace, ou tout au moins très artificielle.

II. Point de vue sur l'enseignement grammatical contemporain

Les précédentes analyses ont essentiellement signalé l'anachronisme de notre enseignement grammatical; convaincus que l'actuelle pédagogie de la grammaire ne coïncide pas — ou ne coïncide plus — avec le contexte scolaire dans lequel elle s'assoit, il nous paraît utile, avant d'esquisser des solutions de remplacement, d'essayer de discerner les principales raisons qui l'ont conduite dans une impasse.

Toute grammaire engage une conception de la langue qu'elle décrit, se construit sur des présupposés linguistiques. Grossièrement définie, notre grammaire scolaire vit sur un acquis datant du xviiie siècle et présente trois lignes de force : une volonté de ramener la langue française aux modèles de la langue latine; un effort pour mettre en évidence les rapports de la langue avec la raison et la logique; le désir de consacrer le français langue de haute culture, partant d'en définir les normes et de les imposer.

A. Grammaire française et grammaire latine

C'est au xvie siècle que s'élaborent les premières grammaires du français : signe d'une mutation dans l'histoire de notre langue. Non qu'elle soit passée brutalement de son statut médiéval de langue « vulgaire » aux privilèges d'une langue de culture : on peut suivre tout au long du Moyen Age son lent cheminement; mais la Renaissance marque une étape décisive de son histoire. Les plus grands écrivains du temps rédigent sa « *Défense et Illustration* »; les grammairiens aussi, d'une certaine manière.

Paraissent donc les premières grammaires françaises; à vrai dire, l'adjectif n'est pas des plus exacts; il suffit, pour s'en convaincre, de reprendre le titre d'un ouvrage de l'époque : l'*Accord de la langue française avec la latine*. A peine majeur, le français revient au latin maternel, ce que justifie pleinement le contexte culturel de la Renaissance. Savants nourris de latin et pédagogues soucieux de bien enseigner cette langue qui n'a alors rien d'une langue morte puisent inlassablement aux sources romaines : « Si l'on écrit une grammaire française, on pensera donc qu'elle est une introduction aux langues anciennes, mais cet humble propos rejoint l'ambition qui, malgré les invectives, naît ici et là d'affirmer la dignité des langues modernes; et comment l'affirmer mieux qu'en montrant la conformité de la langue moderne avec les anciennes, qu'elle est langue non dissonante, mais consubstantiellement formée? Nous décrivons ici un processus qui a été plusieurs fois analysé par les linguistes contemporains et qui est celui de la fascination; on assure la dignité d'une langue en montrant qu'elle se conforme à l'organisation de la langue de prestige ([1]). »

Si l'on ajoute que le grammairien du XVIe siècle se trouve assez démuni devant une langue française dont il cherche le premier à connaître la nature et le fonctionnement et, partant, est tenté de puiser des modèles dans son savoir de latiniste, toutes les conditions sont réunies pour que la grammaire française soit calquée sur la latine. Il y a ainsi des déclinaisons en latin, il doit donc y en avoir en français; et Jean Pillot de décliner en 1550 :

Nom., acc., voc. :	*charetier*	*le charetier*	*un charetier*
Gén., abl. :	*de charetier*	*du charetier*	*d'un charetier*
Dat. :	*à charetier*	*au charetier*	*à un charetier* ([2]).

Il n'est pas dans notre intention de critiquer la démarche des grammairiens de la Renaissance, parfaitement fondée; encore moins de sous-estimer le génie de certains d'entre eux — à lire quelques-unes de leurs analyses, on demeure convaincu que «le structuralisme n'est pas d'aujourd'hui ([3]) » —, mais de signaler qu'une tradition s'installe, et pour longtemps, qui soumet la grammaire française aux cadres de la grammaire latine; reprise au XVIIe siècle, elle se confirmera au XVIIIe : la grammaire française reste la porte ouverte sur l'enseignement du latin.

Et la tradition se poursuit de nos jours, sinon intacte, du moins encore très puissante. Comme nous l'avons déjà signalé, on continue à enseigner, en dépit de toutes les difficultés rencontrées dans les classes, un complément d'attribution qui permet de passer au datif latin (nos voisins belges, plus hardis, l'ont rayé de leur terminologie). On continue surtout, dans les classes du second degré, à pratiquer une grammaire française qui n'est qu'un prétexte au thème latin; et comme les manuels s'adressent indifféremment aux classiques ou aux modernes, les élèves non latinistes se voient servir les mêmes mets.

Il était parfaitement normal, dans le contexte socio-culturel du XVIIIe siècle, que l'enseignement du français serve de passerelle à celui du latin : sur le plan culturel, le latin restait l'indispensable sésame des richesses intellectuelles; sur

---

(1) J.-Cl. CHEVALIER, **Histoire de la syntaxe. Naissance de la notion de complément dans la grammaire française (1530-1750)**, Droz (Genève) et Minard (Paris), 1968, p. 17.
(2) *Ibid.*, p. 219.
(3) *Ibid.*, p. 304.

le plan social, nous y reviendrons, l'enfant devait accepter l'ascèse d'un système scolaire destiné à une élite. Cela est peut-être moins vrai de nos jours.

Non que nous niions l'utilité des études latines; mais il est évident que le latin n'a plus en 1970 l'importance qui était encore la sienne au siècle dernier. Il est évident surtout que, si le petit collégien de jadis maniait au sortir de son milieu familial une langue, sinon déjà raffinée, du moins correcte, il n'en va plus exactement de même aujourd'hui. Partant, la grammaire française ne peut plus être un « prétexte »; il est capital qu'elle soit destinée à conduire l'enfant au bon maniement de sa langue maternelle — et qu'elle devienne précisément française.

Or, le français n'est pas le latin et ne peut en aucune manière entrer dans ses cadres, si séduisants soient-ils; analytique, il résiste aux schèmes d'une langue aussi synthétique que la latine. Il est temps de tenir compte des travaux de la linguistique française, de mettre en place une grammaire qui soit fidèle au système propre de notre langue. Il n'y a là de chauvinisme d'aucune sorte, mais la constatation que vouloir enseigner le français, c'est au moins accepter de tenir compte de sa structure.

B. Grammaire formelle et grammaire mentaliste

C'est en 1660 que paraît un court traité de grammaire qui passe aux yeux · de certains linguistes contemporains pour l'ancêtre de leurs analyses : *Grammaire générale et raisonnée contenant les fondements de l'art de parler expliqués d'une manière claire et naturelle : les raisons de ce qui est commun à toutes les Langues, et des principales différences qui s'y rencontrent. Et plusieurs remarques nouvelles sur la langue française*, plus connue sous le nom de *Grammaire de Port-Royal;* ses deux auteurs, Antoine Arnauld et Claude Lancelot, étaient en effet des solitaires de la célèbre abbaye.

Le livre est important et marque un tournant dans l'histoire de la grammaire : « Avant eux, on insérait des analyses de sens dans des cadres formels; avec eux, le sens devient premier et l'étude des relations logiques prévaut sur celle des formes [1]. » Comme l'écrit A. Arnauld au début de sa grammaire : « On ne peut bien comprendre les différentes sortes de signification qui sont enfermées dans les mots, qu'on n'ait bien compris auparavant ce qui se passe dans nos pensées, puisque les mots n'ont été inventés que pour les faire connaître. »

Analyser la langue suppose donc le recours aux critères définis par la logique (ce n'est pas un hasard si Port-Royal publie simultanément une *Logique*). La langue est un être de raison : les encyclopédistes du XVIIIᵉ siècle vont reprendre l'affirmation : « Le langage est pris pour un miroir de la pensée, dont on reconnaîtra, tout au plus, qu'il est parfois imparfait [2]. »

(1) J.-Cl. CHEVALIER, *op. cit.*, p. 491.
(2) *Ibid.*, p. 666.

Tant à Port-Royal que chez les encyclopédistes, la recherche grammaticale va progresser; de nouveaux horizons s'ouvrent par ailleurs sur un problème qui passionnera tout le XVIIIe siècle : l'origine des langues. Pour ce qui regarde le propos que nous nous sommes fixé, nous voyons se dessiner une approche mentaliste du fait grammatical que nous retrouvons envahissant dans nos manuels contemporains. Comme le remarque P. Guiraud, « la linguistique moderne (établit) le caractère essentiellement alogique du langage. Le préjugé logique n'en continue pas moins à peser très lourdement sur la grammaire actuelle, tant dans l'enseignement de la langue à l'école que dans la fixation de l'usage [1] ».

Feuilletons au hasard un manuel : le verbe est défini comme exprimant l'action ou l'état, le sujet comme celui qui fait l'action, la subit ou se trouve dans l'état exprimé par le verbe, le complément d'objet comme ce sur quoi passe l'action du verbe, etc. Définitions redoutables par l'effort d'abstraction qu'elles imposent à l'élève et, sinon fausses, du moins très contestables (le verbe, dans *ce mur penche* exprime-t-il l'action ou l'état? *Devenir* est-il un verbe d'état? Dans la phrase : *il s'évanouit*, que « fait » le sujet? On pourrait à loisir multiplier les exemples...). Nous reviendrons sur ce difficile problème; constatons pour l'heure qu'il n'est pas si aisé de ramener les faits de langue aux catégories de la pensée et qu'à s'y aventurer sans plus de précautions on risque d'enfermer la grammaire dans une scolastique sans intérêt.

Par ailleurs, la pente se dessine qui va conduire à ce que nous appellerons l'« analysite ». A vouloir enfermer la grammaire dans d'impeccables définitions, on se passionnera, au sens fort du terme, pour savoir si tel ou tel fait de langue entre ou non dans la définition apprise : porte ouverte aux mille et une exceptions et à la pratique d'une gymnastique intellectuelle aussi spectaculaire que vaine. Initiale propédeutique au latin, l'analyse devient, dès le XVIIIe siècle, une discipline à part entière; les lignes qui suivent, citées dans la thèse de J.-Cl. Chevalier [2], ne définissent-elles pas, pour dater de deux siècles, l'exercice favori — voire unique — de nos classes de grammaire? Restaut, puisqu'il s'agit de lui, recommande qu'on fasse lire aux élèves des textes français « pour rendre compte de chaque mot suivant les principes ou les règles qu'ils auront appris. Ils (les maîtres) pourront même en faire une matière de devoirs réglés, en leur dictant quelques phrases françaises, dont ils rapporteraient par écrit une explication grammaticale et détaillée de chaque mot ».

C'est de fait tout le programme de la grammaire française au B.E.P.C. Dans nos mœurs pédagogiques, grammaire et analyse sont devenues termes équivalents; et chacun d'analyser, maître et élève; le premier s'ingéniant à proposer au second des problèmes dignes de sa sagacité — et qui ne laissent

(1) P. GUIRAUD, la Grammaire, P.U.F., « Que sais-je? », Paris, 1964, p. 10.
(2) J.-Cl. CHEVALIER, op. cit., p. 639.

pas d'embarrasser, parfois, les meilleurs spécialistes... Ne voit-on pas fleurir des manuels spécialisés consacrés à l'analyse? Certains même poussant la spécialisation jusqu'à son terme, traitent uniquement d'analyse « logique »!

Où se situe, dans cette perspective, l'enseignement de la langue française? Apprendra-t-on son maniement en répétant (ce qui est faux) que le complément d'objet direct est ce qui répond à la question « quoi? »? Quel bénéfice, sinon une certaine « gymnastique de l'intelligence » (l'argument est connu, mais les mathématiques nous paraissent plus fécondes à cet égard), quel bénéfice l'enfant trouvera-t-il à ces jeux subtils?

Nous ne condamnons pas toute analyse des fonctions. Mais nous contestons pour son contenu celle qui est pratiquée dans les classes, de même que nous rejetons l'assimilation de la grammaire à ce qui n'est qu'une scolastique sclérosée (1).

C. Grammaire et « bon usage »

Entre les deux grandes générations de grammairiens du XVIᵉ (puis de Port-Royal) et du XVIIIᵉ siècle se situe, de 1625 à 1660, le règne des « grammairiens de salon »; leur chef de file est Vaugelas, qui doit sa célébrité au moins autant à Molière qu'à ses *Remarques* éditées à Paris en 1647.

L'étiquette règne alors en politique comme dans les mœurs; Vaugelas et ses fidèles y soumettront la langue française. La langue française « correcte » va s'identifier avec celle de la majorité de la Cour et toute la démarche grammaticale consiste alors à s'en remettre à l'usage et au bon sens. Il s'agit simultanément de légiférer et de briller : la grammaire devient à la fois un catalogue des fautes et un agréable divertissement de société. De recherche méthodologique, point.

Divertissement de société, la grammaire l'est encore pour un bon nombre de fidèles lecteurs de certaines chroniques grammaticales — beaucoup moins sans doute pour nos jeunes élèves, qui pour leur part souscriraient plus aisément à la définition : « catalogue des fautes ».

Cette grammaire *normative* se définit comme un ensemble de règles prescriptives : « La grammaire prise en ce sens définit un état de langue considéré comme correct en vertu d'une norme établie par les théoriciens ou acceptée par l'usage, c'est-à-dire le code linguistique accepté socialement comme étant le bon. C'est en ce sens qu'on parle de règles et de fautes de grammaire (2). »

Minutieuse et contraignante, la tradition normative continue de peser très lourd sur notre enseignement. Redoutable minutie : un catalogue est souvent monotone; à ce titre, la liste des règles d'accord du participe passé

---

(1) Voir sur ce point l'article d'É. Genouvrier : « Grammaire et sens interdits ou quelques observations sur l'enseignement grammatical », dans *Le français aujourd'hui*, nº 4, janvier 1969.
(2) A. Rigault, « Introduction » au nº 57 (« la Grammaire du français parlé ») de la revue *Le français dans le monde*, juin 1968, p. 16.

forme un bon catalogue... Dangereuse contrainte qui masque les réalités profondes de la grammaire sous l'impressionnante sédimentation des exceptions en tous genres. L'esprit normatif est précisément enclin à insister sur les excentricités : aveu d'impuissance à trouver des lois suffisamment générales. Comme l'écrit N. Ruwet ([1]) à propos des grammaires traditionnelles : « En général, elles donnent surtout un traitement détaillé des exceptions, et n'illustrent les régularités profondes du langage que par des indications schématiques (et dispersées) ou par des exemples. Comme nous l'avons déjà dit, c'est tout naturel, si on pense qu'elles sont destinées à venir en aide à des sujets qui ont déjà maîtrisé le système de leur langue. Mais, par là même, elles tendent plutôt à masquer qu'à dévoiler la nature propre de la compétence linguistique des sujets parlants. »

A nos yeux, l'erreur est précisément de prétendre s'adresser à « des sujets qui ont déjà maîtrisé le système de leur langue » car, dans leur majorité, nos élèves ne peuvent entrer dans le cadre de cette définition; pour les aider à y parvenir, on doit renoncer à l'émiettement de notre enseignement grammatical et, il faut bien l'avouer, à un conservatisme sensible dans l'expression même de « faute de français ».

A la tradition normative est liée — héritage du XVIIe siècle, mais aussi de la bourgeoisie du XVIIIe et du prestige abusif qu'elle donnera à l'orthographe (discipline qui deviendra toute-puissante lors de la mise en place des concours publics sous Napoléon) — la confusion de la langue française avec la seule langue littéraire et écrite. Le mythe de la « belle langue française » demeure encore très vivace — et partant cette croyance généreuse mais fausse, qu'apprendre à bien parler ou à bien écrire revient à imiter Bossuet ou La Bruyère.

Le psittacisme reste, pensons-nous, une maladie. Non qu'il soit nocif à la compétence linguistique d'un adolescent, bien au contraire, de se frotter au style de Bossuet, ou que nous ayons projet de bannir les textes littéraires des classes de français. Mais nous croyons que parmi ces textes il en existe d'autres que ceux du XVIIe siècle; nous croyons que le français écrit vit aussi dans les lettres, les revues, les journaux et qu'une langue existe d'abord oralement. Il est typique de constater que dès les petites classes on exige des exemples grammaticaux qu'ils soient extraits de textes littéraires; exemples souvent difficiles, ambigus par manque de contexte, parfois même écrits dans une langue devenue pour nous archaïque.

Par ailleurs, le privilège réservé à la langue écrite conduit souvent à des inepties grammaticales; pour exemple, cette remarque de P. Guiraud : « Grevisse relève, par exemple, qu'il faut écrire *des cache-nuque*, mais *des couvre-nuques*. L'usage s'est fixé différemment selon qu'on s'est placé sous l'angle formel qui confère à *couvre-nuques* l's du pluriel, ou sous l'angle sémantique qui veut que les *cache-nuque* ne cachent chacun qu'une seule nuque. C'est toujours

---

(1) N. Ruwet, **Introduction à la grammaire générative**, Plon, Paris, p. 63.

la même ambiguïté, mais purement factice, puisque la seule marque du pluriel est dans l'article; la désinence n'est qu'une survivance orthographique dont on ne peut s'empêcher de déplorer les incertitudes et la tyrannie [1]. »

Tyrannie : le mot n'est pas trop fort. Des maîtres hésitent à commencer leur enseignement de la grammaire par l'étude de la phrase, arguant que l'on doit d'abord envisager le verbe, puis le nom, « à cause de l'orthographe ». Fidèles au code écrit, les grammaires proposent toujours de grouper les séries morphologiques *certain/certains, quelque/quelques*, alors que singulier et pluriel ont une syntaxe différente. Ainsi le pluriel *certains* fonctionne comme prédéterminant du nom *(certaines choses)* ou comme adjectif qualificatif *(des choses certaines);* le singulier *certain* reste toujours, dans la langue contemporaine, adjectif qualificatif; pour se tirer d'embarras, les manuels recourent invariablement à La Fontaine : *certain renard gascon...*, superposant ainsi deux états de langue différents. Le culte du seul code écrit est si puissant qu'« un Français pourvu d'une bonne instruction est généralement incapable de dire combien sa langue compte de voyelles et de consonnes ou comment elle marque l'opposition des genres et des nombres; il répond par des considérations orthographiques et des questions qui portent sur des faits de structure [2] ».

La tradition normative conduit ainsi, dans ses excès, à une grammaire atomistique où l'essentiel — quand il est aperçu — se noie dans l'accessoire, à des erreurs graves, aussi bien qu'à une pédagogie contraignante et souvent inefficace : le plus souvent en dehors des réalités de la langue contemporaine et, partant, des véritables besoins de l'élève.

Conclusion

Nous avons limité nos analyses à ce qui nous a paru les failles les plus béantes de la grammaire scolaire; nous aurions pu les développer; nous pouvons aussi les résumer en deux mots : confusion et inefficacité.

Confusion des plans formel et sémantique, de la morphologie et de la syntaxe (cette dernière, capitale mais fuyante, étant délaissée au profit de la première, plus stable et du même coup plus rassurante), du système français et du système latin. Comment alors espérer, pour être efficace, que se dégagent quelques perspectives claires qui permettraient à l'enfant de progresser simultanément dans sa pratique et dans sa connaissance de la langue française? La pédagogie qu'on lui impose revient à une pédagogie de l'effort gratuit, c'est-à-dire à une pédagogie de classe (le jeu de mots est involontaire...) dont la difficulté ne creuse que plus large le fossé qui sépare des enfants de niveau socio-culturels différents. Discipline où s'ébrouent parfois avec un déconcertant

(1) P. GUIRAUD, la Syntaxe du français, P.U.F., « Que sais-je? », Paris, 1963, p. 33.
(2) J. PERROT, la Linguistique, P.U.F., « Que sais-je? », Paris, 1967, p. 38.

plaisir les élèves les mieux armés — mais l'éducation peut-elle se confondre avec un dressage? — notre grammaire reste pour la majorité aride et déroutante : sélective au mauvais sens du terme, et fidèle en cela à la tradition du XVIIIᵉ siècle, qu'elle perpétue.

Ce qu'en écrit J.-Cl. Chevalier (¹) mérite méditation (la citation de Ph. Ariès est extraite de : *l'Enfant et la vie familiale sous l'Ancien Régime*) :

«... Ces principes rigoureusement organisés selon les lois de la raison ont valeur efficace, parce qu'ils entrent dans une certaine stratégie de l'humanisme bourgeois qui triomphe au XVIIIᵉ siècle. Ph. Ariès a montré lumineusement comment l'école unique, état de fait jusque-là, « a été » remplacée par un système d'enseignement double où chaque branche » correspond, non pas à un âge mais à une condition sociale : le lycée » et le collège pour les bourgeois (le secondaire) et l'école pour le peuple » (le primaire). Le secondaire est un enseignement long. Le primaire est » resté très longtemps un enseignement court ».

[...] « La méthode de Beauzée (²) s'insère dans ce contexte socio-culturel; la grammaire scolaire sur laquelle nous vivons est une grammaire de classe, édifiée pour une catégorie sociale déterminée. La grammaire générale triomphe comme grammaire d'une bourgeoisie cultivée; Beauzée l'écrit sans fard :

« Les enfants de la populace, des manœuvres, des malheureux de » toute espèce qui n'ont que le temps d'échanger leur sueur contre leur » pain, demeurent ignorants et quelquefois stupides avec des dispositions » de meilleur augure; toute culture leur manque. Les enfants de ce qu'on » appelle la bourgeoisie honnête dans les provinces acquièrent les lumières » qui tiennent au système d'institution qui y a cours; les uns se développent » plus tôt, les autres plus tard, autant dans la proportion de l'empresse-» ment qu'on a mis à les cultiver que dans celles des dispositions natu-» relles. »

Notre système scolaire a heureusement évolué; mais sans doute moins dans son contenu que dans ses structures, et particulièrement s'agissant de la grammaire. Il est temps d'en prendre conscience. Ici et là, des maîtres de talent ont déjà tenté de réformer un enseignement grammatical dont ils avaient mesuré la faiblesse. Mais ces efforts sont demeurés trop solitaires pour avoir une efficacité réelle. A une échelle plus vaste, de nouveaux manuels ont paru. Nous devons constater que trop souvent leur nouveauté reste au niveau de la mise en pages ou du titre. La grammaire «fonctionnelle» n'est pas une panacée; sans doute l'analyse dite « fonctionnelle » marque-t-elle un progrès : mais y demeure évidente la stratégie que nous avons dénoncée dans ces pages.

Il serait pour le moins déplacé que nous reprenions à notre compte le *Enfin Malherbe vint*. Nous voulons simplement signaler que tout se passe

---

(1) J.-Cl. CHEVALIER, *op. cit.*, p. 671.
(2) L'un des rédacteurs de la grammaire de l'*Encyclopédie*.

comme si, depuis une cinquantaine d'années, l'enseignement grammatical avait ignoré l'effort de la recherche; à l'évidence, il n'a tenu aucun compte du travail de la linguistique, générale ou française (¹). Au point que, parodiant une formule célèbre, la plupart de nos collègues demandent : « La linguistique, qu'est-ce que c'est? »

« L'existence d'une activité scientifique ayant pour objet le langage est, aujourd'hui encore, souvent ignorée. Le public ne connaît guère que deux sortes d'activités dans le domaine du langage et des langues. C'est en premier lieu une activité normative, orientée vers la connaissance et l'enseignement du bien dire, édictant des règles en matière de grammaire, de vocabulaire et aussi d'orthographe; à cet égard règne encore un dogmatisme aveugle, fondé sur l'autorité de la « règle » ou de la « logique », qui détourne l'attention de la réalité vivante de la langue. C'est en second lieu l'acquisition d'un plus ou moins grand nombre de langues en plus de la langue maternelle : le polyglottisme, dont le prestige est généralement considérable.

« La linguistique est étrangère à l'une et à l'autre de ces activités (²). »

La dernière phrase serait à nuancer; mais l'ensemble de ce texte pose bien le problème. Nous voudrions précisément montrer quelles nouvelles voies la linguistique contemporaine a ouvertes à la grammaire française et dans quelle mesure ces voies nouvelles doivent intéresser le pédagogue.

---

(1) Rappelons cependant, à titre d'exceptions, les rôles joués par F. Brunot et plus tard L. Tesnière dans la pédagogie du français. Voir, par exemple, les dernières pages de L. TESNIÈRE, **Éléments de syntaxe structurale**, Klincksieck, Paris, 1965.
(2) J. PERROT, *op. cit.*, p. 5.

CHAPITRE DEUX

ÉTAT PRÉSENT DES ÉTUDES LINGUISTIQUES

> « La vie intellectuelle du xxᵉ siècle peut être
> caractérisée avant tout par deux principes :
> celui de la structure ou de la totalité et celui
> de l'immanence ou de l'indépendance. »
> K. Togeby, *Structure immanente de la langue
> française*, p. 5.

I. Objet de la linguistique

A. *Du langage à la langue*

« La linguistique a un double objet, elle est la science du langage et la science des langues [...]. Le langage, faculté humaine, caractéristique universelle et immuable de l'homme, est autre chose que les langues, toujours particulières et variables, en lesquelles il se réalise. C'est des langues que s'occupe le linguiste et la linguistique est d'abord la théorie des langues. Mais [...] ces voies différentes s'entrelacent souvent et finalement se confondent, car les problèmes infiniment divers des langues ont ceci de commun qu'à un certain degré de généralité ils mettent toujours en question le langage [1]. »

Ouvrir ce chapitre par cette citation, c'est pour nous l'occasion de signaler que la première conquête de cette jeune science fut de découvrir son propre objet ; comme l'indique clairement E. Benveniste, il s'agissait, pour elle, tout en restant à l'intérieur des sciences du langage, de conquérir son autonomie. C'est F. de Saussure qui le premier s'attachera à résoudre le problème dans son *Cours de linguistique générale*, professé à l'université de Genève entre 1906 et 1911 et publié en 1916 par deux de ses étudiants : Charles Bally et Albert Sechehaye. Ouvrage capital auquel nous ne cesserons de nous référer.

a) Sciences du langage et science des langues

Comme le rappelle E. Benveniste, le langage reste la « caractéristique universelle et immuable de l'homme ». Aussi intéresse-t-il la majorité des sciences humaines. Son existence même concerne la philosophie. Outil fondamental de la communication, il entre dans l'objet des recherches de la science

---

(1) E. Benveniste, **Problèmes de linguistique générale**, Gallimard, Paris, 1966, p. 19.

qui se propose d'étudier le fonctionnement des signes dans les sociétés et que Saussure a appelé la **sémiologie** ([1]). Manifestation sociale, le langage s'intègre évidemment dans les études de sociologie, dont la linguistique américaine est d'ailleurs née (les recherches de socio-linguistique ne cessent à l'heure actuelle de se développer). Dans la mesure où il véhicule des informations et fait donc appel aux activités psychiques, il intéresse le psychologue (de grandes tâches attendent encore une science en plein essor : la psycho-linguistique). Présupposant un appareil acoustico-vocal, le langage entre en outre dans le champ d'études de la physiologie. Produit du passé, il intéresse l'historien et particulièrement l'ethnologue...

On aperçoit du même coup la complexité du problème et la difficulté pour la linguistique de définir son propre objet. « ... Nulle part l'objet intégral de la linguistique ne s'offre à nous; partout nous rencontrons ce dilemme : ou bien nous nous attachons à un seul côté de chaque problème, et nous risquons de ne pas percevoir les dualités signalées plus haut ([2]); ou bien si nous étudions le langage par plusieurs côtés à la fois, l'objet de la linguistique nous apparaît un amas confus de choses hétéroclites et sans lien entre elles ([3]). » Et Saussure d'en conclure :

« Il n'y a selon nous qu'une seule solution à toutes ces difficultés : il faut se placer de prime abord sur le terrain de la langue et la prendre pour norme de toutes les autres manifestations du langage ([4]). »

Qu'est-ce que la langue ?

« C'est à la fois un produit social de la faculté du langage et un ensemble de conventions nécessaires, adoptées par le corps social pour permettre l'exercice de cette faculté chez les individus ([4]). »

Saussure en définit les principales caractéristiques :

● **Indépendance** : « Elle est la partie sociale du langage extérieure à l'individu, qui à lui seul ne peut ni la créer ni la modifier [...]. Elle est si bien chose distincte qu'un homme privé de l'usage de la parole conserve la langue, pour peu qu'il comprenne les signes vocaux qu'il entend ([5]). »

● **Objet d'étude particulier** : « La langue, distincte de la parole, est un objet qu'on peut étudier séparément ([5]). » (V. *infra*, p. 92 *sqq*.)

● **Homogénéité** : « Tandis que le langage est hétérogène, la langue ainsi délimitée est de nature homogène : c'est un système de signes où il n'y a d'essentiel que l'union du sens et de l'image acoustique ([6]). »

---

(1) « On peut donc concevoir *une science qui étudie la vie des signes au sein de la vie sociale;* elle formerait une partie de la psychologie sociale, et par conséquent de la psychologie générale; nous la nommerons **sémiologie** (du grec *sêmeîon*, « signe »). » (F. de SAUSSURE, **Cours de linguistique générale**, Payot, Paris, 1966, p. 33.)
(2) Il s'agit de la dualité forme-sens ou individu-société, par exemple.
(3) F. de SAUSSURE, *op. cit.*, p. 24.
(4) *Ibid.*, p. 25.
(5) *Ibid.*, p. 31.
(6) *Ibid.*, p. 32.

L'objet de la linguistique apparaît ainsi plus clair et distinct de la philologie, avec laquelle on la confond souvent. La philologie vise d'abord à l'interprétation des textes : l'étude du matériau linguistique n'est pour elle qu'un moyen pour arriver au sens que recèle le document. La linguistique se propose, au contraire, comme fin la mise en évidence du système de la langue qu'elle étudie ou des lois générales qui se dégagent du fonctionnement comparé de plusieurs langues différentes.

b) Langue, parole, discours

Saussure a défini la langue comme indépendante; en fait, il signale qu'elle est à la fois produit social et réalisation individuelle. Outil de communication, elle ne peut exister sans cette indépendance par rapport à l'individu : si chacun parlait son propre idiome, il n'y aurait pas de communication possible. Mais, inversement, la langue ne se réalise qu'individuellement, dans la parole ou l'écrit de chacun. Nous pourrions schématiser ainsi cette ambivalence (A et B représentent émetteur et récepteur) :

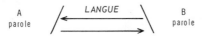

Saussure est ainsi amené à distinguer deux plans : celui de la **langue** et celui de la **parole.**

La parole est la réalisation par l'individu des possibilités que lui offre la langue. A ce niveau, nous retrouvons les problèmes du langage : phonation, audition, pathologie du langage, etc. La langue en est indépendante.

« La langue existe dans la collectivité sous la forme d'une somme d'empreintes déposées dans chaque cerveau, à peu près comme un dictionnaire dont tous les exemplaires, identiques, seraient répartis entre les individus. C'est donc quelque chose qui est dans chacun d'eux, tout en étant commun à tous. Ce mode d'existence de la langue peut être représenté par la formule :

$$I + I + I + I \ldots = I \text{ (modèle collectif).}$$

« De quelle manière la parole est-elle représentée dans cette même collectivité? Elle est la somme de ce que les gens disent, et elle comprend :

« *a*) des combinaisons individuelles, dépendantes de la volonté de ceux qui parlent,

« *b*) des actes de phonation également volontaires, nécessaires pour l'exécution de ces combinaisons.

« Il n'y a donc rien de collectif dans la parole; les manifestations en sont individuelles et momentanées. Ici il n'y a rien de plus que la somme des cas particuliers, selon la formule :

$$(I + I' + I'' + I''' + \ldots)$$

« Pour toutes ces raisons, il serait chimérique de réunir sous le même point de vue la langue et la parole (¹). »

Encore une fois, le principe d'indépendance est fondamental de la démarche méthodologique. En fait, la distinction saussurienne pose des problèmes très complexes; car la langue, définie dans son indépendance, est un modèle abstrait que personne ne possède entièrement : ainsi l'image d'un même dictionnaire « dont tous les exemplaires, identiques, seraient répartis entre les individus » est-elle trompeuse. Sans doute chacun utilise-t-il, pour la communication quotidienne, une sorte de *basic French;* mais à discuter avec un spécialiste, le profane risque de se heurter à un vocabulaire qu'il n'entend pas, de même que la syntaxe de Proust n'est pas obligatoirement accessible à chacun. Le schéma ci-dessous rend compte de cette réalité pour ce qui regarde le seul lexique :

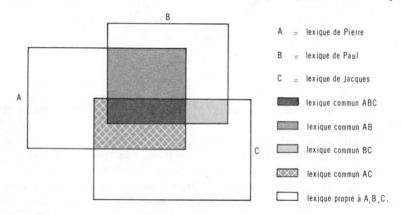

A = lexique de Pierre

B = lexique de Paul

C = lexique de Jacques

lexique commun ABC

lexique commun AB

lexique commun BC

lexique commun AC

lexique propre à A,B,C.

Chacun ne possède ainsi qu'une partie plus ou moins importante du lexique de sa langue maternelle, qui n'existe que dans les dictionnaires (encore qu'ils ne soient jamais exhaustifs). De la même façon, mais à un moindre degré, pour la grammaire.

Il est donc nécessaire de distinguer la langue et l'usage de la langue : le *discours* (²). Le discours est formé par l'ensemble des réalisations orales ou

---

(1) F. de SAUSSURE, *op. cit.*, p. 38.
(2) Le mot n'est pas chez Saussure. Il nous a paru indispensable de le mentionner et d'établir une distinction *langue-parole-discours* afin de lever l'ambiguïté que le concept *parole* conserve dans le *Cours de linguistique générale*.

écrites telles qu'on peut les lire ou les entendre (par exemple, sur bande magnétique) à l'intérieur d'une communauté utilisant le même code. La langue est le matériau du discours, organisé selon des lois propres; ces lois commandent les réalisations du discours; celui-ci les reflète.

Ce qui conduit à ces distinctions :

• **la parole,** qui est la manière propre à chacun d'énoncer graphiquement ou oralement des faits de discours; font par exemple partie de la parole les troubles de la graphie ou de l'articulation, les « accents » régionaux, etc.;

• **le discours,** qui est l'ensemble des réalisations orales ou écrites telles qu'elles peuvent se présenter dans un livre, un journal, à la radio, etc.;

• **la langue,** qui est le matériau linguistique propre à une communauté.

La linguistique cherche à découvrir les lois de la langue à partir des réalisations individuelles du discours. La mise en évidence de ces lois permettra par retour d'éclairer les réalisations du discours et, partant, de mieux enseigner une langue étrangère ou de conduire l'indigène à une meilleure pratique de sa langue maternelle; c'est le propos de la linguistique appliquée.

B. Synchronie et diachronie : les deux linguistiques

Institution sociale, toute langue est soumise au temps : produit du passé, elle existe dans le présent qui ne préjuge pas de l'avenir. Le mot *tête* était initialement péjoratif en latin : *testa* — vase de terre cuite, cruche — face au terme usuel *caput* : la distance qui les séparait était la même que celle qui sépare aujourd'hui *tête* et *cafetière;* de même que *caput* a peu à peu cédé la place à *testa,* qui a perdu toute nuance ironique, peut-être dans quelques centaines d'années le français aura-t-il perdu le mot *tête* pour ne plus connaître qu'un très usuel *cafetière...*

Les langues évoluent et ont une histoire. C'est d'elle que s'est surtout préoccupé le XIXe siècle, tout passionné de linguistique *historique* et de linguistique *évolutive.* La première étudie l'histoire d'une langue particulière; elle fournit des matériaux à la seconde, qui se propose l'étude comparative de plusieurs langues saisies dans leur histoire. Toutes deux ont abouti à des résultats décisifs. Sans aucunement les contester, Saussure fera simplement remarquer que les langues existent aussi dans le présent et que, s'il est intéressant et utile de connaître l'évolution du français du IXe siècle à nos jours, il ne l'est pas moins d'avoir sur le français contemporain des vues un peu plus précises que celles dont on s'était jusqu'alors contenté; disons même qu'il renverse l'ordre des urgences. Son génie se situe une fois encore au niveau de la méthode; de même qu'il a isolé la langue du langage, qu'il a distingué langue et parole, il appelle à un nouvel ordre d'indépendance :

« Il est certain que toutes les sciences auraient intérêt à marquer plus scrupuleusement les axes sur lesquels sont situées les choses dont elles s'occupent;

il faudrait partout distinguer selon la figure suivante : 1° l'**axe des simultanéités** (AB), concernant les rapports entre choses coexistantes, d'où toute intervention du temps est exclue, et 2° l'**axe des successivités** (CD), sur lequel on ne peut jamais considérer qu'une chose à la fois, mais où sont situées toutes les choses du premier axe avec leurs changements (¹). »

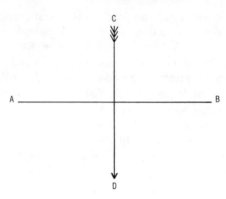

C'est en fait la distinction de deux linguistiques.

● L'une, suivant l'axe CD, opère des coupes dans le temps; elle peut par exemple étudier l'évolution phonétique qui conduit du latin *pater* au français *père*, la formation du futur de l'indicatif, l'évolution des sens du mot *cœur* du Moyen Age à nos jours. Elle travaille en **diachronie;** Saussure l'appelle **linguistique diachronique;** on la nomme plus généralement **linguistique historique.**

● L'autre fait abstraction du facteur temps; elle opère selon l'axe AB et se propose l'étude d'une langue saisie globalement au sein de la communauté qui la parle ici et maintenant. Saussure l'appelle **linguistique synchronique;** on la nomme encore **linguistique statique** ou **descriptive.**

Sans doute peut-on arguer qu'une langue se présente à la fois en synchronie et en diachronie : « [...] tout langage est, à tout moment de son histoire, en évolution; son système synchronique présente un ensemble de traits hérités des états antérieurs et l'amorce de développements nouveaux; l'équilibre d'un système est toujours précaire (²). »

Saussure ne l'ignorait pas : « [...] chaque langue forme pratiquement une unité d'étude et l'on est amené par la force des choses à la considérer historiquement et statiquement. Malgré tout, il ne faut jamais oublier qu'en théorie cette unité est superficielle, tandis que la disparité des idiomes cache une unité

---

(1) F. de SAUSSURE, *op. cit.*, p. 115.
(2) J. PERROT, *op. cit.*, pp. 105-106.

profonde. Que dans l'étude d'une langue l'observation se porte d'un côté ou de l'autre, il faut à tout prix situer chaque fait dans sa sphère et ne pas confondre les méthodes (1). »

Le dernier terme est d'importance et nous reconduit au principe d'indépendance. Lors d'un récent entretien à la télévision, R. Jakobson entrevoyait la possibilité d'une sorte de *panchronisme* où les dimensions synchroniques et diachroniques viendraient se rejoindre. Mais nous sommes en 1970 ; la distinction saussurienne a permis à la linguistique statique cinquante années de recherches fécondes : le principe méthodologique était bon ; il le reste à nos yeux.

Conclusion

Les élèves attendent de leur maître qu'il leur enseigne d'abord la langue qu'ils ont à parler et à comprendre, à lire et à écrire : c'est-à-dire le français contemporain. Le pédagogue doit donc tenir compte des travaux de linguistique générale, qui le renseignent sur le fonctionnement des langues, de ceux de linguistique descriptive du français, qui, partant des réalisations du discours pour découvrir l'organisation de notre langue, permettent d'avoir de son système une vue plus claire.

Les développements qui précèdent engagent au niveau pédagogique deux décisions précises :

● Distinguer synchronie et diachronie, c'est se libérer d'une grammaire qui confond les deux plans. Nous avons dit par exemple qu'il n'était pas pertinent de réunir *certain* et *certains* (v. *supra*, p. 86) ; nous pourrions de la même manière discuter la disjonction dans nos manuels des articles et des autres déterminants du nom (*ce*, *mon*, etc.), survivance d'une grammaire française arrangée à la mode latine (les articles ont été isolés au xvie siècle, car on les faisait entrer dans les paradigmes de déclinaison du substantif : v. *supra*, p. 81). Il serait facile aussi de relever un grand nombre d'exemples grammaticaux cités dans les manuels pour montrer que, extraits d'auteurs du xviie ou du xviiie siècle, ils ne correspondent pas exactement au système du français contemporain, et qu'inversement des tours très féconds de nos jours, comme le présentatif *c'est* et ses variantes *(c'est... qui, c'est... que)* ou les phrases segmentées (2), sont généralement absents des grammaires scolaires.

● Distinguer langue et discours, c'est distinguer la multitude des réalisations individuelles — orales ou écrites — des lois générales qui leur permettent d'exister ; c'est passer d'une réalité concrète mais désordonnée à une entité virtuelle (la langue) mais organisée. La grammaire scolaire en reste au premier stade ; y règnent du même coup l'atomisme et le désordre (cf. la liste des circonstanciels).

---

(1) F. de SAUSSURE, *op. cit.*, p. 140.
(2) Voir *G.L.F.C.*, pp. 100 à 106.

Il y a là un renversement de méthode à opérer, sur lequel d'ailleurs nous allons revenir en ouvrant notre développement suivant qui voudrait éclairer la phrase clef de la linguistique contemporaine : « La langue est une structure. » Les lignes qui précèdent nous ont renvoyé inlassablement à l'un des deux principes énoncés par Togeby : « celui de l'immanence ou de l'indépendance »; celles qui suivent nous renverront constamment à l'autre : « celui de la structure ou de la totalité ».

II. La langue est une structure

A. Des faits de discours au système de la langue

a) Position du problème

Imaginons un instant la situation de deux individus désireux d'apprendre le bridge et n'ayant à leur disposition qu'un jeu de 52 cartes et le procès-verbal de tous les tournois de bridge qui se sont déroulés en France depuis un demi-siècle; autrement dit, ils n'ont aucun renseignement sur la **règle** du jeu. Ils peuvent choisir entre deux solutions : tenter de rejouer chacune des parties qui leur sont décrites en essayant — travail aussi fastidieux que pénible — de noter au fur et à mesure quelques lois qui leur paraîtront générales et les mille et une exceptions qui les contredisent, ou bien essayer de s'abstraire de l'ordre des parties pour dégager de l'ensemble les règles fondamentales, la **structure** du jeu qui, une fois découverte, explique tous les tournois passés et permet ceux de l'avenir.

Il serait pour le moins naïf de confondre le bridge et la langue française; néanmoins ce sont deux codes, le dernier étant beaucoup plus complexe que l'autre en raison même de ce qui le définit : son universalité (¹); on pourrait concevoir de transcrire en français toute une partie de bridge, mais difficilement de traduire fidèlement une lettre d'amour avec un jeu de 52 cartes. En revanche, il n'est peut-être pas inopportun de rapprocher de la situation de nos deux joueurs celle du linguiste devant la langue qu'il étudie; comme eux, il cherche un règlement qu'il ignore (sans doute sait-il parler sa langue quand ceux-ci ne savent pas jouer au bridge; mais tous ignorent les « règles du jeu »); comme eux, il a des éléments de départ (ici, les cartes; là, le lexique) et des documents (ici, le procès-verbal des tournois; là, un vaste corpus rassemblant des faits de discours). Il a le même choix devant les deux solutions que nous avons évoquées : considérer les situations concrètes du discours comme autant de cas d'espèce,

---

(1) Cf. *supra*, p. 28.

en établir la liste et aboutir à un énorme catalogue où quelques règles se noieront dans un marais d'exceptions en tous genres, ou au contraire tenter de s'abstraire des faits de discours pour en dégager un système : le système de la langue qui sera à la fois une explication des faits de discours collationnés et l'énoncé des règles permettant d'en engendrer d'autres.

b) Emploi et valeur

Autrement dit, on peut en rester au niveau de l'usage ou tenter de découvrir la **structure de la langue.**

« On peut appeler structure d'un jeu l'ensemble des règles indiquant le nombre de pièces existant dans le jeu et la façon dont chacune de ces pièces peut se combiner avec les autres, et elle diffère de l'usage du jeu de la même manière que la structure de la langue diffère de l'usage de la langue. Pour décrire l'usage du jeu, il faudrait donner des renseignements, non pas tant sur la manière dont on *peut* jouer (c'est la structure) mais dont on a l'*habitude* de jouer ou dont, en fait, on a joué jusque-là ... » (Hjelmslev.)

La linguistique contemporaine se distingue de la grammaire traditionnelle en cela même qu'au lieu d'en rester à l'usage elle tente d'atteindre la structure de la langue, selon la démarche décrite par Guillaume dans ce schéma que nous empruntons à R. Valin ([1]) (en le modifiant légèrement pour le libérer de son contexte) :

LANGUE	Langage puissanciel	AVANT	signifié de puissance (unique)
DISCOURS	Langage effectif	APRÈS	signifiés d'effets (multiples) 1, 2, 3, 4, ...

1. Démarche du sujet parlant : il utilise le système de sa langue, qu'il possède partiellement et inconsciemment, pour réaliser des faits de discours, oraux ou écrits.

2. Démarche du linguiste : il part des faits de discours, supports concrets de sa réflexion, pour tenter de découvrir l'unité qui les rassemble au sein de la structure de la langue.

N. B. — Le schéma illustre la différence des deux démarches possibles : la grammaire normative se limite à la deuxième colonne horizontale ; pour la linguistique moderne, cette colonne n'est qu'un point de départ.

---

(1) R. VALIN, « la Méthode comparative en linguistique historique et en psychomécanique du langage », dans *Cahiers de psychomécanique du langage*, n° 6, Québec, 1964, p. 31.

97

En s'appuyant sur un exemple (v. DOCUMENT ci-contre), on voit mieux pourquoi il est possible d'opposer langue et discours comme langage puissanciel (en l'occurrence, la valeur du présent en langue a en puissance tous les emplois du présent dans le discours) et langage effectif, comme avant et après; les « signifiés d'effet » correspondent aux divers « sens » du présent dans nos exemples; ils sont multiples; on les appelle encore « effets de sens » ou *emplois* du présent; le « signifié de puissance » correspond à la définition du présent au niveau de la langue; il est unique; on l'appelle encore *valeur* du présent.

La **linguistique** cherche à découvrir la valeur des différentes unités de la langue pour permettre une meilleure approche de leurs emplois dans le discours.

La **grammaire normative,** en demeurant au niveau du discours, reste obligatoirement énumérative et impuissante.

La structure de la langue est formée par l'équilibre propre de ses différentes unités; c'est une économie de valeurs.

B. Organisation structurale de la langue

« Tout être organisé forme un ensemble, un système unique et clos, dont les parties se correspondent mutuellement et concernent la même action définitive par une action réciproque. Aucune de ces parties ne peut changer sans que les autres changent aussi. »

Commentant ce texte du biologiste français G. Cuvier, Cassirer remarque que si nous remplacions chaque terme de biologie par un terme linguistique, nous aurions devant les yeux le programme du structuralisme moderne [1].

Cassirer affirme, en effet, que toute langue se présente comme un système de signes rigoureusement organisé.

« Dans un état de langue donné, tout est systématique; une langue quelconque est constituée par des ensembles où tout se tient : système des sons (ou phonèmes), système de formes et de mots (morphèmes et sémantèmes). Qui dit système dit ensemble cohérent : si tout se tient, chaque terme doit dépendre de l'autre [2]. »

C'est cette organisation de la langue qui sert à Saussure de critère pour distinguer ce qui est externe à la langue et ce qui lui est interne :

« [...] la langue est un système qui ne connaît que son ordre propre. Une comparaison avec le jeu d'échecs le fera mieux sentir. Là, il est relativement facile de distinguer ce qui est externe de ce qui est interne; le fait qu'il a passé de Perse en Europe est externe; interne, au contraire, tout ce qui concerne le système et les règles. Si je remplace des pièces de bois par des pièces d'ivoire, le changement est indifférent pour le système; mais si je diminue ou augmente le nombre des pièces, ce changement atteint profondément la « grammaire »

(1) D'après B. MALMBERG, les Nouvelles Tendances de la linguistique, p. 322.
(2) Y. BRØNDAL, cité par J. PERROT, la Linguistique, p. 114.

Les valeurs du présent

Problème posé : étude du présent de l'indicatif à partir de ces exemples :
1. *On sonne à la porte.* — **2.** *Je viens dans cinq minutes.* — **3.** *Ah! te voilà; je sors de chez toi.* — **4.** *Il se lève chaque jour à huit heures.*

A. Démarche de la grammaire normative

On considère chaque exemple comme caractéristique d'une valeur du présent; en l'occurrence : **1.** fait qui se produit au moment de la parole. — **2.** présent exprimant un futur proche. — **3.** présent exprimant un passé récent. — **4.** présent d'habitude.

Critique de cette démarche : ● Elle ne rend pas compte des rapports qui unissent les quatre exemples; c'est une énumération de faits disparates, voire une paraphrase ● Elle confond en **4** l'apport du présent et le sens du contexte; c'est ce dernier qui exprime l'habitude, non le présent (cf. : *Il se levait, s'était levé, se lèvera... chaque jour à huit heures*) ● Elle ne permet guère de distinguer **2** de **2'** (*Je vais venir dans cinq minutes*) ou **2"** (*Je viendrai dans cinq minutes*).

B. Démarche linguistique

1, 2, 3, 4 sont des faits de discours au même titre que tous les énoncés qui utilisent la forme verbale «présent de l'indicatif». Apparemment disparates, ils doivent avoir une unité au niveau de la langue, et c'est elle qu'il faut découvrir en les comparant entre eux à la lumière d'une hypothèse explicative.

Valeur du présent en langue : Il engage un procès en cours de déroulement et en contact avec le moment de la parole; par définition, ce présent est simultanément fait d'une tranche achevée de passé, plus ou moins large, et d'une tranche non achevée de futur, plus ou moins large (¹).

Explication des faits de discours : **1** et **4** font un même emploi du présent; seul le contexte change; comme l'indique sa définition en langue, le présent peut s'étendre plus ou moins longuement sur l'axe du temps (extension très réduite en **1**, beaucoup plus large en **4**) ● **2** engage un procès qui est tout entier à venir; en utilisant le présent, on envisage le procès comme *déjà* inscrit dans l'actualité et, partant, comme déjà en train de se réaliser; il y a donc écart entre la valeur générale du présent (langue) et son emploi dans ce contexte (discours); cet écart peut être révélateur des intentions de celui qui parle et interprété en conséquence ● **2** se distingue nettement de **2'** (procès conçu au présent mais situé dans l'avenir) et de **2"** (procès conçu et situé tout entier dans l'avenir) ● **3** est le processus inverse de **2**; le procès est tout entier dans le passé; le présent le ramène dans l'actualité du parleur comme s'il était encore en train de se dérouler.

---

(1) Selon les termes de G. Guillaume, le présent a « un pied dans le futur, un pied dans le passé ». Le déroulement du procès étant considéré à partir d'un point quelconque X, on aura une perspective à la fois vers un passé achevé (XA) et vers un futur non achevé (XB), comme l'indique ce schéma :

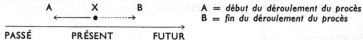

A   X   B   A = *début du déroulement du procès*
←————●--------→   B = *fin du déroulement du procès*

PASSÉ   PRÉSENT   FUTUR

du jeu. Il n'en est pas moins vrai qu'une certaine attention est nécessaire pour faire des distinctions de ce genre. Ainsi, dans chaque cas, on posera la question de la nature du phénomène, et pour la résoudre on observera cette règle : est interne tout ce qui change le système à un degré quelconque ([1]). »

La dernière phrase est capitale pour la méthodologie linguistique. Il est, par exemple, indifférent de savoir si le pronom *je* vient du latin ou du germanique (ce qui ne veut pas dire dénué d'intérêt pour d'autres domaines que le nôtre); en revanche, il importe au plus haut point de savoir comment fonctionne *je* à l'intérieur des substituts personnels, comment ces derniers s'organisent à l'intérieur des substituts pris dans leur totalité, comment ceux-ci fonctionnent à leur tour par rapport aux autres unités de la langue... L'économie du pronom *je* intéresse tout le système.

Il nous reste à savoir quelles sont les lois générales qui gouvernent le système de la langue.

a) Un système de signes

Comme tout autre code, la langue est un système de signes; en l'occurrence et grossièrement dit, un ensemble de « mots ». Il s'agit d'y regarder de plus près.

A l'image des autres unités séméiologiques, le signe linguistique se compose d'une forme et d'un contenu. En mathématiques, le signe $\times$ est à la fois une marque écrite (forme) et l'indication d'une opération précise : « multiplier » (contenu). Dans le jeu d'échecs, la tour est simultanément la pièce de bois (d'ivoire, de plastique, ...) qui représente, de façon plus ou moins précise, une tour de château fort (forme), et une indication de jeu : la tour se déplace en ligne droite, etc. (contenu). De même, en français, le mot *chien* est à la fois une forme ([ʃjɛ̃] à l'oral, *chien* à l'écrit) et un contenu (v., par exemple, la définition du *D.L.F.C.*).

Nous dirons que tout signe linguistique est **à la fois** constitué sur le plan de la forme (ou **expression**) d'un **signifiant** et sur le plan du **contenu** d'un **signifié**.

Ces deux plans sont indissociables, mais ne se superposent pas. Le signe *vache* est formé sur le plan de l'expression de trois phonèmes enchaînés ([vaʃ]), sur le plan du contenu de deux éléments de sens, ou sèmes ([2]), eux aussi enchaînés : (sème *bœuf* + sème *femelle*); mais il est impossible d'écrire :

$$\text{VACHE} \quad \begin{array}{ccc} [\text{va} & - & \text{ʃ}] \\ \downarrow & & \downarrow \\ \textit{bœuf} & & \textit{femelle} \end{array}$$

comme s'il y avait correspondance entre les deux plans ([3]).

Nous ne pouvons écrire que

$$\text{VACHE} \begin{cases} \nearrow \text{ signifiant } [\text{vaʃ}] \\ \searrow \text{ signifié } \textit{bœuf} + \textit{femelle} \end{cases}$$

---

(1) F. de SAUSSURE, *op. cit.*, p. 43.
(2) V. chapitre LEXIQUE.
(3) D'après L. HJELMSLEV, **le Langage**.

Nous avons rapproché ci-dessus le signe linguistique d'un signe mathématique et d'un signe ludique; le rapprochement ne vaut que jusqu'à un certain point. En effet, que nous fassions des mathématiques ou que nous jouions aux échecs en France, en Allemagne ou en Angleterre, les signes que nous avons décrits gardent même forme et même contenu. Il n'en va pas de même du signe linguistique. A côté de notre français *chien*, nous trouverons l'anglais *dog* et l'allemand *Hund*. Il n'y a donc pas de lien nécessaire au sein du signe linguistique entre forme et contenu; le rapport signifié-signifiant est **arbitraire**. Saussure dit encore **immotivé**, c'est-à-dire sans attache naturelle dans la réalité; ce rapport est purement conventionnel au sein d'une communauté linguistique. Disons qu'il **devient nécessaire** (je ne puis attacher au français *chien* un autre signifié que celui qu'il possède) et qu'il **est** arbitraire ([1]). Nous reviendrons sur ce problème (v. *infra*, p. 171).

b) La chaîne parlée

Empruntons à la langue française trois de ses signes et jetons-les dans le discours (en l'occurrence sur le papier) pour obtenir deux messages :

signes :   *tuer - homme - loup*

messages :   a) *homme tuer loup*
             b) *loup tuer homme.*

Messages sans doute imparfaits mais clairs néanmoins. Nous pourrions imaginer qu'il suffit, pour communiquer, de choisir quelques signes à signifié plein ([2]) et de les énoncer au hasard. Il en va tout autrement.

Ces signes s'ordonnent dans le temps — qui est ici symbolisé par la lecture de gauche à droite — et leur ordre même est fondamental pour la compréhension du message. C'est cet ordre et lui seul qui oppose radicalement le message *a* au message *b*. On voit clairement que le signe *loup* n'est pas seulement formé, dans le message, de son signifiant et de son signifié; il est encore uni aux autres signes utilisés par une relation spécifique; nous dirons qu'il a par rapport à ceux-ci une **fonction;** dans les messages grossiers que nous examinons, *loup* a pour fonction de venir à la droite de *tuer* (message *a*) ou à la gauche de *tuer* (message *b*).

Pour pouvoir se réaliser dans le discours, qui est **linéaire,** les signes linguistiques doivent s'ordonner dans le temps sur une ligne fictive que nous appellerons **chaîne parlée** ou **chaîne du discours**. Ils forment alors un message dont le sens dépend à la fois de leurs signifiés respectifs et de la fonction qu'ils remplissent.

---

(1) V. sur ce problème, E. BENVENISTE, « Nature du signe linguistique », dans *Éléments de linguistique générale.*
(2) V. chapitre LEXIQUE.

c) Lexèmes et morphèmes

Reprenons notre message *a* pour le comparer à *a'*, *a''* :

a) *homme tuer loup*
a') *l'homme tue les loups*
a'') *l'homme tua le loup.*

Les messages *a'* et *a''* sont beaucoup plus précis. Nous n'avons pourtant pas utilisé d'autres signes à sens plein, mais uniquement des unités non autonomes (v. *infra*, p. 110) : *–e (tue)*, *–a (tua)*, *les (les loups)*, etc. Ces dernières sont, on le voit, capitales pour l'élaboration d'un message puisqu'elles peuvent servir à (= avoir pour fonction de...) préciser le nombre *(le loup ≠ les loups)*, la situation du procès [1] dans le temps *(tue ≠ tua)*, etc.

Tout message linguistique (français) suppose donc l'assemblage sur la chaîne parlée d'unités linguistiques de deux ordres :

● des unités à sens plein : les lexèmes;

● des unités non autonomes, comme les désinences verbales *–e*, *–a*, et des mots-outils au contenu beaucoup plus restreint que celui des lexèmes *(le, la, ...)* : les morphèmes.

Nous reviendrons plus loin sur cette distinction, pour l'heure très sommaire; elle nous permet simplement d'avancer dans notre description du système de la langue et d'assigner **provisoirement** une place à la grammaire : la grammaire étudie la répartition des morphèmes (**morphologie**) et la fonction des lexèmes et des morphèmes (**syntaxe**).

d) L'axe syntagmatique

Nous avons déjà signalé que la répartition des lexèmes et des morphèmes sur la chaîne parlée ne se fait pas au hasard. Précisons notre propos [2].

Soit ces deux exemples :

a) *nous mangerons demain des hippocampes vertigineux;*
b) *hippocampes des vertigineux nous demain mangerons.*

Les signes utilisés sont les mêmes; seul leur ordre a changé.

En *a*, l'énoncé, pour surprenant qu'il soit, nous paraît appartenir, sans aucun doute possible à la langue française; nous lirons la phrase sans difficulté avec l'intonation qui lui revient.

En *b*, au contraire, notre lecture devient hachée : c'est le déchiffrement d'un mot à mot; la phrase ne nous semble pas faire partie de notre langue.

C'est donc qu'en *a* les signes utilisés ont noué entre eux des relations précises, rendues impossibles en *b* par leur disposition sur la chaîne parlée.

---

(1) *Procès* : terme général désignant tout verbe conjugué dans une phrase.
(2) Nous nous inspirons ici de N. CHOMSKY, « Trois Modèles de description du langage », traduction française dans *Langages*, n° 9, mars 1968.

Nous dirons qu'en *a* les signes linguistiques utilisés se sont « accrochés » les uns aux autres pour former des groupes ou **syntagmes** (v. *infra*, p. 111). Ces « accrochages », ici réalisés au niveau du discours, sont soumis à des lois très précises en langue (c'est pour ne les pas respecter que *b* n'appartient pas à la langue française). Nous appellerons ces lois **lois syntagmatiques,** et nous dirons que toute langue utilise pour fonctionner un **axe syntagmatique,** dont les lois se reflètent sur la chaîne parlée, selon ce schéma :

Langue :

La loi syntagmatique en français définit comme possible la séquence

$$\underrightarrow{\text{S V C.O.D.}}$$ axe syntagmatique

mais elle définit comme impossible (¹) la séquence

$$\underrightarrow{\text{C.O.D. S V}}$$

Discours :

La réalisation suivante répond à l'une des lois syntagmatiques de la langue; les signes s'accrochent comme l'indiquent les arches pour former des groupes :

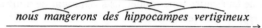

nous mangerons des hippocampes vertigineux axe syntagmatique confondu avec chaîne parlée.

La réalisation suivante ne répond à aucune des lois syntagmatiques de la langue; les signes ne s'accrochent pas mais restent isolés :

hippocampes des vertigineux mangerons nous

Pour former un message à partir d'une langue donnée, le locuteur doit donc utiliser des signes de cette langue en tenant compte pour les accrocher sur la chaîne parlée des lois syntagmatiques qui les régissent.

Il est important de comprendre que ces lois syntagmatiques forment un système propre à chaque langue; le français refusera la séquence *la femme l'homme a vu* au bénéfice de la seule *la femme a vu l'homme;* le latin admet théoriquement aussi bien *mulier hominem vidit* que *mulier vidit hominem :* son système syntagmatique est différent.

e) L'axe paradigmatique

Reprenons notre exemple : *L'homme tue les loups.*

Nous y avons distingué, phonèmes mis à part pour l'instant, deux types d'unités :

- **les lexèmes** (exemple : *loup*),
- **les morphèmes** (exemple : *les*);

(1) Nous entendons : dans la phrase noyau (v. p. 127), où le C.O.D. est un substantif.

103

et trois plans distincts :

- **plan de l'expression** (signifiant) : [le] [lu];
- **plan du contenu** (signifié) : — *loup* : V. définition du *D.L.F.C.* (¹); — *les* : référent (renvoie à quelque chose de connu) + pluriel;
- **plan de la fonction** : — *loup* : entre dans une structure définie par des lois syntagmatiques précises et y occupe la fonction dite « objet »; — *les* : déterminant sans lequel le substantif n'aurait pas d'« assiette ».

Nous avons vu dans un chapitre précédent que les unités du signifiant (phonèmes) se définissaient par leurs oppositions respectives, c'est-à-dire par leurs différences (v. *supra*, p. 37). Il en va de même pour ce qui regarde contenu et fonction. Soit ces deux énoncés :

a) *L'homme tue les loups;*
b) *L'homme les tue.*

Nous y rencontrons deux signes d'expression identique : *les*. Ils s'opposent dans la mesure où ils reçoivent une fonction différente :

- en *a*, *les* a une fonction par rapport au groupe **nominal;**
- en *b*, *les* a une fonction par rapport au groupe **verbal.**

A l'intérieur même de leur cadre fonctionnel, ils s'opposent de nouveau à toutes les unités qui pourraient les remplacer :

- dans l'énoncé *a* : *des, certains, quelques, mes, ..., loups;*
- dans l'énoncé *b* : *en, la, le, ..., tue.*

Dans le premier cas, deux formes identiques s'opposent par leur fonction; dans le second, deux fonctions identiques s'opposent par leur forme; dans les deux cas, l'opposition conduit à une opposition de contenu.

Ce qui nous conduit à deux conclusions :

- La première revient à énoncer l'un des axiomes du structuralisme : « La langue, système de signes, est le produit de sa fonction définie par sa forme (²). » Autrement dit, le contenu d'un message dépend simultanément des formes choisies et des fonctions qui leur sont assignées : nous retrouvons ici les lois syntagmatiques.

- La seconde est que le contenu de chaque forme engagée dans le message ne se définit que par opposition à toutes celles qui pourraient y recevoir la même fonction. Ainsi *les* dans *les loups* n'a de valeur que par rapport à *des, certains, quelques, ces*, etc.; *-e* dans *tue* (marque écrite; [∅] à l'oral) n'a de valeur que par rapport à toutes les formes qui pourraient comme elle modifier le radical verbal (*-ait, -era, -a*, etc.). Nous dirons que *les* entre dans le **paradigme** des déterminants du substantif, que *-e* (ou [∅]) entre dans le **paradigme** des désinences verbales.

---

(1) Nous prenons le *D.L.F.C.* à titre de référence : mammifère carnivore, au pelage gris jaunâtre, etc.
(2) Cité par P. GUIRAUD, la Grammaire, p. 13.

Ce qui nous permet de définir le paradigme comme l'ensemble des termes d'une même classe grammaticale, c'est-à-dire l'ensemble des termes qui dans une structure donnée par les lois syntagmatiques pourront assumer une fonction équivalente. Chaque paradigme résulte de l'équilibre d'un faisceau d'oppositions et forme un sous-système de la langue.

La langue fonctionne donc selon deux axes : l'axe **syntagmatique,** qui régit les accrochages possibles des différents signes linguistiques, et l'axe **paradigmatique,** qui reflète les relations existant entre les signes capables d'assumer une même fonction. Ces deux axes sont virtuels, comme la langue elle-même. Mais le premier est reflété dans le discours par la chaîne parlée; le second est à l'état latent dans la conscience ou l'inconscient linguistique de chaque locuteur.

Le schéma ci-dessous essaie de rendre compte de ce que nous venons d'écrire :

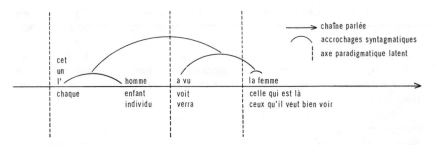

N. B. — Les lexèmes entrent eux aussi dans des systèmes d'opposition; le problème sera étudié dans un autre chapitre; il nous intéresse seulement de signaler ici des équivalences fonctionnelles.

f) Forme et substance

Dans un précédent chapitre (v. p. 38), nous avons nettement distingué les phonèmes des sons du langage. Du son [i], le phonéticien peut décrire l'articulation, la tonalité, la hauteur; il peut définir la fréquence de vibrations à l'aide d'appareils spécifiques; il travaille sur une substance, en l'occurrence sonore.

Tout autre est l'objet du phonologue, à qui il importe avant tout de savoir que [i] est une unité qui s'oppose à d'autres, dans le système phonologique du français, par exemple. Pour lui, [i] existe non comme un donné autonome, mais comme une unité à valeur purement relative, formelle. Il travaille sur une forme.

De la même manière, il est nécessaire de disjoindre l'animal appelé « veau » et le signe linguistique français *veau*. Le premier peut être étudié par le naturaliste, acheté par le boucher : c'est une substance qui fait partie des données immédiates de la réalité. Le second ne fait que référer au premier; il ne le symbolise pas. La preuve en est qu'à côté de notre seul français *veau*, l'anglais possède deux mots : *calf* et *veal;* c'est donc qu'en l'occurrence les deux langues ne « découpent » pas la réalité de la même façon; c'est donc aussi que la valeur d'un lexème n'existe que par opposition à d'autres du système, que cette valeur est particulière à ce même système et donc purement conventionnelle et formelle. On voit ainsi que par son signifiant autant que par son signifié, le signe linguistique reste une forme. Il naît de leur combinaison arbitraire.

Non moins conventionnelles les fonctions; le français oppose un singulier et un pluriel (le nombre est une fonction démarcative); d'autres langues ajoutent un *duel.* La distinction des genres est aussi une convention qui permet à un système linguistique de fonctionner, et non un reflet de la réalité; sinon, nous n'aurions pas le français *le tableau* (masc.) face à l'allemand *die Tafel* (fém.). D'autres conventions peuvent d'ailleurs être adoptées que celle-ci, comme le signale Sapir, et qui ne sont ni plus ni moins logiques que les nôtres :

« Le français attribue une fois pour toutes le genre masculin ou féminin, qu'il s'agisse d'un objet ou d'un être animé; et de même beaucoup d'idiomes américains ou asiatiques emploient une certaine forme de « catégories » (par exemple : rond comme un anneau, rond comme une balle, long et mince, cylindrique, ressemblant à un drap, aggloméré comme du sucre) qui doivent servir à énumérer (par exemple : deux pommes de terre en forme de balles, trois tapis en forme de draps)... ([1]) »

Pour prendre un dernier exemple, au niveau cette fois de la syntaxe, le français dira : *il traversa la rivière à la nage,* face à l'anglais : *he swam across the river* ([2]) : le verbe français est rendu en anglais par la préposition, et le groupe nominal *à la nage* par le verbe *swam;* les deux systèmes linguistiques fonctionnent de manière différente.

L'apport de la linguistique est ici capital; on a longtemps voulu que la langue soit le fidèle décalque du monde et de la pensée, qu'elle réponde à une sorte de logique universelle et qu'il soit du même coup possible de l'enfermer dans certaines catégories logiques (v. p. 82 *sqq.*). En affirmant qu'une langue est un système formel et conventionnel, la linguistique proclame son alogisme. La langue ne connaît de logique que celle de son propre système.

Les grandes leçons de Saussure se retrouvent ici en pleine lumière : « la langue est une forme, non une substance ([3]) »; « dans la langue, il n'y a que des différences ([4]) »; « dans la langue, comme dans tout système sémiologique, ce qui distingue un signe, voilà tout ce qui le constitue ([5]) ». Autrement dit, pour la linguistique descriptive, un signe n'existe pas isolément et ne peut

---

(1) E. SAPIR, **le Langage,** Payot, Paris, 1967, p. 95.
(2) D'après G. MOUNIN, **les Problèmes théoriques de la traduction,** Gallimard, Paris, 1963, p. 55.
(3) **Cours de linguistique générale,** p. 169.
(4) *Ibid.*, p. 166.
(5) *Ibid.*, p. 168.

donc s'étudier comme tel, mais dans ses rapports avec d'autres du même système; c'est par la découverte de ces rapports qu'on parvient à savoir comment une langue donnée *(forme)* rend compte de la réalité *(substance)*.

A la lumière des théories humboltiennes, on a même pu dire que non seulement une langue ne décalque pas la réalité, mais que, pour une communauté linguistique donnée, c'est la réalité qui décalque la langue : « Tout système linguistique renferme une analyse du monde extérieur qui lui est propre et qui diffère de celles d'autres langues ou d'autres étapes de la même langue. Dépositaire de l'expérience accumulée de générations passées, il fournit à la génération future une façon de voir, une interprétation de l'univers; il lui lègue un prisme à travers lequel il devra voir le monde non linguistique [1]. »

G. Mounin, que l'on consultera sur tous ces problèmes, donne à ce sujet un exemple éclairant : « Le « chien » recevra une description sémantique tout à fait différente chez les Eskimos, où il est surtout un animal de trait, chez les Parses, où il est un animal sacré, dans telle société hindoue, où il est réprouvé comme paria, et dans nos sociétés occidentales, dans lesquelles il est surtout un animal domestique, dressé pour la chasse ou pour la vigilance [2]. »

Il y a dans ces diverses recherches, que nous ne faisons que mentionner [3], un apport capital tant pour ce qui regarde le passage d'une langue à une autre (problèmes de traduction) que pour ce qui intéresse l'approche d'une langue donnée. Définir à tous les niveaux (phonologique, sémantique, syntaxique, ...) une langue comme une forme, c'est précisément s'engager à découvrir les rapports formels qui existent au sein de sa structure; c'est le propos de l'analyse linguistique.

Conclusion

Pour communiquer par le langage, l'individu réalise à l'aide de la langue propre à la communauté linguistique à laquelle il appartient des messages oraux ou écrits qui sont autant de faits de discours. L'objet de la linguistique descriptive est de parvenir, à partir de l'observation de faits de discours individuels et concrets, à découvrir le système de la langue utilisée, collective et virtuelle.

Toute langue est un système de signes formés d'un signifiant et d'un signifié, indissolublement unis dans un rapport en soi arbitraire. Le signifiant résulte d'une combinaison de phonèmes à valeur purement différentielle, donc formelle. Le système phonologique d'une langue donnée s'appuie sur une substance sonore (la masse des sons qu'il est possible à l'homme d'articuler) dont l'étude n'est pas l'objet propre de la linguistique descriptive. Le signifié

---

(1) ULLMAN, cité par G. MOUNIN, **les Problèmes théoriques de la traduction**, p. 43.
(2) *Ibid.*, p. 46.
(3) Les faits sont autrement plus complexes : nous ne pouvions ici envisager dans tous ses aspects la dialectique forme/sens, fondamentale dans l'étude du langage et des langues.

n'a, lui aussi, qu'une valeur purement différentielle et formelle par rapport aux autres signifiés du même système. Il réfère à une substance matérielle et intellectuelle (la masse de la réalité du monde extérieur et intérieur à l'homme) dont l'étude n'est pas l'objet propre de la linguistique descriptive.

Les oppositions linguistiques, tant au niveau des phonèmes que du signe dans sa totalité (signifiant et signifié), mettent en évidence l'un des axes de la langue : l'axe paradigmatique.

L'autre est l'axe syntagmatique. L'unité de communication n'est ni le phonème ni le signe isolé, mais la phrase, qui résulte d'une combinaison sur la chaîne parlée des signes nécessaires au message; dans cette combinaison, chaque signe engagé prend une fonction selon les possibilités définies par les lois syntagmatiques de la langue considérée.

Toute langue est un système conventionnel et formel qui ne connaît de logique que la sienne propre.

III. Analyse linguistique et grammaire

A. Les niveaux de l'analyse linguistique

Nous avons jusqu'à présent considéré divers aspects du fonctionnement général des langues, mais laissé de côté l'approche d'une langue particulière et ses problèmes; il est temps d'y venir, en considérant la question suivante : comment, devant des faits de discours donnés (en français par exemple), distinguer les unités qu'ils comprennent? Ce qui revient à s'interroger sur les divers plans de l'analyse linguistique; il est bon auparavant de signaler la démarche de la grammaire « traditionnelle ».

a) Démarche de la grammaire traditionnelle

Cette démarche revient à distinguer les mots (les mots sont isolés dans un texte par des blancs; ils expriment des notions) des désinences, préfixes, suffixes, et à classer ces mots selon les « parties du discours »; la phrase est faite de mots; elle comprend parfois des propositions qu'il convient aussi de classer selon un certain « bon sens ».

Il est trop clair que ladite démarche (schématisée parce que réduite à sa plus simple expression, mais non déformée) n'est pas pertinente; nous voudrions le montrer brièvement en nous référant à un petit texte écrit pour les besoins de la cause :

JEAN. — *Tu as vu la jolie paire de gifles qu'il a reçues!*
PIERRE. — *Oui.*

JEAN. — *Il n'a eu que ce qu'il méritait!*
PIERRE. — *Peut-être. Il y a du pour et du contre; moi non plus je n'aime pas apprendre mes leçons par cœur.*

● **Qu'est-ce qu'un mot?**

Nous renvoyons au chapitre LEXIQUE, nous contentant ici de soulever quelques difficultés :

— *de* est-il un mot au même titre que *gifles?*
— combien y a-t-il de mots dans *par cœur?* dans *avec plaisir?* (on dira *avec un grand plaisir* mais non *par pur cœur* ou *par grand cœur*)?
— quels sont les mots dans *il n'a eu que ce que?*

● **Parties du discours**

1. « Les mots du français peuvent être rangés en neuf parties du discours, qui sont : le nom, l'article, l'adjectif, le pronom, le verbe, l'adverbe, la préposition, la conjonction et l'interjection (1) » :

— *tu* est-il un pronom au même titre que *il?* Autrement dit, peut-il jamais remplacer un nom?
— où rangera-t-on *il y a?*
— *jolie* a-t-il rien à voir avec *mes* pour qu'on les range dans la même « partie »?

2. « Le nom sert à désigner, à « nommer » les êtres et les choses (1) » :

— que dire de *le pour et le contre?*

3. « Le verbe exprime, en général, une action ou un état » :

— « en général » est trop peu dire... Et *avoir* dans notre texte? Et *s'évanouir? mourir?*
— *devenir* est, dit-on un verbe d'état; ainsi dans *devenir rouge;* mais *rougir*, lui, est un verbe d'action...

● **La phrase**

« La phrase est un assemblage logiquement et grammaticalement organisé en vue d'exprimer un sens complet (2) » :

— quel rapport précis établit-on entre le mot et la phrase?
— dans notre texte, *oui* et *peut-être* ne seraient donc pas des phrases?
— que veut dire *logiquement?* Cette logique veut-elle que, dans la deuxième réplique de Jean, on distingue une principale *(Il n'a eu que ce)* et une relative *(qu'il méritait)*, en dépit du plus simple bon sens?

Nous pourrions poursuivre longtemps : nous sommes dans une impasse; la démarche est notamment en totale contradiction avec les deux principes fondamentaux que nous avons signalés : le principe de système et le principe d'indépendance.

---

(1) M. GREVISSE, *le Bon Usage*, Duculot, Gembloux, p. 71.
(2) *Ibid.*, p. 24.

b) Démarche de la linguistique

1. Phonème, morphème, lexème

Dans le texte que nous avons examiné pour exemple, deux types d'unités se dégagent très clairement : la **phrase,** définie par des critères prosodiques (v. Deuxième Partie; la phrase se reconnaît à sa mélodie et à son isolement par deux pauses), et le **phonème** (ce texte n'est que la graphie d'un message oral, v. p. 10), c'est-à-dire l'unité supérieure de la langue (la phrase, encore appelée « grand signe ») et l'unité inférieure (le phonème).

Il est donc clair qu'il ne peut y avoir par rapport à la phrase que des unités constituantes (la phrase est le plus grand signe possible de la langue) et par rapport au phonème que des unités constituées (le phonème est le plus petit signe de la langue); ce sont précisément ces unités intermédiaires qu'il reste à découvrir.

Considérons le groupe *mes leçons* [melsɔ̃].

● Il a une certaine indépendance dans la mesure où à lui tout seul il pourrait faire une phrase. *(« Qu'apprends-tu ? — Mes leçons. »)*

● Il nous est possible d'y procéder à des échanges paradigmatiques :

mes, ma, ta, la, une, des, ..., leçon(s).

Nous rencontrons donc dans ce groupe deux autres unités : *mes* et *leçons* (nous ne tiendrons pas compte de l's qui est une marque purement graphique), unités qui diffèrent sensiblement :

● Que nous écrivions : *mes, des, certaines... leçons,* le signifié du groupe ne change pas radicalement; au contraire de : *mes leçons, chaussures, cousins...*

● Par ailleurs, si nous poursuivons systématiquement nos échanges para-digmatiques au niveau de *mes,* nous serons vite au bout des possibilités de la langue; en le faisant au niveau de *leçons,* il nous faudrait des heures et des journées pour épuiser les possibilités du français.

● Enfin, la langue se crée constamment des unités du type *leçons* (cf. par exemple, *cosmonaute, gauchiste, gaullisme,* etc.); au contraire, les unités du type *mes* sont relativement stables.

Nous avons ainsi distingué deux unités intermédiaires :

— **le morphème** (*mes*) : unité enfermée dans un paradigme clos et limité, unité de relation, outil grammatical au signifié restreint;

— **le lexème** : unité au signifié « plein », appartenant à des séries illimitées (le nombre de ces unités est très grand) et ouvertes (possibilité de renou-vellement par perte de certains lexèmes et créations de certains autres) [1].

Tout message est formé de groupes à l'intérieur desquels un lexème se combine généralement avec un ou plusieurs morphèmes (nous aurions pu

---

(1) V. encore chap. Lexique.

montrer que dans *mes leçons* il n'y avait pas un, mais deux morphèmes : celui de la référence personnelle — *mes* par opposition à *tes, les,* etc. — et celui du pluriel — *mes* par opposition à *mon, ma,* etc.).

Qu'il s'agisse d'un lexème ou d'un morphème, nous sommes toujours en présence de signes à double face : signifié et signifiant. Mais si nous tentons de segmenter encore soit le morphème *mes,* soit le lexème *leçons,* pour obtenir de [me] : [m]+[e] et de [lsɔ̃] : [l]+[s]+[ɔ̃], nous opérons un saut **qualitatif :** [l] et [m], par exemple, sont des phonèmes, c'est-à-dire des unités sans signifié.

A ce stade de notre analyse, nous pouvons écrire que :

● la langue présente deux *articulations* (¹) distinctes : la première comprend des signes à part entière (signifiant + signifié); on les appelle des **monèmes** (²) et on y distingue les **lexèmes** et les **morphèmes;** la seconde comprend les unités constitutives du signifiant : les **phonèmes;**

● les phonèmes se combinent pour aboutir à des unités de première articulation; plus exactement, les unités de première articulation (monèmes) **sont,** au niveau du signifiant, une combinaison de phonèmes : *matin* [matɛ̃], *les* [le] me sont donnés comme tels; ils ne sont pas le résultat d'une combinaison que j'aurais pu opérer personnellement, même à partir de règles imposées par la langue. La démarche phonologique est analytique et ne permet pas, sauf exceptions très rares, de synthèse.

On aperçoit ainsi que le passage des unités de première articulation à celles de la seconde exige un saut qualitatif.

Nous savons maintenant que lexèmes et morphèmes sont constitués de phonèmes et qu'ils entrent en combinaison à l'intérieur de la phrase; mais nous ignorons s'ils en sont les **constituants immédiats,** c'est-à-dire ses plus grandes unités possibles. Rechercher les constituants immédiats, c'est mettre en évidence les unités immédiatement inférieures au grand signe qu'est la phrase, comme les phonèmes sont les unités immédiatement inférieures au monème (avec cette différence, nous l'avons signalé, que pour passer du phonème au monème, il y a un saut qualitatif à opérer : ce sont des unités de deux ordres différents).

2. Constituants immédiats de la phrase. Les syntagmes

La question est exactement celle-ci : dans une phrase comme

Je n'aime pas apprendre mes leçons par cœur,

quelles sont les unités qu'il est possible d'identifier comme constituantes de sa structure? Le groupe *mes leçons* en fait-il partie?

---

(1) Cf. A. Martinet, **Éléments de linguistique générale,** § 1-8.
(2) Nous suivons ici la terminologie d'A. Martinet; au lieu de *monème,* on emploie parfois aussi le mot *segment;* v. J. Dubois, **Grammaire structurale du français : nom et pronom,** Introduction.

Par un jeu de substitutions sur l'axe paradigmatique, nous pouvons écrire :

x	y	z
Pierre Il Lui qui n'a guère de mémoire ⟶	n'aime pas	. . . .
Je ⟶	n'arrive pas ne veux pas n'arrive pas à	. . . .
Je ⟶	n'aime pas	apprendre mes leçons par cœur apprendre mes leçons apprendre la bière les enfants qui pleurent ça

Nous dirons que la structure étudiée comporte trois **constituants immédiats** ou trois **syntagmes principaux** ([1]). A l'évidence, *mes leçons* n'en fait pas partie : il est constituant du syntagme *apprendre mes leçons par cœur* mais non constituant de la phrase en question.

Les syntagmes *x*, *y*, *z* se répartissent en un syntagme verbal SV (*y*) et deux syntagmes nominaux SN (*x, z*).

Considérons l'ensemble des SN du groupe *z*. Il apparaît que le syntagme peut comprendre un grand nombre de segments ou se restreindre à un seul :

— un segment (morphème) : *ça ;*

— deux segments (lexème + morphème) : *apprendre, la bière ;*

— plusieurs segments (lexèmes + morphèmes) : *apprendre mes leçons par cœur.*

Nous dirons qu'un syntagme a une **expansion** plus ou moins importante. Il peut lui-même se segmenter en d'autres syntagmes; ainsi, *apprendre mes leçons par cœur* est formé de syntagmes secondaires : *apprendre/mes leçons/par cœur.*

Considérons encore le deuxième SN de la phrase suivante :

J'aime la robe de laine de mon amie de Paris.

Il est le résultat d'une combinaison complexe :

la robe de laine   la robe de mon amie
la robe de laine de mon amie
la robe de laine de mon amie   mon amie de Paris
la robe de laine de mon amie de Paris.

---

(1) On appelle *syntagme* une combinaison de monèmes ordonnés autour d'un nom (syntagme nominal) ou d'un verbe (syntagme verbal). Comme on l'aperçoit ici tout constituant immédiat d'une phrase *est* un syntagme; mais la réciproque n'est pas toujours vraie.

Conclusion

La langue dispose

— d'une série fermée de phonèmes;
— d'une série fermée de morphèmes;
— d'une série ouverte de lexèmes. (Non qu'il soit laissé à chacun le loisir d'inventer ses propres lexèmes; mais leur nombre est si grand que nul ne peut prétendre les connaître tous; par ailleurs, diachroniquement cette fois, la série des lexèmes peut évoluer dans des proportions beaucoup plus considérables que les deux autres.)

Ces trois séries sont constituées d'unités ordonnées dans des paradigmes propres. Pour les raisons que nous avons déjà signalées, nous distinguerons la première des deux dernières, qui constituent un stock disponible à tout locuteur parlant le français.

Des règles de combinaison syntagmatique permettent de puiser dans ce stock pour former, au niveau cette fois du discours, des phrases.

En partant de l'unité fondamentale de la communication linguistique, la phrase, nous pouvons écrire maintenant :

phrase = combinaison de syntagmes (ou constituants immédiats);
syntagme = combinaison lexème(s) + morphème(s);
lexème = fait partie de la série des lexèmes;
morphème = fait partie de la série des morphèmes.

REMARQUE. — Comme nous l'avons déjà signalé, ce schéma reste théorique; un syntagme peut lui-même comprendre d'autres syntagmes; inversement, un morphème comme *où* peut, le cas échéant, être à lui seul un syntagme, comme dans cette phrase : « où *vas-tu?* », voire une phrase, comme dans cet exemple : « *J'ai vu un merle. — Où?* »

Une phrase du type *le café fume* aura donc une analyse du type (la flèche signifie : « peut se récrire ») :

$$P \rightarrow SN+SV$$
$$SN \rightarrow D+N$$
$$SV \rightarrow V+TPS$$
$$V \rightarrow fum(-er)$$
$$TPS \rightarrow présent$$
$$D \rightarrow le$$
$$N \rightarrow café$$

SN = syntagme nominal; SV = syntagme verbal; D = déterminant; V = verbe; TPS = temps.

où nous distinguons des règles de combinaison (signalées par le signe +) et des unités appartenant au stock des lexèmes *(café, fum–)* et des morphèmes *(le, e).*

Il nous est maintenant possible d'essayer de circonscrire le champ propre de la grammaire.

B. Le domaine de la grammaire

a) Un problème apparemment simple

Nous avons, au cours d'un précédent chapitre, circonscrit les domaines de la phonétique et de la phonologie; le suivant le fera pour ceux de la lexicologie et de la sémantique. Nous pourrions donc dire que la grammaire étudie ce qui n'appartient ni aux uns ni aux autres : en l'occurrence, la série des morphèmes d'une part, des règles de combinaison syntagmatique d'autre part.

La tradition distingue effectivement, à l'intérieur des disciplines grammaticales, **morphologie** et **syntaxe**.

● A la *morphologie* revient l'étude des morphèmes; nous donnons pour exemple cette liste proposée par M. Gougenheim ([1]) :

« Nous considérons comme morphèmes en français :

« 1. L'ordre des mots (par exemple dans *Pierre voit Paul*, Pierre est le sujet, Paul est l'objet de l'action de voir; on a l'inverse dans *Paul voit Pierre*);

« 2. La flexion nominale (par exemple : *cheval-chevaux; bon-bonne*);

« 3. Les déterminatifs (par exemple : *le, mon, cet*);

« 4. Les pronoms (par exemple : *celui-ci*);

« 5. La flexion verbale (par exemple : *je chant-erai*);

« 6. Les verbes auxiliaires (par exemple : *j'ai chanté, je suis allé, je vais lire*);

« 7. Les morphèmes de degré d'intensité et de comparaison (par exemple : *plus, très*);

« 8. Les morphèmes négatifs (par exemple : *non, ne, pas*);

« 9. Les morphèmes interrogatifs (par exemple : *est-ce que*);

« 10. Les prépositions (par exemple : *à, de, sur, sous*);

« 11. Les conjonctions (par exemple : *et, que, quand*). »

● A la *syntaxe* (*étym.* : disposer ensemble) revient l'étude des règles combinatoires.

b) Un problème en fait complexe

Il faut bien s'y faire : rien n'est simple dès qu'on aborde les problèmes du langage, même par le biais de la grammaire dont le statut passe habituellement pour bien établi.

---

(1) M. GOUGENHEIM, **Système grammatical de la langue française**, D'Artrey, Paris, 1939, p. 47.

● La distinction de la morphologie et de la syntaxe est de plus en plus contestée. (Pour n'en prendre qu'un exemple, l'ordre des mots, que M. Gougenheim classe dans le tableau que nous venons de reproduire parmi les morphèmes, parce qu'effectivement il appartient au domaine des formes, ressortit au moins autant à la syntaxe telle que nous l'avons jusqu'alors définie : il fait partie des règles de combinaison syntagmatique.) « Le problème des rapports entre la morphologie et la syntaxe a été abondamment discuté au VIe Congrès international des linguistes à Paris, en 1948, sans qu'une solution se dégage du débat (1). » Il y a donc vingt ans de cela ; mais le problème reste toujours pendant.

● La morphologie appartient non seulement au domaine de la grammaire, mais encore à celui de la lexicologie : nous avons vu en effet qu'un « mot » résultait en général de la combinaison d'un lexème et d'un ou plusieurs morphèmes.

● Les relations entre la syntaxe et la sémantique paraissent aux linguistes de plus en plus évidentes. Il suffit de se reporter à l'étude que J. Dubois (2) fait du passif pour être convaincu du bien-fondé de leur démarche : en l'occurrence, les traits sémantiques animé/inanimé régissent certaines des règles de la transformation passive en français (3).

Ces intersections des différents ensembles de la linguistique n'ont rien de surprenant ; la langue a son unité : c'est par nécessité méthodologique que les chercheurs ont été amenés à circonscrire des champs d'étude distincts. Les résultats acquis permettent maintenant des tentatives plus ambitieuses, comme celle des grammaires génératives (v. *infra*, p. 122), dont la définition de la grammaire inclut « tout ce qui concerne l'étude formelle des phrases — phonologie, morphologie, syntaxe — et même, dans les travaux les plus récents [...] l'étude sémantique (4) ».

c) Pour une solution provisoire

« Le mot *grammaire* utilisé seul recouvre trois réalités qu'il importe de bien distinguer.

« 1o **Une structure** linguistique : l'ensemble des formes et des procédés utilisés par une langue pour exprimer une signification. Dans ce sens, toutes les langues possèdent une grammaire, une organisation interne, une structure immanente, même si elles n'ont jamais été décrites. Remarquons que, dans ce

(1) J. PERROT, **la Linguistique**, p. 121.
(2) **Grammaire structurale du français : le verbe.**
(3) On pourra se reporter sur le même sujet à :
— J. DUBOIS et L. IRIGARAY, **Approche expérimentale des problèmes intéressant la production de la phrase noyau et de ses constituants immédiats,** dans *Langages*, no 3, septembre 1966.
— N. RUWET, **Introduction à la grammaire générative,** *passim ;* particulièrement p. 59-60.
— Chap. LEXIQUE de ce manuel.
(4) N. RUWET, *op. cit.*, p. 366.

sens, la grammaire d'une langue n'est ni « bonne » ni « mauvaise », ni « logique » ni « illogique »; elle existe tout simplement.

« 2° **Une description** : la grammaire prise dans ce sens s'efforce d'analyser, de décrire la structure d'une langue donnée (et beaucoup de langues n'ont pas encore été décrites). Cette description peut être « bonne » ou « mauvaise » selon la qualité du travail accompli par le descripteur, et l'on peut dire qu'un grand nombre de grammaires (sens 2) en usage aujourd'hui sont inadéquates, parce qu'incomplètes ou entachées de préjugés. Remarquons que ces grammaires peuvent décrire des états de langue considérés comme non standards : grammaires de patois, parlers locaux, dialectes, ou même proposer un classement fonctionnel des erreurs contre la norme (v., par exemple, le livre de H. Frei, *la Grammaire des fautes*, Geuthner, Paris, 1929).

« 3° **Un ensemble de règles prescriptives** : la grammaire, prise dans ce sens, définit un état de langue considéré comme correct en vertu d'une norme établie par les théoriciens ou acceptée par l'usage, c'est-à-dire le code linguistique accepté socialement comme étant le bon. C'est en ce sens qu'on parle de règles et de fautes de grammaire. [...]

« Les éléments de grammaire que nous présentons ont pour but de décrire (sens 2) les structures (sens 1) du français parlé; cette description, étant basée sur le français standard, fournit un ensemble de règles (sens 3) qu'il faut appliquer pour parler correctement (¹). »

Nous citons longuement; mais nous n'avons guère à ajouter ou à retrancher aux propos d'A. Rigault : autant donc lui laisser la parole. Nous signalerons simplement que ce qu'il écrit du français parlé vaut aussi bien pour le français écrit et que, par souci de clarté pour le praticien, nous continuerons pour notre part à disjoindre la grammaire de la phonologie et de la lexicologie.

La grammaire ainsi entendue revient à une **morpho-syntaxe** comprenant une approche paradigmatique des morphèmes et une approche syntagmatique des règles de combinaison définies *supra;* les deux approches restant évidemment complémentaires.

Considérons, par exemple, la construction des verbes *penser à quelqu'un, obéir à quelqu'un.*

Au niveau syntaxique, nous mettrons en évidence les séquences :

je lui obéis, je leur obéis
je pense à lui, je pense à eux.

Nous obtenons simultanément, au niveau cette fois de la morphologie, deux couples de morphèmes différents :

lui / leur — lui / eux.

C'est en ce sens que nous pouvons parler d'une étude morpho-syntaxique.

_____

(1) A. Rigault, « Introduction » au n° 57 (« la Grammaire du français parlé ») de la revue *Le français dans le monde*, juin 1968, p. 6.

116

Conclusion

En posant grossièrement qu'une langue donnée (le français par exemple) revient à un « dictionnaire » et à un ensemble de règles qui disent comment se servir des informations données par le dictionnaire, la grammaire se définira comme la science se proposant de découvrir ces règles qui permettent d'énoncer toutes les phrases grammaticales du français.

Comme le signale T. Todorov [1], « il faut, pour connaître une langue naturelle, connaître ces règles, mais il n'est pas nécessaire de connaître plus qu'une petite partie de son vocabulaire ». C'est dire la place fondamentale qui revient à la grammaire dans l'apprentissage d'une langue naturelle et combien il y a lieu de s'inquiéter de la façon dont on l'enseignera.

Avant d'aborder ce domaine pédagogique, nous voudrions faire place à quelques aperçus sur deux méthodes qui ont permis à la grammaire de progresser de façon spectaculaire : la méthode distributionnelle d'une part, la méthode des grammaires génératives et transformationnelles d'autre part.

C. La méthode distributionnelle

a) Principes méthodologiques

Nous avons longuement justifié notre critique d'une grammaire fondée uniquement ou presque sur des critères mentalistes (voir p. 82 *sqq.*). Constatant l'impasse où conduit une telle démarche, toute une école linguistique américaine, reprenant l'enseignement de Bloomfield et de la psychologie behaviouriste, a tenté de construire une méthode qui permettrait de découvrir la structure d'une langue en s'interdisant tout recours au sens. Zellig S. Harris (**Methods in Structural Linguistics,** Chicago, 1951) fondait ainsi la linguistique distributionnelle.

On aura un aperçu suffisamment clair de la méthode en consultant :

— G. Mounin, **Problèmes théoriques de la traduction** (not. pp. 30-35);
— J. Dubois, **Grammaire structurale du français** *: nom et pronom,* Introduction;
— J. Dubois, **Grammaire distributionnelle,** dans *Langue française,* n° 1, février 1969;
— N. Ruwet, **Introduction à la grammaire générative,** *passim.*

C'est à ces auteurs que nous empruntons principalement les sommaires indications qui suivent.

• Il s'agit d'abord, pour une langue donnée, de définir un corpus [2] achevé, « formé de l'ensemble des énoncés qui ont servi à la communication

---

(1) T. Todorov, « Recherches sémantiques », dans *Langages,* n° 1, mars 1966.
(2) *Corpus :* ensemble des énoncés sur lequel se base une étude linguistique.

entre des locuteurs appartenant à un même groupe linguistique (¹) ». Ce corpus représente la base de travail du linguiste qui, renonçant à fonder ses analyses sur le contenu informationnel des énoncés, se trouve devant lui comme « un décrypteur en face d'un cryptogramme (²) » (situation théorique approchée par certains linguistes américains aux prises avec des langues amérindiennes non encore déchiffrées).

• Le corpus rassemble des énoncés qui, pour une population donnée appartenant à une même communauté linguistique, répondent à la grammaire de leur langue; ces « témoins » permettront d'écarter des phrases ressenties comme agrammaticales, comme appartenant à une langue « anormale » (littéraire par exemple) ou archaïque. Il répond donc à ces trois conditions : achevé, homogène, synchronique.

• L'objet d'étude étant restreint à ce corpus, toute référence au « sujet parlant » est bannie; la linguistique distributionnelle est une linguistique de la **langue,** non de la parole : en quoi elle répond aux thèses saussuriennes.

• Il s'agit, à partir du corpus formé d'énoncés **codés,** de découvrir la structure du code qu'ils utilisent, étant supposé :

— qu'elle repose sur un ensemble d'éléments distribués dans des classes hiérarchiquement rangées : phonèmes, monèmes, syntagmes, phrase;

— qu'à partir de la combinaison de deux ou plus de deux éléments de même rang, on obtient une unité de rang supérieur :

le (monème) + *sac* (monème) → *le sac* (syntagme)

le sac (SN) + *est vide* (SV) → *le sac est vide* (phrase).

On tentera donc, par approches successives, de mettre en évidence les divers éléments de la langue étudiée à partir de leurs commutations et combinaisons possibles sur la chaîne parlée; on parviendrait, par exemple, à isoler en français le morphème *–ment* par comparaison de *bonne–ment, calme–ment, religieuse–ment, forte–ment,* et à en déduire que *bonne, calme, religieuse, forte,* appartiennent à une même classe; on peut isoler de la même façon le morphème *re–* à partir de *re–luire, re–loger, re–louer, re–lire.*

Par opérations successives et complémentaires, on pourrait espérer parvenir à mettre en évidence la structure de la langue étudiée à partir du corpus.

• On consultera, par exemple, l'ouvrage de G. Mounin pour une critique des bases théoriques de la méthode. Disons simplement qu'il est *pratiquement* impossible de faire totalement abstraction du sens, ce qu'il est facile de montrer à partir de notre dernier exemple; c'est, en effet, parce que nous avons une connaissance implicite du français que nous avons isolé « re– »; sinon, nous aurions aussi bien pu analyser : *rel–uire, rel–oger, rel–ouer, rel–ire.*

Z. S. Harris a lui-même atténué certaines de ses affirmations théoriques. Non qu'il faille revenir à une grammaire mentaliste; le sens d'un énoncé sera

(1) J. Dubois, *op. cit.,* p. 6; s'y reporter.
(2) G. Mounin, *op. cit.,* p. 31.

seulement pris comme invariant, c'est-à-dire comme point de repère, comme l'écrit très clairement J. Dubois : « Le sens ne servira qu'à identifier les énoncés successifs; un énoncé est ou n'est pas identique à un autre sur le plan sémantique, alors qu'on a changé seulement un élément; le sens vérifie l'identité ou la non-identité des énoncés, et rien de plus; il est là à titre de technique. Jamais il ne sera interprété, analysé; encore moins sera-t-il pris comme mesure; on constate la modification du sens sans se servir de la valeur sémantique ([1]). »

b) Exemples

« L'hypothèse est que les segments ([2]) ne sont pas indépendants et qu'il existe des contraintes séquentielles. On pose en principe des régularités analysables : il y aura toujours une place où seul tel segment sera possible, à l'exclusion de tous les autres. Deux segments *a* et *b* ne sont dits identiques que si leurs environnements sont semblables. L'analyse distributionnelle se réduit donc à une étude des agencements de la chaîne parlée; la définition d'un segment se fait par les différences de position avec les autres segments ([1]). »

1. Exemple 1 ([3])

« Voici un exemple — extrêmement simplifié et résumé — de l'application de la méthode à un fragment de slogan publicitaire (extrait de *Paris-Match*, 21 août 1965). Le texte est le suivant :

« *Astra* [...] *s'incorpore mieux à la farine : votre pâte se travaille plus facilement. Elle croustille sans dessécher. [Quand elle sort du four,] elle est magnifiquement dorée : Astra supporte très bien les cuissons prolongées.* »

Les séquences *s'incorpore mieux à la farine* et *supporte très bien les cuissons prolongées* sont équivalentes : elles ont un environnement identique qui est *Astra*. De même, *croustille sans dessécher* et *est magnifiquement dorée* ont un même environnement : *elle*. *Facile–* et *magnifique–* sont équivalents (même environnement *–ment*); *Astra* et *votre pâte* sont équivalents (même environnement *se*); d'où *votre pâte* et *elle* sont équivalents, etc. Des renseignements empruntés à la grammaire (par exemple *mieux, plus facilement, magnifiquement* et, dans une certaine mesure, *sans dessécher* sont tous des constituants du même type, des adverbiaux) sont également utilisés. On aboutit à dresser la table suivante, où tous les éléments sont groupés en trois classes d'équivalences principales :

A	B	C
Astra	*s'incorpore ... à la farine*	*mieux*
votre pâte	*se travaille*	*plus facilement*
elle	*croustille*	*sans dessécher*
elle	*est ... dorée*	*magnifiquement*
Astra	*supporte ... les cuissons prolongées*	*très bien*

---

(1) J. Dubois, **Grammaire structurale du français : nom et pronom**, p. 7.
(2) Un segment est un morphème **ou** un lexème.
(3) Exemple tiré de N. Ruwet, **Introduction à la grammaire générative**, p. 235.

2. Exemple 2

Se reporter à l'analyse que donne J. Dubois des différentes distributions de *cher* (aimé) et *cher* (coûteux) dans la **Grammaire structurale du français : nom et pronom**, p. 14.

3. Exemple 3

A partir d'une analyse distributionnelle, il est possible de définir certains contextes où se rencontre habituellement l'adjectif qualificatif. Soit les contextes suivants :

(D = déterminant; N = nom; Pr = Pronom; N. Pr. = nom propre)

a) D . . . . N
b) D N . . . .
c) *C'est* . . . .
d) . . . . *–ment*
e) D N (ou Pr ou N.Pr.) *être* . . . .

et les quatre adjectifs *bête, rouge, gros, grand*, à y inscrire; nous obtenons les suites :

bête

    a) * *un bête homme*
    b)   *un homme bête*
    c)   *c'est bête*
    d)   *bêtement*
    e)   *Jean est bête*

rouge

    a) * *un rouge chapeau*
    b)   *un chapeau rouge*
    c)   *c'est rouge*
    d) * *rougement*
    e)   *ce chapeau est rouge*

gros

    a)   *un gros rhume*
    b) * *un rhume gros* | mais *un homme gros*
    c)   *c'est gros*
    d) * *grossement*
    e)   *cet homme est gros*

grand

    a)   *un grand homme*
    b)   *un homme grand*
    c)   *c'est grand*
    d)   *grandement*
    e)   *il est grand*

(* note une séquence inacceptable en français standard).

Il est alors possible de différencier le substantif et l'adjectif d'une part, d'obtenir des critères de classement des adjectifs d'autre part :

● La distinction adjectif/nom n'est pas si facile, puisque la plupart des adjectifs peuvent être substantivés. Mais, contrairement au substantif,

— l'adjectif est un élément facultatif dans le groupe nominal;

— l'adjectif peut parfois entrer en combinaison avec le morphème *–ment ;* quand il ne le peut pas, il commute dans le même contexte avec d'autres qui le peuvent;

— l'adjectif entre sous sa forme de base (seul) derrière le présentatif *c'est ;* au contraire du substantif qui doit alors avoir un déterminant [1];

● Pour classer les adjectifs, on tiendra compte des suites non grammaticales obtenues; ainsi certains entrent en composition avec *–ment*, d'autres non (l'opposition de la séquence possible *verte–ment* et de cette autre, impossible, *rouge–ment* pourra par exemple conduire à une interprétation sémantique du phénomène). Certains sont toujours postposés au nom; d'autres toujours antéposés dans certains contextes *(un gros rhume)*, antéposés ou postposés dans d'autres contextes *(un homme gros/un gros homme);* cette fois encore la description conduit à une analyse sémantique (mais n'en part pas...) : nuance de sens de ces adjectifs selon leur place dans le groupe nominal.

c) Fécondité de la méthode

Ce dernier exemple montre l'avantage incontestable de la démarche sur celle de la grammaire traditionnelle. En affirmant que l'adjectif exprime une qualité, non seulement on reste dans l'ambiguïté (*la patience* exprime autant la qualité que *patient*), mais on demeure au niveau d'une paraphrase stérile. Notre étude, au contraire (limitée volontairement : nous proposons un exemple, et non un cours sur l'adjectif...), part du statut proprement **linguistique** de l'adjectif, et permet, du même coup, au praticien de bâtir les exercices d'apprentissage de la langue qui lui paraîtront utiles pour ses élèves.

Sans doute la méthode distributionnelle reste-t-elle limitée dans ses possibilités d'investigation; on se rendra néanmoins compte de sa fécondité au niveau de certaines microstructures de la langue en lisant le tome I de la **Grammaire structurale du français** de J. Dubois (v. notamment l'étude des pronoms). Disons grossièrement que la démarche est surtout rentable pour mettre en évidence les morphèmes et leurs propriétés, moins pour la syntaxe proprement dite.

---

(1) Nous aurions pu par ailleurs signaler que si la distribution *e)* ne permet pas la distinction du nom et de l'adjectif (on obtient aussi bien *il est généreux* que *il est roi, il est le roi...*), il suffit de lui ajouter le segment *très* pour obtenir un critère plus efficace. En phrase neutre, des énoncés tels que : *il est très roi, il est très docteur...* sont exclus; au contraire de : *il est très intelligent/surprenant/efficace...*

Il est d'ailleurs significatif que J. Dubois ait, dans les deux tomes suivants, choisi une autre démarche, celle des grammaires génératives ou transformationnelles. Qu'elle soit autre ne signifie pas qu'elle nie ou ignore la linguistique distributionnelle : sans elle, elle ne pourrait exister; grâce à elle, elle a pu franchir un nouveau palier dans cette lente ascension de la linguistique vers une meilleure connaissance du fonctionnement des langues et du langage.

D. Les grammaires génératives et transformationnelles (¹)

A l'école de Saussure (²), des générations de linguistes se sont succédé pour mettre en pratique les principes du maître genevois, en même temps qu'ils apportaient à une science nouvelle leurs propres ferments. Des perspectives toutes neuves sur la structure des langues ont été dégagées, les résultats les plus sûrs étant acquis au niveau de la phonologie et de la morphologie. La syntaxe présentait plus de difficultés que la problématique du *Cours de linguistique générale* ne permettait guère de résoudre, axant davantage la réflexion sur les notions d'opposition et de valeur des diverses unités de la langue que sur les lois de combinaison de ces unités dans les réalisations du discours.

Il s'agissait de toutes les manières pour le linguiste de travailler sur un corpus achevé, étudié aux fins d'analyse selon des procédures déterminées; là où la tradition aboutissait à des classifications hasardeuses et désordonnées, la linguistique conduisait à un classement beaucoup plus rigoureux et conséquent; autres méthodes, autres résultats — et combien plus riches.

Mais, au départ, l'ambition des deux générations de grammairiens — disons grossièrement ceux de la tradition et les structuralistes — est la même : il s'agit de classer des faits de langue, c'est-à-dire d'une taxinomie.

---

(1) Nous touchons là aux développements les plus récents des recherches en linguistique, et par ailleurs à un domaine où les rapports entre la linguistique et certaines théories logiques et mathématiques sont très étroits. C'est dire notre hésitation à aborder la question en quelques pages et dans un manuel qui s'adresse à des non-spécialistes. Il nous a semblé néanmoins indispensable de le faire, au risque, à force de concision, de sombrer dans l'indigence. On se reportera pour une information plus large essentiellement à :

— La revue *Langages*, n° 4, décembre 1966;

— N. RUWET, **Introduction à la grammaire générative**, Plon, Paris, 1968.

— J. DUBOIS, **Grammaire structurale du français, II Le verbe, III La phrase et ses transformations**, Larousse, Paris, 1967, 1969.

— M. GROSS, **Grammaire transformationnelle du français**, Larousse, Paris, 1968.

— La revue *Psychologie française*, numéro spécial consacré à « Grammaire générative et psycholinguistique », colloque du 2 mars 1968, tome 13, juin 1968.

(2) Nous avons conscience de simplifier abusivement en laissant entendre que l'histoire de la linguistique contemporaine se réduirait à un triptyque Saussure-Harris-Chomsky, et en passant sous silence les travaux de savants comme R. Jakobson. Mais la nature même de l'ouvrage nous l'impose. Pour plus de précisions, voir les indications proposées dans notre BIBLIOGRAPHIE.

C'est à ce niveau que va faire porter sa critique un linguiste américain du M.I.T. [1], Noam Chomsky, dont le premier ouvrage important paraît en 1957 : *Syntactic Structures* [2]. Il ne s'agissait pour lui ni pour ses collaborateurs de jeter par-dessus bord l'acquis des prédécesseurs ou contemporains, mais d'en montrer les limites et d'établir une théorie qui, se les appropriant, les dépassât :

● en rappelant que la langue ne saurait se disjoindre de la parole et qu'il est urgent de s'interroger sur le processus même de l'énonciation linguistique (ce qui revient à renverser la démarche habituelle pour réintroduire le phénomène individuel du langage à sa juste place; à une linguistique statique succède une linguistique plus dynamique);

● en fondant, comme corollaire, essentiellement la grammaire sur la syntaxe et en montrant qu'une nouvelle hypothèse — celle de la transformation — doit être posée, si l'on veut éviter les pièges de la linéarité [3].

a) Une conception nouvelle du langage

1. Compétence et performance

La problématique de Chomsky est très clairement définie par N. Ruwet [4] en ces termes : « Tout sujet adulte parlant une langue donnée est à tout moment capable d'émettre spontanément ou de percevoir et de comprendre un nombre indéfini de phrases que, pour la plupart, il n'a jamais prononcées ni entendues auparavant. »

La **compétence** linguistique d'un sujet se définira comme l'ensemble des aptitudes spécialisées qu'il a acquises dans sa plus jeune enfance et qui lui permettent, au niveau de la **performance**, d'énoncer et de comprendre un ensemble infini de phrases de sa langue maternelle.

Trois tâches se présentent ainsi au linguiste :

● Découvrir la nature exacte de cette compétence linguistique et tenter d'en donner un modèle [5];

● Savoir comment les sujets parlants utilisent ces aptitudes, c'est-à-dire construire un autre modèle : celui de leur performance;

● Faire la lumière sur l'acquisition de ces aptitudes, ce qui revient à poser une théorie de l'apprentissage du langage.

« En d'autres termes, une théorie linguistique tente d'expliquer la faculté d'un sujet parlant d'émettre et d'interpréter des phrases nouvelles et de rejeter

---

(1) Massachusetts Institute of Technology.
(2) Traduit en français sous le titre **Structures syntaxiques,** Seuil, 1969.
(3) V. *infra,* p. 126.
(4) *Langages,* n° 4, décembre 1966, Introduction.
(5) *Modèle :* représentation symbolique d'un processus dont on essaie de rendre compte.

d'autres nouvelles séquences comme non grammaticales sur la base d'une expérience linguistique limitée ([1]). »

Pour l'heure, les théoriciens de l'école centrent tous leurs efforts sur la construction de modèles de la compétence. On est assez loin, on le voit, d'une taxinomie bâtie sur les données d'un corpus clos. Le langage est saisi dans son dynamisme. Il s'agit de rendre explicite le système mental de règles intériorisé par tout locuteur et sous-jacent à tous ses actes de parole concrets.

Ce modèle s'appelle grammaire **générative,** c'est-à-dire, au sens mathématique du terme, **explicite,** par opposition à la grammaire **implicite** que chaque individu possède de sa propre langue. Elle devra consister en un ensemble fini de règles capables de générer ([2]) — c'est-à-dire d'énumérer — un ensemble infini de phrases grammaticales d'une langue donnée.

2. Un ensemble fini de règles, un ensemble infini de phrases

Humboldt avait déjà signalé l'aptitude fondamentale de l'organisme humain à « faire un usage infini de moyens finis ». L'un de ces moyens finis est précisément la grammaire d'une langue donnée, dont Chomsky écrit dans ses *Syntactic Structures* : « Grammar mirrors the behaviour of the speaker who, on the basis of a finite and accidental experience with language, can produce and understand an indefinite of new sentences ([3]). »

C'est une attitude radicalement différente de celle de Saussure que nous découvrons ici. A une conception de la langue comme inventaire d'éléments, taxinomie, succède l'affirmation de la créativité de la compétence individuelle. Cette « liberté à l'intérieur du langage » procède principalement du caractère récursif des règles syntagmatiques de la grammaire, que nous tenterons de mettre en évidence par cet exemple :

Soit ces deux règles syntagmatiques R_1 et R_2 :

$$R_1$$
$$SN \rightarrow D + N \text{ (SN Prép)}$$
$$R_2$$
$$SN \text{ Prép} \rightarrow de + SN$$

$\rightarrow$ = se réécrit par
D = déterminant
N = nom
SN = syntagme nominal
SN Prép = syntagme nominal prépositionnel
(x) = possibilité de trouver x derrière N
+ = signe d'accrochage syntagmatique

---

(1) N. CHOMSKY, **Trois Modèles de description du langage,** dans *Langages*, n° 9, mars 1968, p. 52.
(2) Afin de mettre en garde contre de fréquentes confusions, nous répétons que le terme *génératif* est pris dans son sens mathématique = la génération d'un nombre est sa production à l'aide de l'unité ou d'autres nombres. La grammaire générative cherche, à partir de règles formalisées, à donner un modèle de la génération des phrases d'une langue donnée.
(3) La grammaire reflète le comportement du sujet parlant qui, à partir de l'expérience limitée et accidentelle qu'il a de la langue, est capable d'énoncer et de comprendre un nombre illimité de phrases inédites.

En appliquant R_1, on obtient la suite :

    a) SN → D + N (SN Prép)

En appliquant R_2 à la suite *a*, on obtient :

    b) SN → D + N + *de* + SN

En appliquant maintenant R_1 à *b*, on obtient :

    c) SN → D + N + *de* + D + N (SN Prép)

puis de nouveau R_2 à *c*, on obtient :

    d) SN → D + N + *de* + D + N + *de* + SN

puis de nouveau R_1 à *d*, on obtient :

    e) SN → D + N + *de* + D + N + *de* + D + N (SN Prép)

puis de nouveau R_2 à *e*, on obtient :

    f) SN → D + N + *de* + D + N + *de* + D + N + *de* + D + N
etc.

Il suffit de remplacer D et N par des éléments lexicaux pour obtenir par exemple :

    a′) le chien

    b′) le chien du frère

    d′) le chien du frère de mon amie

    f′) le chien du frère de mon amie de Paris

Ces deux règles syntagmatiques fournissent un **modèle** abstrait qui peut **générer** toutes les suites qui se construisent comme *a′*, *b′*, *d′*, *f′* en français. Elles font partie d'un ensemble fini; mais elles peuvent être appliquées un nombre indéfini de fois parce qu'elles sont **récursives** ([1]).

L'hypothèse est donc que, pour expliquer l'extraordinaire foisonnement des réalisations individuelles (performance), il faut supposer qu'au niveau de la compétence l'individu dispose d'un ensemble fini et restreint de règles récursives.

([1]) Des règles récursives sont des règles dans lesquelles un même élément figure à la fois « à gauche » et « à droite » de la flèche, en l'occurrence l'élément SN. Ici, R_2 comporte, à gauche de la flèche, l'élément SN Prép qui se trouve en R_1 à droite de la flèche; on peut donc appliquer R_2 à R_1. Dans la suite obtenue (SN → D + N + *de* + SN), on trouve, à droite de la flèche, l'élément SN qui est en R_1 à gauche de la flèche; on peut donc faire intervenir R_1, puis de nouveau R_2, etc.

b) Structures profondes et structures superficielles

1. Les pièges de la linéarité

Le discours s'ordonne, nous l'avons vu, selon une chronologie impérative sur ce que les linguistes ont convenu d'appeler la chaîne parlée : sorte de ligne virtuelle à l'oral et manifestée concrètement à l'écrit par la succession horizontale des phrases sur le papier (cf. *supra*, p. 101).

La linguistique préchomskienne avait sans doute établi une différence fondamentale entre l'**emploi** des éléments linguistiques dans le **discours** et leur **valeur** en **langue** (v. *supra*, p. 97), mais précisément au niveau des éléments, dans une analyse essentiellement paradigmatique (qu'il s'agisse de morphologie ou de sémantique); au plan de la syntaxe, les méthodes de commutation et de distribution dans un contexte donné ramenaient l'analyse dans les rets de la chaîne du discours — ou de la linéarité. Ce à quoi s'en prend Chomsky, par deux arguments principaux :

• Il existe dans les réalisations du discours des constituants discontinus : ainsi *ne... pas (il ne viendra pas), plus... que (il est nettement plus fort que toi)*, etc. Comment espérer en rendre compte si l'on fonde son analyse sur la commutation d'un seul élément avec ceux de sa classe et sur l'accrochage de ce même élément avec ceux qui le précèdent et le suivent directement?

• Toujours au niveau du discours, la même démarche ne pourra lever l'ambiguïté de certaines phrases comme :

Les « marines » jugent les « Vietcongs » sans pitié [1]

(sens 1 : les « marines » sont sans pitié
sens 2 : les « Vietcongs » sont sans pitié).

Jean regarde la bouche ouverte

(sens 1 : Jean a la bouche ouverte
sens 2 : Jean est dentiste...).

La linéarité masque donc souvent la grammaire sous-jacente à la phrase; il faut supposer qu'au-delà de la structure **superficielle** des réalisations de la performance existe une structure **profonde** de la langue, qu'utilise chaque individu au niveau de la compétence.

2. Les structures profondes

A considérer la quasi-infinité des structures de surface du français, on est amené à conclure que s'il est possible à tout individu français, même intellectuellement démuni, de parler sa langue, c'est qu'il possède, au niveau de la

---

(1) Exemple emprunté à N. Ruwet.

compétence, une grammaire très simple et limitée, c'est-à-dire un nombre restreint de règles syntagmatiques capables d'engendrer des types de phrases fondamentaux, appelées encore « phrases noyaux » *(kernel-sentences)* : SN - Vt - SN est en français une phrase noyau *(Pierre bat Paul)*.

Par ailleurs, à ces règles syntagmatiques s'ajoutent des **règles de transformation,** elles aussi limitées en nombre et qui permettent par exemple, à partir de deux phrases noyaux, d'obtenir au niveau de la performance une phrase dérivée; ainsi la phrase

Pierre pense que Paul aime sa sœur

peut-elle être considérée comme la phrase dérivée obtenue, par une règle de transformation, à partir de deux phrases noyaux :

Pierre pense quelque chose et *Paul aime sa sœur*

En l'occurrence, la première (dite phrase matrice, parce qu'elle enchâsse la seconde) et la seconde (dite phrase constituante ou phrase enchâssée) répondent aux mêmes règles syntagmatiques et ont la même structure : SN - Vt - SN.

c) Une nouvelle grammaire

1. Contenu de cette grammaire

D'après tout ce qui précède, une grammaire générative et transformationnelle comprendra donc :

• un ensemble fini de règles capables d'engendrer toutes et seulement les phrases noyaux grammaticales ([1]) d'une langue donnée : ce sont les règles syntagmatiques;

• un ensemble fini de règles de transformation, dont nous nous limiterons à dire qu'elles permettent d'engendrer toutes et seulement les phrases grammaticales dérivées d'une langue donnée.

Cette grammaire devra, en outre, être capable de donner à chaque phrase une description structurale non ambiguë; cette description a reçu de Chomsky une formalisation spécifique : un graphe arborescent, auquel on donnera le nom d'indicateur syntagmatique ([2]).

Pour plus de clarté, nous développerons deux exemples.

---

(1) Nous renvoyons au livre cité de N. Ruwet pour les concepts de grammaticalité et d'acceptabilité d'une phrase. Disons simplement qu'une phrase grammaticale est une phrase qui répond à la grammaire immanente d'une langue donnée, par exemple le français.

(2) L'indicateur syntagmatique décrit les phrases noyaux.

2. Deux exemples

◆ Exemple 1

Soit une phrase :

Les poètes sont méprisés par les foules.

● Cette phrase est la dérivée d'une phrase de base : *Les foules méprisent les poètes*, engendrée par les règles syntagmatiques suivantes :

P	$\rightarrow$ SN + S Préd
S Préd	$\rightarrow$ aux + SV
SV	$\rightarrow$ Vt + SN
SN	$\rightarrow$ D + N
aux	$\rightarrow$ Tps

S Préd = syntagme prédicatif [1]
aux = auxiliaire [2]
Vt = verbe transitif
Tps = temps

● Son indicateur syntagmatique répond à la formulation suivante :

P $\rightarrow$ SN + aux + Vt + SN

et peut être représenté par le graphe :

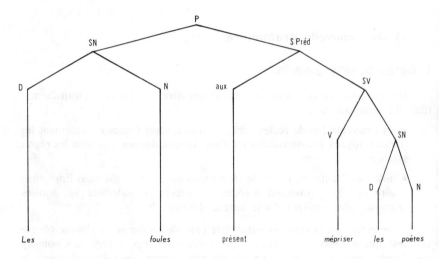

● Une règle de transformation passive (T_{passif}) engendrera la dérivée : *Les poètes sont méprisés par les foules*. Cette règle peut s'énoncer :

$$T_{passif} : \begin{array}{cccc} SN\text{-}aux\text{-}Vt\text{-}SN \\ 1 \quad 2 \quad 3 \quad 4 \end{array} \rightarrow 4 - 2 + \text{être} + PP - 3 - \text{par} + 1$$

---

(1) C'est-à-dire : constituant qui, avec SN, est directement dominé par P.
(2) *Auxiliaire :* approximativement, morphèmes verbaux.

REMARQUES. — *a*) L'indicateur syntagmatique arborescent est fondé sur le principe suivant : « l'arbre a un certain nombre de nœuds étiquetés (SN, SV, etc.) ; on dira que tous les éléments qui peuvent être rattachés à un certain nœud sont un constituant du type désigné par l'étiquette qui accompagne le nœud » (N. Ruwet). Ainsi, *les* est un constituant de D (déterminant), D est un constituant de SN ; SN est un constituant de P, etc. Inversement, des éléments, bien que contigus, qui ne peuvent être rattachés à un même nœud, ne font pas partie du même constituant (ainsi *foules* et *mépriser*).

Dans la formulation de T$_{passif}$, il faut lire que 2 (aux = présent) est accroché au verbe *être* et à un morphème PP (participe passé) : c'est ce constituant discontinu (*sont... –és*) qui va s'accrocher à 3 (verbe) pour former *sont méprisés*.

b) L'analyse montre que la réalisation linéaire de départ (*Les poètes sont méprisés par les foules*) est le résultat d'une transformation appliquée à une phrase noyau, elle-même engendrée par des règles syntagmatiques simples. Ce qui met en évidence le caractère essentiellement dynamique du langage : la langue n'est plus considérée comme un ensemble de moules figés que l'individu enregistrerait et répéterait en se contentant d'en changer le lexique, mais comme une combinatoire dynamique de règles fondamentales dans laquelle l'individu réalise sa liberté de parleur.

L'analyse montre encore la différence entre structure de surface et structure profonde ; elle servira notamment à éviter les ambiguïtés de surface ; ainsi notre précédent exemple (*Jean regarde la bouche ouverte*) recevra-t-il deux descriptions différentes :

1. Phrase dérivée de deux phrases noyaux :

Jean regarde — Jean a la bouche ouverte

par effacement de *avoir* et de son sujet propre (transformation) ; c'est le sens 1 signalé page 126.

2. Phrase noyau répondant à l'indicateur syntagmatique :

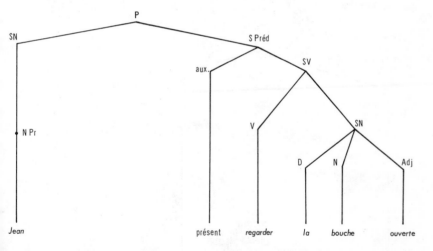

C'est le sens 2 signalé page 126.

On voit ainsi pourquoi la grammaire profonde d'une phrase est essentielle : c'est elle qui, en premier ressort, commande l'interprétation sémantique de la phrase en question.

c) La notion de transformation permet d'autre part de résoudre le problème des constituants discontinus ; ainsi de *sont... –és*, qu'une autre règle de transformation permettra de rattacher correctement à *mépriser*.

d) La représentation graphique présente l'énorme avantage de donner de la phrase une analyse hiérarchisée et complète ; la **totalité** d'une structure trouve là sa meilleure formalisation.

129

Soit cette phrase :

Ma tante, qui sait qu'on annonce une tempête, ferme les auvents.

• Cette phrase repose sur trois phrases de base (phrases 1, 2 et 3 du graphe ci-dessous) engendrées par la même suite de règles syntagmatiques (récursivité des règles du langage) :

$$P \rightarrow SN + S\ Préd$$
$$S\ Préd \rightarrow aux + SV$$
$$SV \rightarrow Vt + SN$$
$$aux \rightarrow Tps$$
$$SN \rightarrow \left\{ \begin{array}{c} D + N \\ Pr \end{array} \right\} \qquad (Pr = pronom)$$

• L'indicateur syntagmatique de ces phrases de base peut être représenté par le graphe :

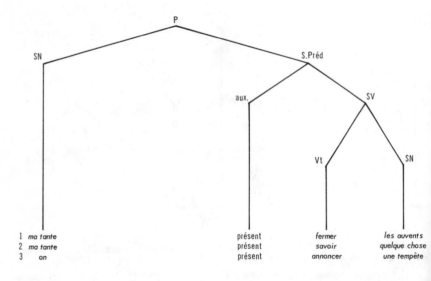

• Interviennent alors une suite de règles de transformations dont nous ne pouvons donner tout le détail. Nous signalerons seulement la principale, qui permet l'**enchâssement** d'une phrase de base, dite alors **phrase enchâssée** ou

phrase constituante, dans une autre, dite **phrase matrice.** Ainsi, par l'intermédiaire d'un élément spécifique (QUE), la phrase 3 va s'enchâsser dans la phrase 2 au niveau du SN₂ de cette dernière; nous obtenons alors :

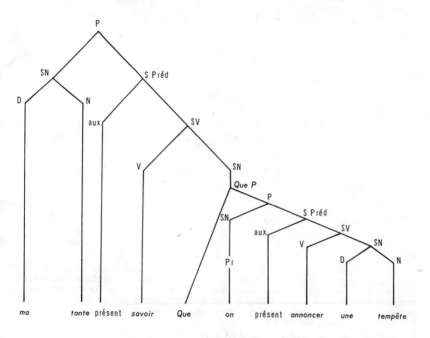

• Par un processus plus complexe (relativisation), la suite obtenue va elle-même s'enchâsser dans la phrase 1, qui devient phrase matrice, au niveau du SN₁ de cette dernière; on peut, en effet, écrire :

SN → D + N (QUAL)

QUAL = qualifiant
( ) = signalent la présence éventuelle de l'élément dans le développement de SN.

$$\text{QUAL} \rightarrow \left\{ \begin{array}{l} \text{Adj} \\ \text{SN Prép} \\ \text{P} \end{array} \right\}$$

Adj = adjectif
SN Prép = syntagme nominal prépositionnel
P = phrase

En l'occurrence, QUAL est une phrase (la phrase obtenue par enchâssement de 3 dans 2).

● La phrase dérivée finale peut alors être représentée par le graphe ci-dessous :

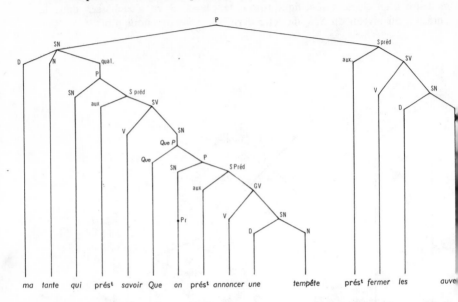

REMARQUES. — Nous avons volontairement limité les développements théoriques, notamment pour le problème que pose l'insertion du pronom relatif, outil d'enchâssement et constituant de phrase ; nous nous sommes bornés à noter la relative par P, ce qui n'entraîne aucune ambiguïté puisque, dans ce cas, l'élément P est lui-même dominé par le nœud QUAL. QUE P note au contraire une « complétive », dans laquelle QUE est un pur outil d'enchâssement : le graphe le représente comme tel.

— Est-il besoin de longs commentaires pour montrer la supériorité de ce modèle sur la classique « analyse logique » ? Nous noterons simplement qu'on distingue assez bien sur le graphe ce qui peut revenir à la structure abstraite de la compétence et par ailleurs à la réalisation concrète de la performance (les éléments de lexique organisés, dits encore « éléments terminaux »).

— Il paraît d'autre part évident que, les phrases de base étant fondamentales, il revient au pédagogue d'en soigner l'apprentissage ; c'est pourquoi nous les signalons dans le DOCUMENT ci-contre, à propos duquel il faut noter que

● Cette liste n'est donnée qu'à titre indicatif ; la commenter reviendrait à écrire une grammaire (nous signalons cependant au passage une ou deux difficultés) ;

● Les parenthèses contiennent les éléments qui **peuvent** s'intégrer à une structure, sans pour autant la définir comme telle ; ainsi des circonstanciels, par exemple, ou des suites de verbes impersonnels ;

● L'ordre adopté reste évidemment non significatif.

d) Une nouvelle attitude scientifique

« La linguistique structurale classique présentait ainsi en gros sa démarche : il existe un corpus de faits de langue ; il faut trouver des notions et des relations qui en permettent une description non contradictoire, exhaustive et simple. La théorie de la grammaire générative inverse le rapport et se demande : quelles

Les phrases de base du français

1. SN + Vi (CIRC)   [Vi = verbe intransitif]
Mon jeune frère a couru dans le jardin

2. SN + Vt + SN (CIRC)   [Vt = verbe transitif]
En automne, le fermier laboure son champ

N. B. — La phrase passive *dérive* de cette structure; ce n'est pas une phrase de base.

3. SN + Vt + SN Prép (CIRC)
A l'école, l'enfant obéit à son maître

4. SN + Vt + SN + SN Prép (CIRC)
Hier, le boucher a donné un os à mon chien

N. B. — Cette structure recouvre certains « compléments d'attribution » de la tradition, appelés plus justement ailleurs « compléments d'objet second ».

5. SN + V être + $\left\{ \begin{array}{l} \text{Adj} \\ \text{SN} \\ \text{SN Prép} \end{array} \right\}$ (CIRC)   (a) (b) (c)

(a) En été, le ciel est bleu.
(b) Mon père est un chasseur acharné.
(c) Il est à Paris depuis huit jours.

N. B. — *V être* doit se lire : *verbe « être » et ceux qui commutent avec lui dans la même structure.*

— On ne confondra pas dans la phrase (c) le SN prép fondamental de la structure : *à Paris* et le circonstanciel (également SN prép) *depuis huit jours*.

— Par ailleurs, ce qu'il est convenu d'appeler les phrases à attribut de l'objet direct pourraient être considérées comme dérivées de deux phrases de base (sections 2 et 5 de ce tableau) :

Nous avons élu Pierre. — *Pierre est chef de classe.* — *Nous avons élu Pierre chef de classe.*

— Enfin, les phrases à verbe *avoir* pourraient s'étudier parallèlement aux phrases à verbe *être* : v. *infra*, p. 168.

6. V impers. (suite de V impers.) (CIRC)
Il pleut depuis huit jours. — Il pleut des cordes.

N. B. — Ces verbes posent de multiples problèmes que nous ne pouvons envisager ici; signalons seulement que les uns sont toujours impersonnels et servent à former des phrases de base (ainsi : *il neige, il tonne, il faut, il fait chaud/froid/doux,* etc.); les autres entrent dans des phrases dérivées (ainsi : *de la pluie tombe → il tombe de la pluie; on dit bien des mensonges → il se dit bien des mensonges,* etc.

7. Présentatif + suite de présentatif (CIRC)
Voici des pommes. — Voilà mon père.
C'est mon père. — Il y a du pain sur la table.

règles linguistiques applique-t-on inconsciemment ou consciemment pour produire des phrases correctes d'une langue donnée? L'analyse cède sa place à la synthèse; on manie donc un système de règles au lieu d'un système d'éléments (1). »

Nous nous trouvons sans aucun doute devant une autre conception de la recherche et de la science; à la conception — taxinomique — de la science comme classement de faits objectivement observés, succède une autre, plus aventureuse mais aussi plus prometteuse, qui cherche à construire, « à partir d'un ensemble toujours limité d'observations et d'expérimentation, des hypothèses, des modèles théoriques, formulés de façon aussi explicite que possible, et destinés à la fois à prévoir de nouveaux faits et à expliquer les anciens (2) ».

Nul doute que la linguistique, qui réfléchit sur une matière essentiellement dynamique, s'engagera de plus en plus vers cette nouvelle attitude scientifique; la grammaire générative impose déjà ses hypothèses : ce n'est ni un hasard ni une mode qui viennent de faire paraître en France les livres de N. Ruwet, de M. Gross et de J. Dubois signalés plus haut.

Il reste aussi qu'en ce nouveau jardin tous les fruits ne sont pas encore mûrs, ce que le pédagogue ne manquera pas de souligner. Les pages qui suivent voudraient précisément signaler quelques-uns des apports de la théorie à la pratique grammaticale et du même coup à la pédagogie.

Conclusion

L'homme a toujours eu la passion de percer les secrets de l'outil le plus merveilleux qui fût à sa disposition : sa compétence linguistique. Jamais encore cette quête difficile n'avait pris l'ampleur que le XXe siècle lui a donnée. Depuis une cinquantaine d'années, la linguistique connaît un essor tel qu'on la considère maintenant comme une science carrefour dans la vie intellectuelle contemporaine.

Nous n'avions pas à faire son histoire, non plus qu'à privilégier telle ou telle école, mais à proposer à un lecteur non spécialiste, en mettant à jour l'axiomatique fondamentale de la discipline, une base qu'il enrichira par d'autres lectures. Au pédagogue d'apercevoir la mutation possible — et à nos yeux nécessaire — de son propre enseignement. Aussi avons-nous tenté :

— de dégager de la linguistique structurale quelques concepts fondamentaux et principes méthodologiques simples;

— d'indiquer les grandes orientations de la recherche grammaticale contemporaine — puisque ce chapitre était consacré à la grammaire.

---

(1) T. Todorov, dans *Langages, Recherches sémantiques*, n° 1, mars 1966, p. 24.
(2) N. Ruwet, dans *Langages*, Introduction, n° 4, décembre 1966, p. 3.

Peut-être certains achopperont-ils sur un langage spécialisé dans lequel ils n'apercevront qu'un jargon purement gratuit et prétentieux. Il leur faut comprendre que toute science a besoin d'enclore ses propres outils conceptuels dans un vocabulaire non ambigu — sans pour autant sombrer dans un ésotérisme de principe, où la complexité du langage ne serait plus que masque à une pensée indigente. Nous n'avons retenu que le vocabulaire fondamental de notre discipline, en essayant de préciser la définition de chaque terme spécialisé.

D'autres encore ne verront dans la linguistique qu'une nouvelle Babel où personne ne parvient à se faire entendre : « Messieurs les linguistes, accordez vos violons; alors nous consentirons à danser. » L'argument est connu; il est commode aussi. Faut-il rappeler que toute démarche scientifique impose la remise en cause de l'acquis? Si puissante fût-elle, l'hypothèse d'aujourd'hui sera dépassée par celle de demain; mais elle l'aura permise; et elle aura laissé des traces. Ni Saussure ni Harris ne sont visages de cire dans une antiquité linguistique; nombre de leurs hypothèses conservent leur propriété heuristique. Le praticien n'a pas à attendre du linguiste une vérité définitive, mais qui peut prétendre en disposer? N'est-il pas précieux de déjà pouvoir demander aux vérités provisoires une efficacité sur le monde — en l'occurrence à celles de la linguistique sur la conquête par l'enfant de sa langue maternelle?

Les conditions du savoir reposent sur une permanente contestation. Toute recherche est aventure — risque et promesse. Le pédagogique n'échappe pas à la loi; et c'est bien ainsi.

CHAPITRE TROIS

VERS UNE NOUVELLE PÉDAGOGIE DE LA GRAMMAIRE

Introduction

« Chaque époque écrit l'histoire à partir de son propre point de vue. Toute la période chrétienne a été marquée, en fait d'intérêt linguistique, par la pression d'une thèse théologique, celle de l'hébreu langue mère de toutes les autres : alors, le seul problème noble concernant le langage apparaît aux yeux de tous être celui de l'origine. Tout le XIXᵉ siècle, jusqu'à Meillet inclus, a été marqué par le point de vue historiciste exclusif : le seul problème scientifique noble concernant les langues, ici, c'est celui de l'histoire, de leur évolution, de leur filiation (1). » Aujourd'hui, certes, « il peut sembler normal qu'on commence l'étude d'un instrument comme le langage par son fonctionnement, avant de rechercher pourquoi et comment cet instrument se modifie au cours du temps (2) ».

Nous avons choisi d'ouvrir la dernière partie du présent chapitre par une citation qui situe la linguistique contemporaine, non dans le domaine des modes — comme on a trop souvent la tentation, à vrai dire rassurante, de le faire —, mais dans celui d'une épistémologie générale. C'est dire que nous envisageons ses rapports avec la pédagogie comme irréversibles. Elle a déjà permis à l'enseignement du français langue étrangère de faire de spectaculaires progrès; elle peut apporter à celui du français langue maternelle — et en particulier par le biais de la grammaire — ses forces vives. Nous pensons que c'est une urgence, situant ainsi la pédagogie non au niveau des seules techniques de classe mais bien à celui d'une révision des contenus d'enseignement.

Il faut ici avouer nos hésitations. Il est clair qu'il ne revient pas à ce manuel de proposer un « programme » qui couvrirait l'ensemble des classes des premier et second degrés. Du même coup, on risquera de considérer les exemples que nous proposons comme trop disparates — et trop bien choisis — ou encore comme de simples recettes à utiliser à l'occasion (la confusion de la pédagogie et du « truc » ou de la « ficelle » est, hélas! monnaie courante) — voire les deux à la fois; à moins que l'on ne taxe nos analyses d'utopies, sans doute intéressantes, mais décidément dénuées de tout « bon sens » pédagogique.

Nous tenons à signaler :

- que toute recherche — en l'occurrence pédagogique — porte avec elle des promesses comme des risques d'erreurs;

---

(1) G. Mounin, **Histoire de la linguistique, des origines au XXᵉ siècle**, P.U.F., Paris, p. 7.
(2) A. Martinet, **Éléments de linguistique générale**, A. Colin, Paris, 1968, p. 32.

• que les exemples que nous proposons ont été élaborés au contact des classes, ce qui ne les rend évidemment pas irréprochables mais nous permet de récuser la fausse et tenace dichotomie établie entre le spécialiste et le praticien;

• que ces exemples se situent dans un contexte : il ne nous a pas toujours été possible de le décrire en totalité; nous demandons au lecteur de se le rappeler, et de ne pas penser avoir sous les yeux des « leçons modèles » — réalité pédagogique à notre avis contestable.

Nous ne pouvions nous tenir ni à l'exposé de généralités abstraites ni à une série d'exemples donnés sans plus de commentaires. Nous avons choisi de sacrifier la charpente rhétorique de notre exposé pour adopter un schéma qui fasse succéder au développement de notre conception de l'enseignement grammatical des exemples aussi divers que possible — tant par la matière dont ils traitent que par le niveau scolaire auquel ils réfèrent — et leur commentaire.

I. Grammaire et enseignement du français

A. Grammaire et langue maternelle

Sans entrer dans tous les problèmes que pose l'enseignement d'une langue maternelle, on doit rappeler la place très particulière qu'il occupe au sein des disciplines scolaires. Qu'il s'agisse de mathématiques, de sciences et techniques, d'histoire ou de géographie et même de langues étrangères, l'enfant se voit confronté, lorsqu'il entre en classe, avec des domaines pour lui totalement nouveaux; on lui propose dans tous les cas un long et patient apprentissage. Ce qui ne dégage en rien le pédagogue d'une réflexion sur la matière qu'il enseigne (il suffit pour s'en convaincre de considérer l'actuelle et profonde transformation de l'enseignement des mathématiques ou des langues étrangères), mais lui permet la rassurante certitude d'avoir un « programme » à remplir dont il est possible de tracer les contours avec suffisamment de précision.

Le « francisant » reste pour sa part dans une situation inconfortable. Car les progrès de l'élève dans les autres disciplines dépendent encore de lui; et conjointement, il doit faire face à de cruelles incertitudes :

• L'enfant parle déjà sa langue quand il entre à l'école; comment juger exactement de ses aptitudes linguistiques?

• L'enseignement est collectif; au sein d'une même classe, le niveau linguistique des élèves est loin d'être homogène, et notamment en raison des disparités qui existent entre les milieux socio-culturels des différents individus;

• La lenteur des progrès est telle qu'elle décourage souvent les meilleures volontés; on ignore d'ailleurs souvent si le progrès constaté revient à l'école ou au milieu extra-scolaire (cf. le rôle de ce qu'on appelle depuis quelques années l'« école parallèle »);

• On hésite à définir un programme et chacun, parce qu'il parle français, croit légitime de proposer sa doctrine personnelle, n'eût-il aucune connaissance linguistique.

Devant tant d'incertitudes, à vrai dire insupportables, on voit se circonscrire dans l'enseignement du français plusieurs zones.

• A l'école élémentaire, il s'agit de la seule langue véhiculaire écrite : lecture, écriture, orthographe et grammaire — grammaire normative et mentaliste, conçue comme un ensemble de règles, et destinées à être mémorisées, mises au service de l'orthographe et de l' « analyse ».

• Dans l'enseignement secondaire, il s'agit de parfaire l'ébauche (orthographe et grammaire, ou plus exactement dictée et questions de dictée) et d'aborder enfin la langue de culture, c'est-à-dire les textes littéraires, pour s'y consacrer totalement dès la classe de troisième. N'oublions pas les exercices de rédaction, narration, dissertation.

Caricature délibérée, peut-être; mais nos collègues ne nous en voudront pas; nous savons par expérience combien est ingrate leur tâche et combien certains s'efforcent d'être efficaces. Il faut reconnaître que l'on privilégie le code écrit comme si l'enfant maîtrisait son oral, la langue culturelle comme si l'adolescent maîtrisait sa langue véhiculaire; et l'on n'aperçoit pas qu'un élève peut buter sur un problème de mathématiques tout simplement parce qu'il n'en comprend pas l'énoncé, ou qu'il demeure insensible à la prière d'Iphigénie parce qu'il n'en domine pas suffisamment la langue.

Il devient urgent de plaider pour un enseignement véritable de la langue française, c'est-à-dire du vocabulaire et de la grammaire, à tous les niveaux de la vie scolaire.

B. Pour un enseignement de la grammaire

Nous avons déjà suffisamment insisté sur la place fondamentale qui revient à la grammaire dans la communication linguistique. Pour en prendre un exemple supplémentaire, il suffit de rappeler que les relevés du « français fondamental [1] » laissent apercevoir que sur les mille mots les plus fréquents de notre langue, trois cents sont des mots grammaticaux (morphèmes) indispensables à toute élaboration linguistique [2]. La conclusion s'impose : s'il est prouvé, d'une part,

---

(1) G. GOUGENHEIM, **l'Élaboration du français fondamental** (1er degré), Didier, nouvelle édition, 1967.
(2) P. RIVENC, **Lexique et langue parlée,** dans le Français dans le monde, juin 1968, n° 57.

que tout message linguistique repose sur une base grammaticale minimale, d'autre part qu'une partie de cette base fait défaut à nos jeunes élèves, alors il est nécessaire que nous construisions des exercices propres à la leur faire acquérir.

Il n'est pas nécessaire d'insister ici sur la pauvreté linguistique de nos élèves. Mais, celle-ci admise, est-il vraiment raisonnable de se limiter à un constat de carence? La situation est ce qu'elle est : il suffit d'en avoir conscience. Disons que s'impose la construction d'exercices d'apprentissage de la langue, particulièrement de sa morpho-syntaxe, et qu'il est après tout passionnant d'avoir devant soi cette tâche nouvelle.

La grammaire a sa large place à l'école — sa juste place aussi, car elle ne vivra qu'à la mesure de son utilité. La première tâche qu'on doit lui imposer est de permettre à l'enfant d'apprendre à mieux parler, ce qui reste après tout le meilleur moyen de l'amener à mieux écrire. La seconde est le corollaire de la première : confronté progressivement à la pratique de la langue écrite, l'enfant aura besoin de recourir à des procédures de choix et d'autocontrôle, c'est-à-dire à une approche raisonnée des mécanismes grammaticaux de la langue qu'il manie. Il s'agit alors de l'amener peu à peu à opérer des choix au niveau de ses propres réalisations écrites, à dominer et apprécier celles des autres, véhiculées par la presse ou la publicité d'une part, par la littérature de l'autre.

Qu'il s'agisse des codes oral ou écrit, la grammaire demeure à la base de toute communication linguistique. Du même coup son enseignement — et nous entendons : son enseignement systématique — s'impose à tous les niveaux, pour autant qu'on modifie son actuel contenu.

C. Pour un enseignement systématique de la grammaire

L'enseignement grammatical souffre à la fois des insuffisances de l'information et des rigueurs d'un dogmatisme périmé. Aussi toute une orientation pédagogique récente, particulièrement active au niveau de l'enseignement primaire, est-elle tentée de le rejeter, moins pour la première raison que pour la seconde. Il s'agit pour elle de donner à l'enfant un maximum de liberté : la langue maternelle est une totalité vivante, l'élève doit s'y mouvoir comme dans son milieu naturel, en s'exprimant librement à l'oral comme à l'écrit, en s'« imprégnant » de lectures diverses, d'auditions de disques, etc. Dans ces conditions, tout enseignement systématique sera banni, à commencer par celui de la grammaire, tenu pour oppressif et aliénant. De grammaire, il ne s'agira plus qu'à l'occasion — et pour autant que l'élève apportera lui-même à la « leçon » un maximum de « matériaux ».

Il nous a été ainsi donné de voir sur l'écran de télévision un film où le maître, plus spectateur qu'acteur, n'intervenait que pour relancer un dialogue dont le « meneur de jeu » était un jeune garçon de dix ans; il s'agissait, en une demi-heure, de procéder à l'analyse d'une phrase à la vérité assez simple.

Nous ne nions pas qu'un dialogue soit nécessaire à toute vie scolaire sainement pensée. Mais nous nous refusons à croire à l'efficacité d'une leçon ainsi conduite. Au nom de l'initiative laissée à l'enfant, on lui fait, en l'occurrence, perdre son temps en un débat stérile sur sa langue alors qu'il est incapable de la pratiquer correctement. Démarche significative d'une pédagogie qui se définit comme transmission d'un savoir stable et se situe du même coup au niveau de la technique de classe, alors qu'elle reste essentiellement pour nous interrogation sur ce savoir même.

Tout se passe, pour ce qui regarde l'enseignement du français, comme si le pédagogue devait choisir d'être caporaliste ou libertaire; nous souhaiterions qu'il soit simplement averti des conditions mêmes de toute situation linguistique. Car le langage n'est pas contrainte ou liberté, mais les deux à la fois : contrainte puisque fondé sur une langue communautaire, liberté puisqu'il permet à chacun de se dire et de dire le monde. Qui n'aperçoit que la liberté du parleur est d'autant plus grande qu'est mieux dominé le code indispensable?

Il y a des temps dans la classe de français où l'enfant réalise cette liberté : nous songeons particulièrement à l'élocution, au « texte libre », à ce que devrait être la poésie à l'école. Il en est d'autres où il doit se plier à une discipline d'apprentissage, et la grammaire s'y trouve inscrite. Autant il est là nécessaire de laisser à l'enfant un maximum d'initiative, autant il est ici indispensable de lui tracer une route contraignante (ce qui ne revient d'ailleurs nullement à réduire son intervention, bien au contraire).

Il n'y a pas à choisir entre contrainte et liberté, mais à vivre cette contradiction. De même qu'il n'y a pas à choisir entre langue véhiculaire et littérature; celle-ci, lieu d'un enracinement profond avec la langue — et irremplaçable rencontre avec l'art —, passe par la maîtrise de celle-là.

Si un certain enseignement de la grammaire a pu paraître détestable, c'était en raison de son contenu contestable, en raison aussi d'un contexte scolaire strictement didactique et contraignant. Définir un contenu plus adéquat, le systématiser par une pédagogie active et ouverte aux réalités enfantines, c'est finalement conduire l'élève aux libertés essentielles.

D. Quelles grammaires enseigner?

La question eût semblé pour le moins oiseuse voici quelques décennies. L'enfant commençait au Cours élémentaire 1 à s'interroger sur la différence qui sépare l'article défini de l'article indéfini et achevait de répondre à la même question en 4e, dans le cadre d'une seule et même grammaire au contenu intangible. Nous pensons qu'elle ne l'est plus et qu'il faut distinguer au moins trois types de grammaires scolaires, étant entendu que nous considérons comme nécessaire leur insertion à tous les niveaux, des classes élémentaires aux terminales incluses.

a) Les trois grammaires

1. L'en-deçà de la grammaire

Dans les classes primaires notamment, tout se passe encore comme si l'on supposait acquises les structures grammaticales, fondamentales — nous l'avons dit — de toute communication linguistique. Nous avons dit aussi que ce point de vue était faux : il manque à l'enfant certaines de ces structures, et ce qu'il connaît de la morphologie du français reste très sommaire. Par ailleurs, il faut distinguer ce qu'il est capable de comprendre de ce qu'il est capable d'écrire ou de dire : s'il peut saisir le sens de telle ou telle phrase, c'est-à-dire dominer sa structure grammaticale sous-jacente, il ne sera pas pour autant en mesure d'en énoncer une semblable spontanément.

Il est donc nécessaire de construire des exercices tels que leur pratique conduise le jeune enfant à utiliser des mécanismes grammaticaux de base qu'il ignorait ou dominait mal; en ce cas, c'est au pédagogue qu'il revient de connaître la grammaire, non à l'élève. « S'il est cependant question de « règles » dans cette méthode d'enseignement, ces règles ne concernent que le professeur ou l'auteur d'exercices. L'élève, lui, n'entre pas en contact avec ces règles, mais seulement avec les **modèles** de transformation et de substitution qui les illustrent. S'il trouve plus tard le temps de formuler des règles, ce n'est pas dans un dessein pratique, mais par curiosité intellectuelle (¹). »

Ces quelques lignes, dont nous nuancerions les dernières, définissent très clairement la procédure suivie, depuis de longues années déjà, par ce qu'on appelle l'**exercice structural**. Jusqu'alors, celui-ci concernait l'apprentissage des langues étrangères, mais il nous paraît urgent de le faire intervenir dans l'enseignement des langues maternelles.

Il s'agit d'amener l'enfant à automatiser ses structures de base, c'est-à-dire à enrichir sa compétence linguistique. Ce qui n'est évidemment possible qu'à partir d'une description féconde de la langue à enseigner. C'est dans la mesure où le pédagogue connaît le fonctionnement linguistique de la structure qu'il veut faire acquérir qu'il pourra construire des exercices adéquats.

Nous pourrions appeler cette technique où l'élève fait de la grammaire « sans le savoir » **grammaire non consciente**.

2. La grammaire

Cette grammaire « immanente » à la compétence de tout locuteur reste évidemment orale. Nous pourrions caractériser le code oral à la fois par le haut degré d'automatisation des structures qu'il met en œuvre et par leur simplicité. Il utilise essentiellement la juxtaposition de phrases de base dont le noyau verbal est organisé autour du présent.

---

(1) P. DELATTRE, **la Notion de structure et son utilité**, dans *Le français dans le monde*, n° 41, juin 1966, p. 11.

Le code écrit est beaucoup plus complexe, tant au niveau de la syntaxe que de la morphologie. Il utilise, notamment, toutes les possibilités de la subordination, fait appel à un système verbal très raffiné, engage des marques redondantes par rapport à celles de l'oral (ainsi du pluriel des substantifs), exige une solide cohérence de la phrase, quand celle-ci peut à l'oral se défaire, se corriger, voire rester inachevée. Comme nous l'avons déjà signalé, l'écrit est le domaine du choix, d'un contrôle volontaire du locuteur. L'enfant aura besoin pour y accéder non seulement de posséder sa grammaire non consciente, mais encore de dominer consciemment les réalités élémentaires de la morpho-syntaxe du français pour pénétrer progressivement toutes les richesses de sa langue maternelle.

Le pédagogue a donc encore à lui enseigner une **grammaire consciente** (1), deuxième grammaire dont le contenu reflète évidemment celui de la première; elle ne saurait donc se confondre avec celle que l'on continue à enseigner dans les classes, et dont nous avons montré les faiblesses.

3. L'au-delà de la grammaire

Un troisième type de grammaire reviendrait en fait à une initiation à la linguistique. Nous pourrions dire que la pratique consciente de la grammaire de la langue maternelle, sa comparaison éventuelle avec celles de langues étrangères, anciennes ou modernes, représentent pour l'élève une initiation non consciente à la linguistique. Il nous paraîtrait intéressant qu'à un certain stade de sa scolarité — on peut le fixer approximativement au niveau des classes terminales de l'enseignement du second degré — il prenne conscience de quelques réalités élémentaires des langues et du langage.

Tout reste à faire dans ce domaine, et particulièrement à définir un programme. Quelques questions pourraient être, sans tarder, proposées à l'étude : ainsi, la situation de la linguistique contemporaine, à commencer par la définition de ses ambitions, la place de la grammaire dans l'économie d'une langue naturelle, les rapports de la linguistique avec la sociologie, la psychologie... Ce qui appellerait une collaboration très étroite du « littéraire », du « philosophe » et du mathématicien.

Il s'agirait à un niveau modeste de permettre au jeune bachelier de prendre contact avec l'une des sciences carrefours de notre temps, et — s'il se destine à poursuivre des études littéraires supérieures — de lui éviter la pénible épreuve qui est la sienne à l'heure actuelle lorsqu'il arrive en première année de faculté : s'apercevoir qu'il ignore tout de la grammaire de sa propre langue, et par surcroît des fondements d'une langue en général.

---

(1) Ou **grammaire réflexive**. Il est important de comprendre qu'il ne s'agit pas ici de la réception passive des connaissances transmises par le maître, mais de la **découverte** active du fonctionnement de la langue maternelle. A la démarche classique : *observer puis apprendre*, se substituera cette autre : *pratiquer puis découvrir*. L'enfant doit s'approprier la connaissance et non la subir.

b) Situation respective de ces trois grammaires

Nous venons de situer approximativement la place de la troisième et n'y reviendrons pas. Restent les deux autres.

D'une manière générale, la première, ou grammaire non consciente, regarde surtout l'enseignement du premier degré : il s'agit d'aider l'enfant à intégrer les éléments nécessaires à une compétence linguistique le plus large possible. La deuxième regarde essentiellement l'enseignement du second degré. Mais nous nous refusons à disjoindre les deux; disons que leur importance relative est à balancer en fonction du niveau linguistique des élèves.

Il est évident que l'élève du Cours élémentaire 1 a besoin de connaître certaines réalités grammaticales pour accéder au code écrit : par exemple ce qu'est une phrase (nous n'entendons évidemment pas « ce qui commence par une majuscule et se termine par un point »), la relation sujet-verbe, etc. Il est non moins évident que celui de sixième a besoin de parfaire sa syntaxe de base par quelques exercices structuraux ([1]) : sur les phrases segmentées, par exemple, ou sur des séquences pronominales telles que *Je le lui ai dit*.

Tout un travail de « programmation » ([2]) reste à faire; et sa qualité dépend du labeur de chacun. Des équipes de recherche sont déjà en place; il faut que d'autres s'y mettent à leur tour. La seule règle que nous puissions formuler est que tout enseignement grammatical doit se ramener à des séries d'exercices, écrits et oraux : c'est par l'exercice que l'on apprend à parler et à écrire; par lui encore que l'on parvient à dégager les fondements de ce que nous avons appelé une grammaire consciente. Nous entendons : des exercices de pratique de la langue et non de stricte analyse.

Conclusion

Nous avons conscience du caractère fragmentaire des lignes précédentes. Mais nous ne pouvions énoncer ce qui n'est pas encore : la pédagogie de la grammaire reste à construire — et attend des volontaires. Des expériences sont en cours, dont certaines à notre charge : nous nous appuierons sur quelques-uns de leurs résultats pour fournir au lecteur des exemples concrets qui illustreront ce que nous venons d'écrire (v. DOCUMENTS, *infra*).

Nous demeurons convaincus qu'il n'est pas d'enseignement du français sans enseignement de la langue française; que celle-ci soit orale ou écrite, et dans ce dernier cas véhiculaire ou littéraire. Nous ne plaiderons pas pour que l'on inscrive la grammaire française au programme de toutes les classes de français, de l'école primaire aux classes terminales du second degré (et pas seulement dans ce dernier cas de la grammaire troisième formule) : on ne plaide les évidences.

---

[1] Encore qu'à ce niveau l'exercice structural striotement conçu risque de poser des problèmes (v. É. GENOUVRIER, « Expression libre et apprentissage des mécanismes : l'exercice structural à l'école élémentaire », *Langue française*, n° 6).
[2] Nous entendons par là la définition de nouveaux contenus d'enseignement.

II. Documents et commentaires

A. Commentaire du document VI

Il ne nous est pas possible de le commenter *in extenso*, ce qui reviendrait à donner le contenu de chaque « leçon ». Nous nous contenterons de préciser quelques points.

1. Quand nous avons indiqué le même intitulé plusieurs fois, cela veut dire que nous avons dû consacrer plusieurs semaines au même problème : ainsi pour les groupes fonctionnels (trois semaines) et pour la relation sujet-verbe (quatre). Il y a dans ce cas progression par difficulté croissante; ainsi pour cette dernière et en très gros :

- **première semaine :** sujet = groupe nominal simple;
- **deuxième semaine :** sujet = GN qualifié par adjectif ou compl. de nom
  — ordre Ct-S-V (type : *dans la rue le vent souffle en tornade*);
- **troisième semaine :** un même sujet, plusieurs verbes — plusieurs sujets, un même verbe;
- **quatrième semaine :** sujet inversé en phrase interrogative.

2. Nous n'avons pas cherché à enfermer ce contenu dans un emploi du temps rigoureux; ce qui compte à nos yeux, c'est l'ordre des leçons : telle classe exigera que l'on s'arrête plus longtemps qu'une autre sur un problème quelconque; l'important est que ce problème soit situé dans un ensemble cohérent.

3. Les trois rubriques que nous avons distinguées (*a, b, c*) correspondent à :

a) grammaire consciente;

b) grammaire non consciente (exercices structuraux);

c) les deux, nécessaires pour approcher la morpho-syntaxe du verbe.

Elles sont en elles-mêmes arbitraires; mais nous ne pouvions les éviter si nous voulions simultanément :

— faire acquérir quelques notions grammaticales propres à faciliter l'approche du code écrit;

— faire manier quelques éléments essentiels du français mal intégrés à cet âge;

— approcher soigneusement la morpho-syntaxe du verbe.

Il reste à nous expliquer plus clairement sur leur contenu.

Esquisse d'une progression grammaticale pour le début du C.E.1 *(environ un trimestre)*

1. *a)* reconnaissance de la phrase : phrase simple déclarative
   b) le/ce
   c) je/tu (avoir)

2. *a)* reconnaissance de la phrase : phrase simple interrogative
   b) le/mon
   c) je/tu (avoir et verbes en –er) [I]

3. *a)* reconnaissance de la phrase : phrase simple négative
   b) le/ce/mon
   c) je/tu (avoir et verbes en –er) [II]

4. *a)* reconnaissance de la phrase : phrase simple exclamative
   b) le déterminant/pronom
   c) je-tu/il (avoir et verbes en –er)

5. *a)* travail sur les groupes fonctionnels [I]
   b) ce/celui-là
   c) il/substantif singulier *(avoir et verbes en –er)*

6. *a)* travail sur les groupes fonctionnels [II]
   b) mon/le mien (ma, mes, etc.)
   c) il/ils, elles (avoir et verbes en –er)

7. *a)* travail sur les groupes fonctionnels [III]
   b) mon, ton/le tien, le sien (etc.)
   c) ils/elles/substantif pluriel

8. *a)* relation sujet-verbe [I]
   b) leur/le leur
   c) découverte de l'infinitif

9. *a)* relation sujet-verbe [II]
   b) leurs/les leurs
   c) nous (avoir et verbes en –er)

10. *a)* relation sujet-verbe [III]
    b) notre/le nôtre (etc.)
    c) vous (avoir et verbes en –er)

11. *a)* relation sujet-verbe [IV]
    b) votre/le vôtre
    c) aller : je-tu-il-ils

4. La rubrique *a* part comme il se doit de la phrase, fondement de la communication. Il s'agit de faire découvrir à l'enfant cette unité qu'il ignore, et d'abord à l'oral (par le biais des pauses et des modulations); l'écrit s'intègre ensuite naturellement.

On aborde immédiatement interrogation, négation, exclamation, puisque ce sont les transformations élémentaires qui portent sur la totalité de la phrase; le mot transformation n'est pas utilisé, mais nous nous sommes appuyés sur les machines mathématiques, que nos élèves connaissaient par les mathématiques modernes (de nombreux autres rapports ont été établis entre les deux disciplines).

Ainsi avons-nous distingué une machine-question, une machine-non, une machine-exclamation (*fig. 1*). Au sortir des machines, c'est-à-dire à droite, l'enfant écrit (*fig. 2*).

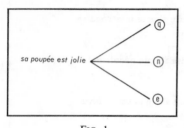

FIG. 1

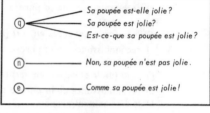

FIG. 2

La ponctuation correcte est intégrée au fur et à mesure.

Dans une seconde étape, la phrase est considérée selon les rapports syntagmatiques qu'elle engage; il est essentiel ici de conduire l'enfant à la découverte de ses relations internes. La notion de groupe est amenée par divers procédés pédagogiques, par exemple le découpage de bandelettes; la procédure de commutation rend de grands services; quelques permutations sont également opérées. C'est la notion de structure syntaxique qui est visée.

Ce travail prépare la découverte de la première relation fondamentale, dégagée ensuite : la relation sujet-verbe. Les étapes sont logiquement ordonnées : phrase — groupes fonctionnels en général — groupes fonctionnels spécifiques.

La relation sujet-verbe intervient au moment où la notion de groupe est suffisamment comprise; elle est par ailleurs préparée depuis plusieurs semaines par le travail accompli au niveau de la morpho-syntaxe du verbe (v. la rubrique *c* et les documents VII et VIII). Si bien que la plupart des élèves l'ont mise en évidence spontanément : pour eux le sujet est donc d'abord perçu comme pronom [le terme n'est pas acquis; il s'agit toujours de « groupe jaune » [(1)]], puis comme substantif par commutation (v. **5** et **6** *c*).

---

(1) Documents VIII et X.

Il reste à préciser que

— l'ensemble repose sur des exercices, oraux ou écrits : il ne s'agit en aucun cas de grammaire spéculative;

— la part de l'oral est prépondérante, mais cède toujours la place à des réalisations écrites;

— aucune terminologie n'est encore introduite à ce stade en dehors de « verbe », « conjuguer » et « infinitif ».

5. La rubrique *b* comprend, nous l'avons dit, des exercices structuraux visant à faire intégrer par l'élève des unités morphologiques qu'il domine mal. Nous avons choisi de commencer par les déterminants fondamentaux et leurs pronoms correspondants en tenant compte de leur rôle essentiel dans la phrase française. Ici encore, aucune terminologie n'est donnée : on y viendra plus tard, quand les élèves seront suffisamment entraînés au maniement de ces unités.

On procède toujours par oppositions (de deux déterminants, d'un déterminant et du pronom qui lui correspond, de deux pronoms). Il s'agit en l'occurrence de l'ensemble *le/ce/mon*, dont les termes, en français, fonctionnent de façon parallèle. Les « possessifs » présentent d'incontestables difficultés; aussi nous y sommes-nous longuement attardés; nous les introduisons au fur et à mesure de la progression *c*, puisque ce sont des référents personnels.

Les exercices, strictement oraux, sont fondés sur la reprise par l'enfant d'une correspondance qu'on lui aura fait saisir; par exemple pour *mon/le mien* :

Voici mon livre | c'est le mien. Voici ton cahier | ...

Le rythme de ces exercices doit être très rapide, de manière que tous les élèves de la classe interviennent et que les correspondances soient automatisées. On peut parvenir à des jeux de correspondances plus difficiles; ainsi celles-ci, qui sont le point de départ d'un exercice :

Ce cahier est à moi → *C'est mon cahier*

↓ ↓

C'est le mien

↓ ↓

Celui-ci est à moi → *Celui-ci, c'est le mien*

Chaque série d'exercices doit être brève, car elle demande un gros effort d'attention (il vaut mieux opérer en deux fois dix minutes qu'en vingt minutes d'affilée). Contrairement à ce que l'on pourrait penser, les élèves prennent un réel plaisir à ce qui leur apparaît comme un jeu.

Régulièrement, quelques exercices, écrits ceux-là, viennent compléter la progression orale; les nécessaires précisions orthographiques sont ainsi apportées en même temps qu'on a l'occasion de contrôler les acquis individuels.

Il paraît évident qu'après un tel entraînement il sera par la suite beaucoup plus facile de travailler avec l'élève, de manière plus approfondie, sur les articles et les pronoms par exemple; cette « grammaire non consciente » prépare une prise de conscience (1).

_____

(1) Pour d'autres détails sur ce type d'exercices, v. Document X.

6. Nous reviendrons *infra* ([1]) sur la rubrique *c*, c'est pourquoi nous signalerons seulement ici le cheminement volontairement long qui conduit progressivement de *je/tu* à *vous;* il nous paraît fondamental que l'enfant acquière une pratique solide de ces pronoms personnels sujets. Rappelons enfin les correspondances qui existent entre *b* et *a* (la morpho-syntaxe du verbe revient encore à un travail de la phrase), de même qu'entre *b* et *c*. (La progression de l'étude des possessifs est parallèle à celle des pronoms personnels sujets; le travail des pronoms démonstratifs et possessifs prépare leur emploi en *a* au niveau de la relation sujet-verbe.)

B. Commentaire du document VII

1. Les trois coordonnées que nous signalons (verbes, sujets, modes et temps) sont évidemment complémentaires et n'ont été distinguées que pour la commodité de présentation. Ainsi, on commencera par le verbe *avoir* conjugué au présent de l'indicatif avec les pronoms sujets *je* et *tu*. (Pour plus de détails, v. DOCUMENT VI.)

2. Le choix des verbes et l'ordre de leur étude répondent à plusieurs critères. On s'est d'abord fondé sur leur fréquence, donnée par les relevés du « français fondamental » : *être* (fréquence 14 083) et *avoir* (fréquence 11 552) sont les deux **mots** les plus fréquents du français; *aller* (fréquence 1876) arrive à la 34ᵉ place et n'a devant lui (outre *être* et *avoir*) qu'un seul verbe : *faire*; nous avons retenu celui-là plutôt que celui-ci parce que sa conjugaison au présent de l'indicatif est parente de celle d'*avoir* et qu'il est en langue orale le semi-auxiliaire du futur *(je vais partir)*. Quant à l'ensemble des verbes réguliers en –*er*, ils forment une série très productive.

On a en outre tenu compte, comme ci-dessus signalé, des symétries de conjugaison : *ai/vais*, *as/vas*, *a/va*, *ont/vont*, *avons/allons*, *avez/allez* et des possibilités des auxiliaires; la conjugaison d'*avoir* et d'*aller* mise en place permet d'obtenir l'opposition présent/futur :

> *je chante | je vais chanter — je chanter-ai*
> *tu chantes | tu vas chanter — tu chanter-as*

puis le triptyque passé/présent/futur :

> *j'ai chanté | je chante | je vais chanter — je chanterai*

et de donner à l'élève la possibilité de disposer très vite des oppositions temporelles qui lui sont nécessaires.

---

(1) DOCUMENT VIII et commentaire correspondant.

Progression pour l'étude de la morpho-syntaxe du verbe au C.E. 1 (¹)

- **Verbes**

    a) *avoir*
    a') verbes en -*er* réguliers
    b) *aller*
    c) *être*

- **Sujets** (constituant 1)

    a) *je / tu*
    b) *je - tu / il*
    c) *il* / substantif singulier
    d) *ils - elles / il*
    e) *ils - elles* / substantif pluriel

    N. B. — *On* sera intégré à l'ensemble
    mais non étudié comme tel.

- **Modes et temps**

    a) présent de l'indicatif (²)
    b) verbe conjugué / infinitif
    c) futur / présent
    d) passé composé / présent / futur
    e) verbe principal / auxiliaire

---

(1) Pour voir comment cette progression s'intègre dans une progression générale du C. E. 1, se reporter au DOCUMENT VI. Pour voir comment s'articule une leçon, se reporter au DOCUMENT VIII.
(2) Non spécifié comme tel au départ.

L'ordre d'étude de ces verbes pourra surprendre. Si nous avons placé *avoir* avant les verbes en *-er*, c'est que nous établissons un lien constant entre l'oral et l'écrit et que ces derniers sont peu marqués à l'oral, au contraire d'*avoir* :

$$aime\text{-}aimes\text{-}aime\text{-}aiment \quad : \quad [\varepsilon m]$$
$$ai \quad as \quad a \quad ont \quad : \quad [e] \; [a] \, (^1) \; [\tilde{\mathfrak{z}}].$$

Nous souhaitions que l'enfant établisse un lien entre la variation du pronom sujet et celle de la désinence; lien auditivement perçu d'abord, puis graphiquement. Établi par l'intermédiaire d'*avoir*, il a été immédiatement appliqué aux verbes en *-er* et, cette fois, surtout à l'écrit. C'est pourquoi dans notre tableau nous n'avons pas noté *avoir* et *-er* comme successifs (*a* et *b*), mais en progression simultanée (*a* et *a'*) [v. encore DOCUMENT VI]. La conjugaison d'*avoir* a donc été envisagée pour elle-même et à la fois comme un modèle de la relation sujet-désinence. Nous pensons les résultats concluants.

La conjugaison d'*aller* suit immédiatement pour les raisons que nous avons dites; elle est à rapprocher de celle d'*avoir*. La discordance graphique *ai/vais* ne paraît pas faire difficulté, la graphie *ai* étant acquise solidement; elle reste de toute façon inévitable. Il était en effet impossible, surtout dans notre région du Nord, d'opposer le [e] de *ai* au [ɛ] de *vais*.

3. Cette progression ne vise pas uniquement la mémorisation des paradigmes verbaux telle que l'entend la traditionnelle « conjugaison »; indispensable, celle-ci doit s'accompagner d'une constante insertion du verbe dans la phrase orale, puis écrite, c'est-à-dire notamment du jeu des « sujets ». D'où le soin que nous avons accordé à ceux-ci.

Il fallait conduire l'enfant à manipuler le système des pronoms (certains d'entre eux, comme *nous* et *vous*, lui sont à cet âge pratiquement inconnus), à prendre peu à peu conscience de la notion de pronom (cf. *il*/substantif singulier).

Nous nous sommes fondés sur le système des pronoms tel qu'il fonctionne dans la communication linguistique, c'est-à-dire sur tout un jeu d'oppositions :

● couple émetteur/récepteur : *je/tu;*

● couple émetteur-récepteur/sujet(s) extérieur(s) au discours : *je-tu/il (ils, elles);*

● pronoms d'inclusion et d'exclusion : *nous* (*je + tu/il, je + il/tu,* etc.); *vous* (*tu + il/je,* etc.) [²].

Ce système rend compte d'ailleurs d'oppositions de séquences de désinences :

— *ai-as-a-ont/avons-avez;*

— *chante-chantes-chante-chantent/chantons-chantez.*

---

(1) Nous avons dû renoncer à distinguer 2e et 3e pers. par la liaison possible du *s* de celle-là suivi d'un mot à initiale vocalique. Cette liaison, absente du code oral des élèves, conduisait ceux-ci à des confusions (type « j'ai *z* une maison »).

(2) V. J. DUBOIS, **Grammaire structurale du français : nom et pronom**, p. 105 *sqq.*

Nous n'avons pas hésité à consacrer un trimestre à la mise en place d'un paradigme complet afin que ces relations soient solidement installées, et définitivement. Tout nouveau verbe étudié le sera selon cet ordre : *je-tu-il-ils/ nous-vous.*

4. La progression des modes et temps répond, elle aussi, au système du code oral : le présent, puis les deux temps qui lui sont rattachés par leur auxiliaire : passé composé et futur périphrastique *(j'ai chanté—je chante—je vais chanter)*, le futur simple de l'indicatif étant intégré parallèlement au futur périphrastique.

L'ordre adopté se justifie ainsi :

● Comme il est normal, on commence par le temps fondamental : le présent de l'indicatif; s'il n'est pas mentionné comme tel au départ, c'est que nous ne pouvons l'opposer pour l'instant à aucun autre, ni du même coup le caractériser;

● Le paradigme du présent progressivement dégagé, il est possible d'intégrer les concepts « conjuguer » et « verbe ». (Dès la première « leçon » nous avons systématiquement encadré le pronom sujet de jaune, cerclé le verbe de rouge, mis en évidence la relation jaune-rouge : le jaune fait changer le rouge; établir cette relation, c'est conjuguer; le verbe est dans la phrase l'élément qui peut se conjuguer.)

Il est alors possible de distinguer une première opposition : verbe conjugué/ verbe non conjugué (infinitif).

Dans l'infinitif, on opposera deux ensembles : *avoir/-er*, puis d'autres au fur et à mesure (ainsi *aller :* se termine par *-er* mais n'appartient pas à cet ensemble parce qu'il se conjugue différemment).

● Dès que la conjugaison de *aller* sera mise en place, on dégagera l'opposition présent/futur, puis les oppositions présent/passé et passé/futur.

● A ce moment pourra intervenir l'opposition auxiliaire/verbe principal et, à l'intérieur de celle-ci, les oppositions :

auxiliaire / verbe principal à l'infinitif
(vais)   *(chanter)*

auxiliaire / verbe principal au participe passé
(ai)   *(chanté)*

5. Cet apprentissage suppose un passage progressif du code oral au code écrit; il est fondé en grande partie sur des exercices structuraux (v. les DOCUMENTS VIII et XI).

C. Commentaire du document VIII (¹)

1. La démarche conduit normalement de l'oral à l'écrit. L'oral est fondé sur des jeux propres à reconstituer des situations de communication où les pronoms *je-tu/il* s'insèrent normalement : *locuteur-destinataire/personne étrangère au discours*. On fait ainsi vivre la relation sujet-verbe de manière assez naturelle; on respecte par ailleurs l'ordre *avoir*-verbes en *-er*, c'est-à-dire verbe marqué à l'oral-verbe non marqué.

2. A l'écrit il s'agit d'abord de fixer au tableau l'acquis oral, de faire sur les graphies les commentaires nécessaires. La symbolisation jaune-rouge intervient immédiatement, imposée par le pédagogue sans aucune justification. Comme nous l'avons déjà signalé, cette symbolisation sera conservée bien au-delà du Cours élémentaire 1 pour la relation sujet-verbe; il est à préciser que le verbe se distingue non seulement par sa couleur mais encore par la forme géométrique dans laquelle nous l'inscrivons : il sera le seul dans la phrase à figurer dans un cercle; son importance justifie cette double distinction.

3. Les exercices écrits sont tous fondés sur la notion de relation; la pratique des mathématiques modernes nous a permis d'introduire des représentations ensemblistes. Dans tous les cas, il s'agit d'établir la relation correcte entre un ou des éléments d'un ensemble (jaune) et un ou des éléments d'un autre ensemble (rouge), soit en mettant en rapport les éléments donnés de deux ensembles, soit en cherchant un élément, l'autre étant donné. Les niveaux de difficulté sont évidemment respectés (cf., par exemple, les premiers exercices écrits : le premier est univoque, le second fait intervenir des relations multiples).

4. Il semble que la mémorisation nécessaire, orale et écrite, puisse ainsi être atteinte — comme dans les traditionnels exercices de conjugaison. Mais là ne s'arrête pas la « leçon ». Elle vise à faire intégrer le jeu des pronoms personnels sujets (en l'occurrence, ils ne présentent guère de difficulté; mais leur manipulation prépare celle de *nous* et *vous*, que l'enfant ne connaît pratiquement pas), à faire apparaître constamment, tant à l'oral qu'à l'écrit, la relation sujet-verbe, sans la nommer comme telle (et un moment viendra, assez vite d'ailleurs, où la classe en prendra d'elle-même conscience, comme nous l'avons signalé dans le document VII). Le sujet (pour l'élève : groupe jaune) ne sera pas alors défini comme celui qui « fait l'action » ou « ce qui répond à la question *qui est-ce qui* », mais spontanément reconnu comme l'élément capable de faire varier le groupe rouge.

5. C'est en ce sens que nous parlions de l'approche d'une morphosyntaxe du verbe, apparemment beaucoup plus productive au niveau pédagogique que la seule morphologie dont se préoccupe la conjugaison.

---

(1) Pour situer cette leçon dans l'ensemble, voir Documents VI et VII.

Canevas d'une leçon
sur la morpho-syntaxe du verbe au C.E.1

> *je-tu/il* avec *avoir* et les verbes en *-er*

A. ORAL

Deux élèves sont au tableau (Y et Z) avec le maître (X); X et Y sont côte à côte, Z reste à l'écart.

X a un cahier bleu

Y a un cahier rouge

Z a un livre

1. Jeu entre X et Y; X parle à Y : « Moi, j'ai un cahier bleu; toi, tu as un cahier rouge; elle, elle a un livre » (ou : « elle n'a pas de cahier »/« elle n'en a pas », etc.).

2. Le jeu est repris; on le représente au tableau :

Est-ce que X parle à Z? Va-t-on mettre Z dans l'ensemble des personnes qui se parlent? On obtient :

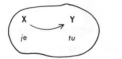

		Z
X	Y	*elle*
je	*tu*	*il*

3. Le jeu reprend avec

$$X\text{-}Z = je\text{-}tu \qquad Y = elle$$
$$Y\text{-}Z = je\text{-}tu \qquad X = elle$$

4. Puis selon le même processus avec d'autres situations verbales; cette fois, toute la classe va intervenir systématiquement; on fait alterner *avoir* et les verbes en *—er*.

(suite p. 154)

5. Nous retenons (oral) :

J'ai un cahier	*je chante un refrain*
tu as — —	*tu chantes — —*
il a — —	*il chante — —*

B. PASSAGE A L'ÉCRIT

NOTE IMPORTANTE. — Les servitudes de l'impression ne nous ont pas permis de restituer les couleurs sur ce document. Elles sont pourtant un élément fondamental de l'apprentissage (v. *supra*, COMMENTAIRE). Nous avons adopté les conventions suivantes :

- les traits *maigres* correspondent à des encadrés *jaunes;*

- les traits *gras* correspondent à des encadrés *rouges*.

1. Remarques sur les nouvelles graphies introduites; comparaisons avec l'oral.

2. Au tableau :

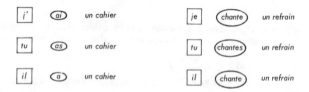

3. Copie sur le cahier (si on le juge nécessaire).

4. Exercices écrits (collectifs et/ou individuels, au choix du maître).

a) Tu relies un élément de l'ensemble jaune à un élément de l'ensemble rouge :

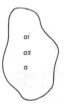

b) Tu relies tous les éléments qui peuvent s'écrire ensemble :

c) Même exercice :

d) Remplis le cercle rouge :

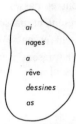

e) Remplis le cadre jaune :

☐	(ai) un petit chat tout noir
☐	(racontes) des histoires

D. Commentaire du document IX

1. Ces exercices sont destinés à faire pratiquer un mode que l'élève hésite parfois à employer et exploite très mal; utilisés au Cours moyen 1, ils préparent en outre l'approche des complétives par *que*.

2. Il s'agit ici du seul verbe *être;* mais d'autres suivront, toujours selon le même canevas. Les verbes choisis l'ont été en fonction de leur **fréquence** et des **marques** orales qui les opposent à l'indicatif.

Dès que les deux auxiliaires sont introduits, on couple subjonctifs présent et passé (ce dernier dans des contextes très clairs, type : *Il faut que tu aies terminé ce travail avant midi*).

L'ordre que nous avons choisi revient donc à :

— *être*

— *avoir*

— *faire* (présent et passé)

— *pouvoir* (présent et passé)

— *savoir* (présent et passé)

— verbes en *-er* (présent et passé; commencer dans ce cas obligatoirement par *nous/vous*, seules personnes marquées à l'oral).

(La liste n'est pas complète, mais nous ne pouvons entrer dans tout le détail.)

3. Le schéma de l'exercice est très simple. On part d'un contexte où figurent :

— un verbe au subjonctif et son sujet;

— un élément qui dans une principale commande le subjonctif, en l'occurrence un verbe introducteur.

Deux types de relations sont donc engagées :

• relation verbe introducteur/mode (elle est pour l'instant donnée par le maître; plus tard, elle sera l'objet d'autres exercices qui feront apparaître l'opposition indicatif/subjonctif);

• relation sujet/verbe au subjonctif : c'est celle qui est étudiée ici.

L'exercice consiste à prendre pour « entrée » le sujet et à exiger de l'élève qu'il énonce la phrase modèle avec la forme verbale appropriée.

4. L'ordre d'introduction des « sujets » répond comme d'habitude à la suite *je-tu-il-ils* (et substantifs)/*nous-vous*, ce qui oppose

sois-sois-soit-soient	*soyons-soyez*
aie-aies-ait-aient	*ayons-ayez*
etc.	

Exercices structuraux
sur le subjonctif du verbe être

(niveau fin C. E. 2/début C. M. 1)

N. B. — *M.* marque une intervention du maître. — *E.* marque une intervention de l'élève.

M. — Son train va arriver; il faut absolument que nous soyons à l'heure à la gare.

E. — Il faut absolument que nous soyons à l'heure à la gare [1].

M. — Vous... [2].

E. — Il faut absolument que vous soyez à l'heure à la gare.

M. — Je...

E. — Il faut absolument que je sois à l'heure à la gare.

M. — Tu...

E. — Il faut absolument que tu sois à l'heure à la gare.

M. — Jean...

E. — Il faut absolument que Jean soit à l'heure à la gare.

M. — Il...

E. — Il faut absolument qu'il soit à l'heure à la gare.

M. — On...

E. — Il faut absolument qu'on soit à l'heure à la gare.

M. — Pierre et Nathalie...

E. — Il faut absolument que Pierre et Nathalie soient à l'heure à la gare.

M. — Je veux que tu sois sage.

E. — Je veux que tu sois sage.

M. — Il... [...].

M. — Le maître aime que nous soyons attentifs, *etc.*

(1) La phrase modèle est énoncée par le maître dans sa totalité et reprise telle quelle par la classe.
(2) Ensuite, le maître donne seulement l'élément de substitution à partir duquel *un* élève devra réénoncer la phrase.

La plupart du temps, on commencera par *nous/vous*, plus marqués à l'oral (ainsi pour *avoir*, où la 1re personne du singulier est identique à l'indicatif et au subjonctif).

Dans toute la mesure du possible, on exigera des liaisons correctes [1], qui permettent par exemple d'opposer :

> *Il faut que je sois à l'heure* [swɑzalœʀ]
> *Il faut qu'il soit à l'heure* [swɑtalœʀ]

5. Les verbes introducteurs sont eux aussi choisis en raison de leur fréquence; ils se réduisent initialement à quatre *(il faut-vouloir-aimer-attendre)* mais très vite on enrichira la liste; on fera de même intervenir deux conjonctions de grande fréquence introductrices du subjonctif : *avant que* et *pour que*.

6. Ces exercices sont repris chaque semaine avec des verbes différents. Comme nous l'avons déjà signalé, ils doivent être menés intensément : leur durée maximale se situant autour de dix minutes, leur insertion dans un emploi du temps ne pose aucun problème.

7. Chaque élève doit intervenir plusieurs fois; ceux qui peinent le plus se remarquent très vite et seront sollicités en conséquence.

8. Les principes que nous suivons demeurent les mêmes : avant d'exiger d'un élève qu'il enregistre des graphies et qu'il réfléchisse sur des problèmes grammaticaux déterminés, il faut d'abord s'assurer que sa pratique empirique de la langue orale est suffisamment solide; commencer par lui faire apprendre la conjugaison écrite du subjonctif, c'est surestimer ou ignorer ses possibilités réelles en lui imposant deux difficultés simultanées : celle d'un mode qu'il ignore et celle d'une série orthographique inconnue. De la même manière, ce n'est pas parce qu'il saura « analyser » une phrase complexe où se trouve une complétive qu'il deviendra capable d'en énoncer une semblable.

Nous continuons de penser que ce que nous avons appelé « grammaire consciente » n'a de sens que pour un élève à la compétence linguistique suffisamment étendue.

9. Comme dans le commentaire du document VIII, nous terminerons en signalant l'importance de la morpho-syntaxe verbale : ce que nous avons ici visé, c'est simultanément la correction d'une série morphologique (la conjugaison du subjonctif) et la mise en place d'une structure syntaxique (principale suivie d'une complétive par *que*).

10. Nous n'avons présenté ici que la forme la plus contraignante de l'exercice structural. Pour plus de détails, se reporter à É. GENOUVRIER, « Expression libre et apprentissage des mécanismes. L'exercice structural à l'école élémentaire », dans *Langue française*, n° 6.

---

[1] Ce qui est possible au Cours moyen 1.

E. Commentaire du document X (¹)

1. Nous avons choisi ce document comme un témoignage sur la recherche en pédagogie telle que nous la souhaitons : une réflexion sur un contenu qui conduit à l'élaboration d'exercices choisis en connaissance de cause, réflexion commune d'un linguiste et de pédagogues (en l'occurrence celle d'une équipe que nous animons à Lille).

2. Il ne s'agit en aucun cas de considérer ces notes comme une information définitive sur les problèmes grammaticaux qui y sont soulevés : bien des aspects de la question ont été volontairement passés sous silence.

3. Nous avons sciemment choisi une structure délicate à approcher. On entend souvent dire qu'« il faut mettre sous le boisseau », au moins jusqu'en 6ᵉ, le complément d'objet indirect, décidément trop difficile. C'est en rester à une grammaire purement spéculative où il ne s'agit que de reconnaître telle ou telle « fonction ». A l'évidence, cette structure présente des difficultés d'**emploi** (cf. le jeu des pronoms) qu'on ne saurait passer sous silence; cependant, si l'on renonce à des critères mentalistes, il n'est pas utopique d'espérer la faire identifier par de jeunes élèves (nous en avons les preuves).

De toute manière, nous disjoignons soigneusement les objectifs à long et à court terme : il faudra peut-être attendre quelques mois, un an, plus, pour que l'« analyse » soit correcte; mais nous aurons manié et remanié les procédures linguistiques engagées par la structure étudiée, nous aurons permis à l'enfant de progresser dans **la pratique** de sa langue.

4. Pour situer brièvement cette leçon, disons qu'elle suit l'étude des structures *sujet-verbe-objet direct, sujet-verbe intransitif, sujet-verbe-attribut;* à ce stade, l'élève a travaillé sur les prépositions et sait distinguer les constructions directe et indirecte, de même que les circonstanciels direct et indirect. Tout un jeu d'oppositions nous est donc permis.

5. La terminologie utilisée s'écarte de l'usage; nous avons pris pour principe de ne le faire que très exceptionnellement mais de ne pas reculer devant une nécessité impérative. En l'occurrence, le terme « objet » ne représente pour un jeune élève aucun contenu abordable; par ailleurs, lesdits « objets » entrent en opposition avec les « circonstanciels ». Nous avons donc choisi l'appellation (²) « complément essentiel » — c'est-à-dire terme qui dans une structure donnée a une place qui lui est rigoureusement attribuée (critère de non-permutabilité) — et distingué l' « essentiel direct » de l' « essentiel indirect ».

---

(1) Voir p. 161.
(2) Appellation provisoire : rappelons qu'il s'agit ici d'hypothèses de recherche.

De toutes les manières, le concept est fixé par un autre biais : la symbolisation graphique. Il ne nous est pas possible ici, faute de place, de l'élucider.

On reconnaîtra au passage :

— un graphe qui est un sous-produit des grammaires génératives;
— les couleurs jaune et rouge (sujet/verbe).

Nous noterons simplement que le recours à une symbolisation nous paraît indispensable, pour autant qu'elle soit cohérente. Ainsi la nôtre s'élabore-t-elle dès le Cours élémentaire 1 pour aller jusqu'au Cours moyen 2, puis aux classes du premier cycle, dans une progression qui suit rigoureusement celle de l'approche consciente des mécanismes linguistiques.

Notre symbolisation est par ailleurs fondée sur des jeux de rapports et d'oppositions strictement linguistiques. Ainsi, tout élément noté en bleu est obligatoirement à droite du verbe et non permutable (essentiel); c'est le cas de l'attribut (cadre bleu barré de jaune : le jaune est la couleur du sujet), de l'objet direct — complément essentiel direct — (cadre bleu nu), de l'objet indirect — complément essentiel indirect — (cadre bleu barré de bleu : la barre de même couleur signale une construction indirecte et on la retrouvera dans la notation du circonstanciel indirect), de l'objet second — *alias* complément d'attribution, pour nous complément essentiel indirect second — (cadre bleu barré de bleu et surmonté d'un 2).

6. Encore une fois, nous insistons sur la radicale différence qui sépare, au stade de la « grammaire consciente », le point de vue mentaliste et le point de vue linguistique. Dans le premier cas, il s'agit d'une spéculation abstraite, d'une pure et simple paraphrase de contenu. Dans le second, l'analyse se fonde sur un fonctionnement linguistique (élément permutable ou non, dans une structure transformable ou non, etc.); non seulement on évite les erreurs d'une analyse douteuse, mais il s'agit toujours de manipulations sur la phrase, donc d'exercices de langage : l'enfant découvre les propriétés linguistiques de telle ou telle structure, partant sa correction et ses richesses sous-jacentes.

7. Du même coup, peu importe si l'analyse réclame du temps et de la patience puisqu'elle revient à un apprentissage de la langue. Tout l'effort du pédagogue va porter, outre ce que nous avons déjà signalé, sur le système des pronoms engagé par la structure étudiée, sur des constructions de phrases, etc.

8. On aperçoit aisément qu'il n'est pas si simple de construire une leçon de grammaire, même, et peut-être surtout, destinée à de tout jeunes élèves : cela suppose autant la connaissance des problèmes afférents à telle classe d'âge que l'aptitude à dominer le système grammatical de la langue française. Nous terminerons par où nous avons commencé : notre conviction que seul un travail d'équipe peut être efficace.

Problématique de l'élaboration d'une leçon présentée à des instituteurs du C.M.1

La structure
sujet-verbe-complément d'objet indirect

---

1. Cette structure fait partie des phrases de base du français et répond à la suite : SN + V + SN prépositionnel.

Elle se rapproche des structures sujet-verbe-objet direct et sujet-verbe-attribut, dans la mesure où elle comprend comme elles à droite du verbe un groupe non permutable. Elle se distingue de la première par l'absence de toute transformation spécifique ($\neq$ transformation passive) et la présence d'une préposition devant le deuxième SN. Elle se distingue de la seconde par la non-commutabilité du verbe avec *être* et du deuxième SN avec un adjectif.

Elle est plus difficile à définir que les deux autres, et nous nous bornerons à son approche. Son statut peut être fixé à l'aide de deux critères complémentaires :

- la non-permutabilité du SN_2 : à partir de

    Jean obéit à son maître à l'école

on peut réécrire :

    A l'école, Jean obéit à son maître

mais non :

    A son maître, Jean obéit à l'école

- la permanence de la préposition qui introduit le SN_2 : [1]

Jean obéit à son maître	*Jean habite à Paris*
à ses parents	*près de Paris*
à son devoir	*à côté de Paris*
	rue Racine

(suite, p. 162)

---

[1] Nous étions conscients de la relativité de ce second critère et nous l'avons signalée. Mais nous voulions nous en tenir aux lois générales.

161

2. Des exercices peuvent donc être prévus au niveau du SN_2 *(permutation)* et de la préposition *(commutation)*.

a) On pourra montrer que le SN_2

● est non permutable et appartient à la série des « compléments essentiels » : il sera donc symbolisé en bleu;

● est introduit par une préposition, ce qui le distingue de l'essentiel direct : sa symbolisation complète sera donc un cadre bleu barré.

Il s'oppose au circonstanciel direct dans la mesure où il n'est pas permutable; au circonstanciel indirect dans la mesure où sa préposition n'est pas commutable.

Il est vain d'espérer sa reconnaissance immédiate par l'élève : on procédera par une série d'approches successives, du C.M.1 au C.M.2. Le moment venu, on dégagera le graphe de la structure ([1]) :

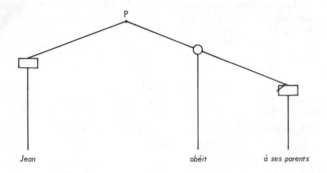

b) Cette structure engageant, au niveau du SN_2, des séries pronominales nettement définies, on distinguera deux classes de verbes :

● ceux qui répondent à la série *lui/leur* antéposés; type :

je *lui* obéis *(souris, plais, ...)*

leur

---

(1) Nous n'avons pu ici utiliser la couleur; dans la pratique, on figurera le SN sujet par un rectangle jaune, le SN complément par un rectangle bleu, et le verbe par un cercle rouge (cf. *supra,* COMMENTAIRE, 5).

• ceux qui répondent :

— à la série *lui/eux* postposés à la préposition quand SN$_2$ fait partie de la classe « animé » :

> *il pense à ses parents/il pense à eux*
> *il s'occupe de son fils/il s'occupe de lui*

— à la série *en/y* antéposés quand SN$_2$ fait partie de la classe « inanimé » :

> *il pense aux vacances/il y pense*
> *il s'occupe de son travail/il s'en occupe*

Les mêmes oppositions se retrouvent au niveau des interrogatifs correspondants :

> *Il pense à ses parents/A qui pense-t-il?*
> *Il pense aux vacances/A quoi pense-t-il?*

De nombreux exercices peuvent donc trouver ici leur place, particulièrement des exercices structuraux, suivis de commutations nom/pronom, à faire à l'écrit.

On pourra encore utiliser la segmentation par « c'est ... que » pour mettre en évidence des oppositions du type : « Il *me* sourit »/« C'est à *moi* qu'il sourit », etc.

c) Comme à l'habitude, des constructions de phrases sont à prévoir. En particulier :

• on pourra opposer des verbes à double construction comme :

> *Le boulanger manque de farine*
> *La farine manque au boulanger*

• on pourra opposer un verbe de construction directe avec son « synonyme » de construction indirecte, à la condition de bien distinguer le sens respectif de chacun d'eux ([1]). Par exemple :

> *se moquer de/railler*
> *obéir à/respecter*

---

(1) Ce sont là des exercices d'*emplois* : il ne s'agit pas de reconnaître le verbe transitif indirect en le remplaçant par un verbe transitif direct; nous avons une fois pour toutes banni les critères de sens de nos *analyses* syntaxiques.

F. Commentaire du document XI

1. Cette progression reste « expérimentale »; c'est dire que son contenu sera modifié à la lumière des progressions qui seront établies pour le 1er degré, puis pour les classes de 6e et 5e. Elle n'est donc donnée que comme *une* démarche possible.

Le terme « constituant » est à prendre au sens de constituant immédiat (v. *supra*, p. 111). Le constituant 1 est l'élément qui dans la phrase de base est immédiatement devant le verbe — c'est-à-dire le sujet —, le constituant 2 celui qui est immédiatement derrière le verbe, par exemple le C.O.D.

2. L'étude de la phrase en 4e revient dans les programmes actuels à celle des subordonnées, et plus précisément à de l'analyse logique. Il s'agit ici d'étudier les phrases noyaux du français (ce que nous appelons « moules de la phrase simple »), de voir par quels processus de transformation on peut passer à la phrase complexe, celle-ci étant considérée comme la transformée de phrases simples enchâssées.

On remarquera qu'il ne s'agit pas d'étudier tel ou tel type de complément, mais le fonctionnement linguistique d'une structure considérée dans sa totalité. Ce qui nous conduit à

● placer les phrases à verbes impersonnels hors de leur cadre habituel : le sujet;

● coupler des phrases à verbe *être* et *avoir* laissant apercevoir des symétries : *j'ai faim/je suis affamé, j'ai un livre/ce livre est à moi* (v. DOCUMENT XII).

● réunir les transformations interrogative et négative alors qu'on étudie habituellement l'interrogation avec les pronoms, la négation avec les adverbes;

● introduire les phrases à présentatifs et les phrases segmentées, si riches de possibilités en français.

3. Il ne s'agit en aucun cas de se contenter d'une analyse des fonctions au sens habituel du terme, mais d'étudier des procédures linguistiques. Ainsi la structure sujet-verbe-objet sera envisagée essentiellement du point de vue des transformations passives et de leur fonctionnement; on opposera circonstants et constituants selon leur permutabilité possible ou impossible dans la phrase; on envisagera les correspondances de groupes nominaux et de phrases verbales *(négociant en blé/négocier du blé; le chapeau du gendarme/le gendarme a un chapeau; le chapeau de feutre/le chapeau est en feutre).*

Aussi ne faut-il pas réduire l'étude des subordonnées circonstancielles, mentionnées dans notre progression, comme on le voit à l'habitude, à leur simple reconnaissance par le biais d'exercices d'analyse; elles ne seront étudiées que dans la mesure où leur fonctionnement peut faire difficulté pour l'élève : ainsi les temporelles seront-elles mentionnées pour mémoire; les hypothétiques feront au contraire l'objet d'une étude attentive.

Esquisse d'une progression grammaticale pour la classe de 4ᵉ (¹)

I. LES MOULES DE LA PHRASE SIMPLE

1. Introduction : la phrase canonique (²).

2. Phrase à un complément essentiel :
— sujet-verbe-complément d'objet direct; la transformation passive et ses problèmes;
— phrases à verbes *être* et *avoir*; phrases attributives;
— la phrase à complément prépositionnel.

3. Phrase à deux compléments essentiels : structure sujet-verbe-complément d'objet direct-complément d'objet second.

4. Phrases à verbes impersonnels.

5. Phrases à présentatifs.

6. Phrases segmentées.

7. Phrases sans verbes.

8. Les transformations interrogatives et négatives.
Synthèse : constituants de phrase et circonstants.

II. DE LA PHRASE SIMPLE A LA PHRASE COMPLEXE

Mécanismes de la juxtaposition; coordination; subordination.

III. ÉTUDE DE LA PHRASE COMPLEXE

1. Phrases à subordonnées éléments du groupe nominal.

2. Phrases à subordonnées en fonction de constituant 1 ou de constituant 2 (³).

3. Phrases à subordonnées en fonction de circonstant (⁴).

---

(1) Cette esquisse a été élaborée en collaboration avec deux de nos collègues : MM. Collignon et Glatigny. Nous les remercions d'avoir permis sa publication.
(2) Cf. J. DUBOIS, *Grammaire structurale du français : le verbe*, p. 17 *sqq*.
(3) *Constituant 2* : C.O.D., séquence d'impersonnel par *ce qui/ce que*, infinitive.
(4) Temporelles, causales, hypothétiques, etc.

4. Il s'agit finalement

- de conduire l'élève à dominer les lois syntagmatiques essentielles;

- de lui apprendre à opposer des structures de phrases par la différence qui sépare leur fonctionnement linguistique interne; par exemple :

> *Jean lit la Bible | La Bible est lue par Jean*
> **La Bible Jean lit* (¹)
> *Jean lit le soir | *Le soir est lu par Jean*
> *Le soir, Jean lit*

- de lui permettre de mieux comprendre la syntaxe des phrases qu'il rencontrera au cours de ses lectures, de mieux élaborer aussi les siennes propres.

G. Commentaire du document XII (²)

1. Il ne s'agit visiblement pas d'exercices en forme mais de schémas pouvant servir à en construire.

2. On aperçoit ici clairement dans quelle mesure la démarche pédagogique est soumise à des présupposés théoriques; ces exercices ne sont en effet possibles qu'à partir d'une approche renouvelée des verbes *être* et *avoir*. La grammaire en cours dans les classes continue de les disjoindre, rangeant *être* dans les verbes d'« état », *avoir* dans les verbes admettant un complément d'objet direct (bien que les phrases dans lesquelles il se rencontre se refusent à toute transformation passive); non que nous renoncions à les distinguer, mais en les opposant l'un à l'autre, en montrant par ailleurs les jeux de correspondances qui les unissent.

3. C'est notamment sur ces dernières que sont fondés ces schémas. Il s'agit d'établir des correspondances entre deux structures, l'une construite sur *avoir*, l'autre sur *être*, et de dégager des critères de choix.

4. L'analyse n'est pas systématiquement bannie : elle demeure sous-jacente et ne pourra paraître clairement qu'après des exercices nombreux et divers, se fondant non sur une paraphrase approximative d'une phrase-exemple, mais sur le fonctionnement linguistique de l'élément étudié. On pourrait en venir, pour *être*, à :

« Le verbe *être* admet derrière lui

- des groupes construits directement (classe 1) : adjectifs ou substantifs, le plus souvent attributs;

- des groupes construits indirectement (classe 2) : substantifs ou infinitifs.

---

(1) L'astérisque signale une séquence impossible en français.
(2) Voir p. 168. Pour situer cette étude dans l'ensemble, voir aussi DOCUMENT XI.

« Dans les deux cas, il s'agit de termes essentiels à la structure (constituants de phrase) : *à Lille* dans une phrase comme *Il est à Lille* ne saurait être pris pour un circonstanciel. Il n'y a circonstanciel que lorsque dans une même phrase on trouve à la fois un terme de classe 1 et un terme de classe 2. (*Le ciel est bleu sur la mer. — Il est à Lille* chaque mardi.) »

Cette analyse suppose évidemment d'autres exercices que ceux que nous avons esquissés : il n'était pas dans notre intention d'épuiser le sujet mais de proposer quelques éléments d'une démarche possible.

5. Il paraît clair que nous visons essentiellement un apprentissage de la langue et non une spéculation abstraite. Dans tous les cas, l'élève est conduit à découvrir des propriétés linguistiques, à choisir telle ou telle formulation en fonction de ce qu'il veut exprimer, à découvrir telle nuance de sens entre deux structures parallèles. N'est-ce pas lui apprendre la démarche même de l'écriture, non seulement lui faire découvrir des réalités syntaxiques qu'il pouvait ignorer, mais l'entraîner à une démarche intellectuelle qui doit être la sienne lorsqu'il rédige ses devoirs (en français bien sûr, mais cela est vrai aussi de l'histoire ou de la version anglaise...)?

6. Pour une étude de ces deux verbes, voir par exemple :

● E. Benveniste, **Problèmes de linguistique générale;**

● J. Dubois, **Grammaire structurale du français : le verbe;**

● **Dictionnaire du français contemporain,** art. être.

H. Commentaire du document XIII (¹)

Nous devrions à vrai dire parler d'absence de commentaire... car il n'y a pas à ajouter à ces pages. Elles se proposent timidement de signaler à nos collègues du second degré qu'il est non seulement possible mais intéressant d'inscrire dans les études des classes terminales une approche de quelques problèmes des langues et du langage. Il leur revient d'en apprécier l'idée.

Nous avons volontairement choisi un sujet aux ramifications multiples — et d'ailleurs complémentaires. Il en est bien d'autres, qu'il s'agisse des problèmes généraux du lexique, de la grammaire, de la communication ou d'aspects plus particuliers de la langue contemporaine : celle de la presse (sportive, politique, ...), celle de la publicité, etc.

Il ne s'agit en aucune façon de sous-estimer la place qui doit revenir à la littérature dans ce type d'enseignement — nos directions 2 et 3 le prouvent assez —, mais de conduire le futur bachelier à une réflexion, même sommaire, sur quelques problèmes linguistiques fondamentaux.

---

(1) Voir p. 170.

Canevas d'exercices sur les verbes
être et avoir en 4ᵉ

1. Avoir + substantif ⟷ être + participe/adjectif

> Il a faim ⟷ Il est affamé
> Il a un rhume ⟷ Il est enrhumé
> Il a des soucis ⟷ Il est soucieux

Problèmes

● La correspondance est-elle toujours possible? Par exemple :

> Il a froid ⟶ ?
> ? ⟵ Il est très désappointé

● Le choix peut s'opérer à partir des possibilités linguistiques de chaque structure :

— développement du GN

> Il a faim/une faim de loup
> Il a un rhume/il a le rhume des foins

— développement de l'adjectif

> Il est soucieux/soucieux de connaître ses résultats

2. Avoir (posséder) ⟷ être à

> Il a une maison ⟶ *Une maison est à lui (¹)
> *Il a cette maison ⟵ Cette maison est à lui
> (Il possède cette maison)

Problèmes

● Le choix s'opère à partir du jeu des déterminants.

● Ces correspondances permettent en outre d'éclairer le sens du verbe *avoir* :

Il a les meilleurs troupeaux du pays ⟷
(Il possède)   Les meilleurs troupeaux du pays sont à lui
                                    (lui appartiennent)
          Il a mon crayon ⟶ *Mon crayon est à lui

---

(1) L'astérisque signale une séquence non acceptable.

3. Avoir à ←→ être à

Tous les concurrents auront à effectuer le même parcours ←→
Le même parcours sera à effectuer par tous les concurrents

Problèmes

- Différence entre les deux énoncés?
- La correspondance est-elle toujours possible? Par exemple :

Il a du travail à faire ⟶ ?
? ⟵ Il est à gifler

4. Avoir + substantif ←→ verbe

Ils avaient eu une âpre discussion ←→ ils avaient âprement discuté

Problème

- Le choix peut s'opérer à partir des propriétés linguistiques des deux structures :
  — développement du SV

  Ils avaient discuté pendant des heures ⟶ ?
  — développement du SN

  Ils avaient eu une querelle de tous les diables ⟶ ?

5. Effacement de être ou de avoir (1)

Il est rentré à la maison; il était ravi de cette promenade en forêt ⟶
Il est rentré à la maison, ravi de cette promenade en forêt
Ils partent à la plage; ils ont le sourire aux lèvres ⟶
Ils partent à la plage, le sourire aux lèvres

Problème

- Aurait-on pu écrire :

Ravi de cette promenade en forêt, il est rentré à la maison
Le sourire aux lèvres, ils partent à la plage

- Nuances de sens?

---

(1) Cet exercice est différent des autres, puisque, au lieu d'établir des correspondances entre deux phrases noyaux, l'une avec être, l'autre avec avoir, il revient à une procédure d'enchâssement. Nous le mentionnons à titre d'exemple pour signaler que d'autres gammes sont possibles sur les deux verbes que celles qui sont indiquées en 1, 2, 3 et 4.

Réflexions sur un texte
(niveau : classes terminales)

H. Michaux, *le Grand Combat*

Il l'emparouille et l'endosque contre terre;
Il le rague et le roupète jusqu'à son drâle;
Il le pratèle et le libucque et lui barufle les ouillais;
Il le tocarde et le marmine,
5 Le manage rape à ri et ripe à ra.
Enfin il l'écorcobalisse.
L'autre hésite, s'espudrine, se défaisse, se torse et se ruine.
C'en sera bientôt fini de lui;
Il se reprise et s'emmargine... mais en vain
10 Le cerceau tombe qui a tant roulé.
Abrah! Abrah! Abrah!
Le pied a failli!
Le bras a cassé!
Le sang a coulé!
15 Fouille, fouille, fouille,
Dans la marmite de son ventre est un grand secret
Mégères alentour qui pleurez dans vos mouchoirs;
On s'étonne, on s'étonne, on s'étonne
Et on vous regarde,
20 On cherche aussi, nous autres, le Grand Secret.

(*Qui je fus*, 1927, Gallimard)

A. REMARQUES SUR LA LANGUE DES VERS 1 A 9

1. Les lexèmes utilisés, à quelques exceptions près (notamment le vers 8), n'appartiennent pas à la langue française; pourtant, si nous avions rencontré chacun d'eux isolé dans un texte « normal », nous aurions immédiatement saisi le dictionnaire, certains de l'y trouver. C'est qu'ils ont un « air » français :

● Certains sont très proches de mots que nous connaissons : « marmine » (*marmite*), « tocarde » (*tocard*).

● D'autres sont formés sur un mot appartenant à une autre classe grammaticale : « se torse » (*le torse*) ou construits avec un autre préfixe : « se défaisse » *(s'affaisse)*; ailleurs encore, c'est un verbe qui existe mais qui est ici utilisé avec une construction différente : « se reprise » *(repriser,* contaminé d'ailleurs par *se reprendre,* ce qui provoque la trouvaille).

• Dans les autres cas, ces mots paraissent « français » bien que sans parenté évidente avec d'autres de notre lexique, parce que les séquences phonétiques qu'ils utilisent sont pour nous familières; ainsi :

— « emparouille » rappelle *s'emparer, empaler, dérouille.*
— « rague » rappelle *râle, vague, rage,* etc.
— « pratèle » rappelle *pratique, martèle, écartèle,* etc.

2. La morphologie et la syntaxe demeurent intactes : les structures syntaxiques, la place des syntagmes, les accords sont parfaitement « respectés ». Il suffit de faire disparaître les lexèmes du vers 2, par exemple, pour l'apercevoir très clairement :

Il le .... et le .... jusqu'à son ....

Cette suite morpho-syntaxique pourrait être celle de :

Il le touche et le transperce jusqu'à son cœur

B. DIRECTIONS POSSIBLES POUR LA RÉFLEXION

Direction 1 : La langue est un code conventionnel.

• Ce code est fondé sur un ensemble de sons stables, en nombre fini et qui se suivent dans le discours selon des combinaisons elles aussi définies. Cette texture phonétique qui nous est familière nous conduit à opérer des rapprochements entre des termes qui ont en commun une ou plusieurs séquences phonétiques semblables; à tel point que, sans que nous l'ayons jamais rencontré, tel terme nous semblera vulgaire parce qu'inconsciemment nous l'associons à d'autres qui appartiennent à une langue familière ou argotique (ainsi « emparouille, roupète, barufle, ouillais »).

• Ce code repose, en outre, sur un lexique dont nous ne connaissons chacun qu'une partie, plus ou moins importante selon nos contacts avec la langue orale et écrite.

• Il repose enfin sur une grammaire.

A partir de ces évidences, on peut orienter la réflexion vers :

— l'arbitraire du signe linguistique et montrer que, si le rapport entre signifié et signifiant n'a aucune justification logique, le signifiant répond néanmoins à des séquences phonétiques définies pour une même communauté linguistique;

(suite, p. 172)

— la grammaire et montrer quelle place fondamentale elle occupe dans la communication : elle véhicule un courant sous-jacent de signification (c'est elle qui dans les premiers vers reste notre seul fil d'Ariane);

— le lexique : différence entre lexique et vocabulaire, rôle des lexèmes dans la communication, néologismes (différentes façons de créer des néologismes; pourquoi en créer; en quoi ceux de Michaux sont-ils différents de ceux que nous pourrions relever quotidiennement, dans la presse par exemple?).

On pourra finalement montrer, en faisant appel à d'autres exemples :

— qu'une langue est un outil de communication propre à une communauté et, partant, conventionnel;

— que son caractère social exige une certaine stabilité;

— qu'elle est comme l'homme inscrite dans l'histoire et ouverte sur le monde et du même coup doit garder une certaine disponibilité au changement.

Il sera intéressant de s'interroger sur le droit et la possibilité qu'a l'individu de modifier le code linguistique de sa communauté.

Direction 2 : Langue véhiculaire et langue poétique

Il reste hors de question d'approcher ici le problème dans son ensemble. Mais il n'est pas impossible d'argumenter une réflexion sommaire :

● La langue est fondée sur un certains nombre de conventions (phonétiques, lexicales, grammaticales) que le poète peut être tenté de briser :

— au niveau du lexique, en mettant en rapport des unités qui s'excluent habituellement :

Tu sais que ce soir il y a un crime vert à commettre
(Breton et Soupault)

ou en inventant des mots nouveaux, comme dans ce texte de Michaux; mais dans ce cas, la grammaire répond à la « norme »;

— au niveau de la grammaire, en renonçant à l'ordre canonique des termes dans la phrase :

Sinon la myrrhe gaie en ses bouteilles closes,
De l'essence ravie aux vieillesses des roses,
Voulez-vous, mon enfant, essayer la vertu
Funèbre?

(Mallarmé.)

Mais dans ce cas le lexique reste « intact ».

● Des questions se posent : pourquoi le poète a-t-il le désir de « forcer » le langage? Renonçant à un certain type de communication linguistique, ne désire-t-il pas en instaurer un autre? Dans quelle mesure peut-il briser les cadres de la convention tacite qui le lie aux membres de sa communauté linguistique? Ou plus exactement, jusqu'à quel point? Ces quelques lignes de T. Todorov pourraient éclairer le débat :

« [...] on a ressenti le langage comme un interdit. Comme il est le seul intermédiaire entre l'homme et le monde, le monde se trouve dissimulé et travesti par le langage; et l'accès y est interdit par ce langage même. Ainsi la force qui a poussé l'homme à dépasser le langage en poésie vient de la même source que le désir, présent aujourd'hui comme jadis dans la méditation philosophique, de traduire fidèlement par le langage l'objet de la pensée. On retrouve dans l'attitude des poètes une réaction intuitive devant l'impuissance profonde du langage qui nous condamne à rester ses prisonniers pour toujours. Toutefois, la transgression poétique, comme toute transgression, ne nous amène pas à un état où l'interdit disparaît. C'est une transgression avortée mais qui a le mérite de créer la contemplation esthétique ([1]). »

Direction 3 : Commentaire du texte de Michaux

Il ne nous revient évidemment pas de l'esquisser. Mais de signaler seulement combien peuvent l'éclairer les réflexions qui précèdent. Il est en effet intéressant de remarquer que deux types de langage s'y affrontent : l'un volontairement « déformé », l'autre volontairement « clair ». La violation du langage n'intervient-elle pas là où il eût été banal de recourir à un lexique « normal »? Ne cherche-t-elle pas à nous signaler le caractère dérisoire de ce « grand combat »? Et le langage « clair » ne laisse-t-il pas apparaître d'autant plus atroce l'horreur de la mort? Curieusement, le vers le plus énigmatique du texte n'est-il pas ce vers 10, décasyllabe au lexique intact, à la syntaxe délicatement archaïsante? D'où vient qu'au lieu de nous « rassurer » il demeure énigmatique et effrayant? Sans doute un « cerceau » ne mérite-t-il pas contexte si « poétique »; mais l'explication reste peut-être courte; nous ayant préparé depuis les premiers vers aux pirouettes verbales et aux parentés sonores, Michaux ne nous conduit-il pas à associer inconsciemment au mot « cerceau » un autre, terrible dans ce contexte : *cerveau?*

La dérision du langage nous met peut-être en garde contre de trop faciles lectures; contre les pièges d'un langage frivole. Lecteurs attentifs, il nous faut accorder aux mots leur importance, chercher nous aussi « le Grand Secret » — ou rejoindre le cortège lamentable des « mégères » à mouchoirs du vers 17.

---

(1) « Les Anomalies sémantiques », dans *Langages*, 1966, n° 1.

Conclusion générale

La linguistique est-elle une mode? C'est ce que l'on dit souvent : le blason terni du grammairien serait redoré par celui, tout neuf, du linguiste, mais pour combien de temps? Nous voudrions avoir convaincu notre lecteur du sérieux des recherches entreprises, de l'incontestable progrès accompli dans la connaissance des langues et du langage, singulièrement au niveau de la grammaire.

Nous admettons bien que la nouveauté des perspectives puisse d'abord déconcerter; c'est une impression que nous avons nous-mêmes partagée et qu'avouent nos étudiants. Mais toute démarche scientifique impose une discipline intellectuelle; car il s'agit toujours pour elle « au prix d'une certaine abstraction, et en se situant à un niveau qui n'est pas celui des apparences immédiates, de dégager des règles générales là où l'observation empirique ne constate qu'un ensemble de faits disparates (1) ».

Ranger la linguistique au rayon des modes et des logorrhées, n'est-ce pas à la vérité renoncer à l'effort sous de fallacieux prétextes? Il nous paraît de toutes les manières que l'enseignement du français ne pourra plus longtemps se permettre d'ignorer une science qui lui propose un véritable bain de Jouvence. Car l'heure des échéances n'est pas loin de sonner. Pour ce qui regarde la grammaire, le flot des aveux de faillite ne cesse de grossir — et nombre de nos collègues n'ont pas attendu les linguistes pour dénoncer l'inefficacité de la discipline telle qu'elle est encore conçue. « Car vraiment savoir une règle de grammaire, c'est non pas pouvoir la formuler, mais être capable de l'appliquer avec un haut degré d'automatisme (2). » Comment ce but pourrait-il être atteint par la pratique d'une grammaire qui reste si loin des réalités linguistiques élémentaires, par un enseignement strictement réflexif et écrit?

Nous savons quelle abnégation il faut à un instituteur ou à un professeur pour remettre en cause ce qu'il enseigne, souvent depuis de nombreuses années. Mais nous savons aussi qu'il ne balancera pas s'il est convaincu que l'avenir de ses élèves est en jeu. Les institutrices de notre équipe lilloise nous disent souvent que le surcroît de travail qui leur est imposé est largement compensé par les résultats acquis et le plaisir tout nouveau avec lequel leurs élèves entrent en classe de « grammaire ».

Il reste vain d'espérer que dès demain tout pourra changer; il faut être patient. Nous avons dit que toute rénovation pédagogique passe par une révision des contenus d'enseignement. Il est donc nécessaire que soient simultanément mises en place des structures d'accueil où le praticien pourra recevoir un indispensable bagage théorique, si réduit soit-il, et des équipes de recherche au sein desquelles linguistes et pédagogues mettront en commun leurs efforts pour bâtir de nouvelles progressions.

---

(1) N. Ruwet, **Introduction à la grammaire générative**, p. 206.
(2) P. Delattre, « la Notion de structure et son utilité », dans *Le français dans le monde*, n° 41, juin 1966, p. 10.

Bibliographie

Nous ne signalons ici que les ouvrages qui nous ont paru fondamentaux, en notant d'un astérisque ceux dont la lecture suppose déjà une certaine familiarité avec les problèmes et le vocabulaire de la linguistique, générale ou française. Nombre d'entre eux sont accompagnés d'une bibliographie abondante à laquelle on se reportera pour des informations plus détaillées.

Section 1 : Linguistique générale

• Il était normal de signaler, avant d'aborder la grammaire française, quelques livres de base qui fourniront au lecteur des notions essentielles de linguistique générale.

G. Mounin, **Clefs pour la linguistique,** Seghers, Paris, 1968.

Cf. Bibliographie de la *Deuxième partie.*

F. de Saussure, **Cours de linguistique générale,** Payot, Paris, 4ᵉ éd., 1949.

Ouvrage de base, auquel il faut toujours revenir. On commencera, pour une « initiation à la linguistique », par la lecture du Cours. On pourra se reporter au livre de G. Mounin, **Ferdinand de Saussure ou le Structuraliste sans le savoir,** Seghers, coll. « Philosophes de tous les temps », Paris, 1968. Nous recommandons aux lecteurs qui connaissent l'italien l'édition du *Cours* parue aux éditions Laterza (Bari, 1968) avec une introduction et un commentaire (portant sur l'interprétation et les variantes); remarquable biographie de Saussure, et riche bibliographie; travail dû à M. Tullio de Mauro.

J. Perrot, **la Linguistique,** P.U.F., coll. « Que sais-je? », Paris, 1957.

Un livre qui, par son abord facile, permettra au débutant en linguistique de faire avec sûreté le tour des grands problèmes.

B. Malmberg, **les Nouvelles Tendances de la linguistique,** P.U.F., coll. « Le linguiste », Paris, 1966.

Décrit en 331 pages claires et denses la situation de la linguistique contemporaine et expose les méthodes des principales écoles.

E. Benveniste, **Problèmes de linguistique générale,** Gallimard, Paris, 1966.

Un ouvrage capital où ont été réunis des articles consacrés pour les uns à quelques problèmes de linguistique française (exemple : *Les relations de temps dans le verbe français*), pour les autres à des réflexions nombreuses et variées sur la linguistique générale (exemple : *Nature du signe linguistique,* « *Structure » en linguistique*).

* R. Jakobson, **Essais de linguistique générale** (traduit et préfacé par N. Ruwet), Ed. de Minuit, coll. « Arguments », Paris, 1963.

Rassemble quelques textes récemment traduits d'un maître de la linguistique contemporaine. Outre des articles consacrés à quelques problèmes généraux du langage, à la phonologie, à la grammaire, l'ouvrage comporte une section *Poétique*, capitale à qui veut comprendre certains rapports de la linguistique et de la littérature.

H.-A. Gleason, **Introduction à la linguistique,** traduction française de F. Dubois-Charlier, Larousse, Paris, 1969.

J. Lyons, **Linguistique générale. Introduction à la linguistique théorique**, traduction de F. Dubois-Charlier et D. Robinson, Larousse, Paris, 1970.

Dans ces deux manuels, denses mais très clairs, toutes les questions de linguistique sont abordées. Signalons que Gleason insiste plus sur la phonétique et la phonologie que Lyons, lequel privilégie la grammaire.

• Les trois ouvrages qui suivent abordent de manière plus systématique les problèmes des langues et du langage :

A. Martinet, **Éléments de linguistique générale,** A. Colin, Paris, 2e éd., 1968.

Après avoir défini la place de la linguistique dans les sciences du langage et précisé sa méthode, A. Martinet entreprend de découvrir la structure de la langue dans sa double articulation (analyse phonologique; unités significatives); une cinquantaine de pages sont ensuites consacrées aux problèmes que posent la « variété des idiomes et des usages linguistiques » et l'« évolution des langues » (v. aussi la bibliographie de la deuxième partie, *Phonie, prosodie, graphie*).

N. Ruwet, **Introduction à la grammaire générative,** Plon, Paris, nouv. édit. 1967.

N. Ruwet expose dans ce livre de 448 pages l'essentiel des thèses les plus récentes de la linguistique américaine. Après avoir signalé l'insuffisance des théories structuralistes en situant la grammaire des langues dans un nouvel éclairage, l'auteur décrit les étapes essentielles de la démarche de Harris et de Chomsky. Ce livre fondamental, de niveau élevé mais toujours très clair, pose les bases pour l'avenir d'une grammaire transformationnelle du français.

* Noam Chomsky, **Structures syntaxiques** (traduction de Michel Braudeau), Éd. du Seuil, Paris, 1969.

Capital pour connaître la pensée et la méthode du maître de la grammaire générative et transformationnelle.

• Le lecteur désireux de s'informer sur ce qu'il est convenu d'appeler le structuralisme et sur les rapports de la linguistique avec les autres sciences humaines pourra encore consulter avec profit :

J. Piaget, **le Structuralisme,** P.U.F., coll. « Que sais-je? », Paris, 1967, et les numéros spéciaux des revues **Esprit,** novembre 1963, et **Diogène,** juillet 1965.

• Deux revues françaises récentes, toutes deux destinées à un public spécialisé, sont consacrées aux problèmes de la linguistique :

* **la Linguistique,** éditée par les P.U.F. (directeur : A. Martinet).
* **Langages,** coédition Didier-Larousse (directeur : J. Dubois).

Section 2 : Grammaire française

P. GUIRAUD, **la Grammaire,** P.U.F., coll. « Que sais-je? », Paris, nouv. édit., 1961.

P. GUIRAUD, **la Syntaxe du français,** P.U.F., coll. « Que sais-je? », Paris, 1962.
Clairs et concis, ces deux petits livres donnent sur les sujets dont ils traitent des aperçus parfois un peu rapides, mais toujours suggestifs.

G. COURT, **la Grammaire nouvelle à l'école,** P.U.F., coll. « SUP », Paris, 1968.
S'adresse en particulier aux enseignants et se propose en 150 pages de revoir la grammaire française à la lumière des données de la linguistique contemporaine. Empruntant à des sources multiples, l'auteur n'échappe pas toujours à l'éparpillement ni à la confusion; destinées au profane, certaines pages ne demeurent claires que pour le lecteur au fait de l'origine des thèses exposées.

J.-Cl. CHEVALIER, Cl. BLANCHE-BENVENISTE, M. ARRIVÉ, J. PEYTARD, **Grammaire du français contemporain,** Larousse, Paris, 4e éd., 1968.

R.-L. WAGNER, J. PINCHON, **Grammaire du français classique et moderne,** Hachette, Paris, 2e éd., 1967.
Ces deux manuels, qui s'adressent plus particulièrement à l'étudiant, se signalent par leur richesse et leur nouveauté; l'enseignant s'y reportera avec profit.

H. BONNARD, **Grammaire française des lycées et collèges,** S.U.D.E.L., Paris, 1953.
Destinée à des lycéens, cette grammaire peut être pour l'enseignant un ouvrage de référence utile et efficace.

* J. DUBOIS, **Grammaire structurale du français** (trois volumes : I. **Nom et pronom.** — II. **Le verbe.** — III. **La phrase et les transformations**), Larousse, Paris, 1965, 1967, 1969.

* M. GROSS, **Grammaire transformationnelle du français : la syntaxe du verbe,** Larousse, Paris, 1968.
Ces ouvrages sont plus systématiques et d'approche beaucoup plus difficile. S'appuyant sur les théories linguistiques les plus récentes (grammaire distributionnelle pour le premier ouvrage de J. Dubois, grammaire transformationnelle pour les trois autres), ils proposent à des lecteurs avertis, en même temps qu'une leçon de méthode, des perspectives tout à fait nouvelles sur la grammaire du français. Ils peuvent être, pour le pédagogue solidement informé, des sources inépuisables d'exercices sur la langue française.

• La revue **Langue française,** éditée par Larousse (directeur : J.-Cl. Chevalier), s'adresse notamment « aux enseignants des trois ordres, du premier, du second et du troisième degré », et souhaite « non seulement apporter une source de réflexion à tous ceux qui s'intéressent à la langue française, mais aussi porter la création et dans la recherche et dans l'enseignement » (présentation du premier numéro). Chaque numéro est centré sur une question générale (n⁰ 1 : **la Syntaxe,** février 1969; n⁰ 2 : **le Lexique,** mai 1969, etc.). On trouvera dans le premier une importante bibliographie sur les ouvrages et articles récents consacrés à la syntaxe du français.

Section 3 : Pédagogie

Pour la construction d'exercices de grammaire, on se reportera avec profit, tant pour ce qui regarde le contenu que la méthode à suivre aux ouvrages du B.E.L.C. (¹), particulièrement à ceux de :

M. Boy, **Formes structurales du français,** Hachette-Larousse, Paris, 1969.

M. Csecsy, **le Verbe français,** Hachette-Larousse, Paris, 1968.

F. Requedat, **les Exercices structuraux,** Hachette-Larousse, Paris, 1966.

• La revue **Le français dans le monde,** coédition Hachette-Larousse (directeur : A. Reboullet), peut apporter à l'enseignant français (elle s'adresse en fait aux enseignants du français langue étrangère) une aide efficace; certains de ses numéros spéciaux sont à recommander tout particulièrement :

n⁰ 41 (juin 1966) : **les Exercices structuraux;**
n⁰ 57 (juin 1968) : **la Grammaire du français parlé;**
n⁰ 65 (juin 1969) : **Guide pédagogique pour le professeur de français;**
n⁰ 69 (décembre 1969) : **Université et diversité du français contemporain.**

• La revue **Langue française,** déjà citée, consacre certains de ses numéros à l'enseignement du français langue maternelle et langue seconde. A lire notamment : le n⁰ 6 (mai 1970), **l'Enseignement du français langue maternelle.**

• La revue **Le français aujourd'hui,** que publie l'Association française des professeurs de français (1, av. Léon-Journault, 92/Sèvres), est l'organe de liaison de tous ceux qu'intéresse la rénovation de l'enseignement du français, « de la maternelle à l'Université ».

---

(1) Bureau pour l'enseignement de la langue et de la civilisation française à l'étranger (7, rue Lhomond, Paris Vᵉ).

QUATRIÈME PARTIE

Lexique et vocabulaire

INTRODUCTION

Le vocabulaire *apparaît* comme le complément de la grammaire. C'est là, du moins, l'opinion communément admise. Connaître, avec les règles de grammaire, un maximum de mots, permet de « bien parler ». Cette distinction en deux domaines nettement délimités a un aspect très rassurant : puisqu'il faut enrichir la langue de l'élève, on y parviendra à force de leçons de vocabulaire. Et pour qu'il emploie à bon escient cet ensemble de mots, on lui en montrera le ou les sens.

De là vient cet emploi tranquille et innocent des éléments lexicaux, comme si la notion de *mot* allait de soi, ainsi que celle de *sens ;* comme si, une fois le cadre formel (la règle grammaticale) connu, il suffisait de le remplir de tout ce que le vocabulaire offre au sujet parlant pour que la « pensée » trouve son expression.

C'est donc d'abord sur la notion de *mot* qu'il nous a paru important de fixer l'attention. Car nulle autre ne connaît un statut plus ambigu que le sien : en chaque circonstance, pédagogique ou non, nous l'utilisons, assurés qu'elle désigne une unité si nette que ses limites ne font pas problème. Et pourtant les linguistes, contraints eux aussi d'en user constamment, ne parviennent pas à en donner une définition univoque.

Il nous fallait ensuite, puisque le *mot* ne se laisse que malaisément saisir, esquisser les réseaux relationnels parmi lesquels il évolue et fonctionne. C'est de ces descriptions que nous traitons sous le titre « Structures lexicales ». A partir de là, nous pouvions indiquer que le *sens* n'est pas enclos dans les limites d'une ou plusieurs unités, mais qu'il se construit par leur jeu multiple et mutuel.

Enfin, avant de rappeler à grands traits la méthode et l'histoire de la lexicographie et de la lexicologie, nous avons tenu à signaler les travaux des linguistes sur la sémantique. On en retiendra que rien n'est vraiment sûr quand on parle de *sens*, et que rien n'est plus irritant que de savoir qu'il existe sans pouvoir exactement le situer ni le cerner. Aussi les théories élaborées (et dont nous ne présentons qu'un « échantillon ») paraîtront-elles à certains bien complexes, à d'autres peu utiles.

Mais, après de tels propos, qui semblent conduire à l'incertitude, nous ne voulions pas que s'installât le doute. Aussi avons-nous esquissé, en fin de chapitre, des perspectives pédagogiques : ce n'est pas parce qu'une discipline s'interroge sur sa terminologie, sur la validité de ses analyses et qu'elle bouscule les notions communément répandues, qu'elle ouvre sur le vide. Il faut, au contraire, savoir y lire le mouvement incessant de la recherche que rejoint celui de l'expérimentation pédagogique.

CHAPITRE PREMIER

CONTEXTE SOCIO-PÉDAGOGIQUE

I. Lexique et vocabulaire de l'élève

A. *Définitions*

Il est indispensable, pour la clarté de l'analyse, de commencer par une distinction d'ordre terminologique portant sur les notions de **lexique** et de **vocabulaire** :

● Le *lexique* est l'ensemble { L } de tous les mots qui, à un moment donné, sont à la disposition du locuteur. Ce sont les mots qu'il peut, à l'occasion, et employer et comprendre; ils constituent son **lexique individuel**.

Il reste, évidemment, qu'un nombre indéterminé de mots demeurent « extérieurs » à ce lexique, ce sont tous les mots que le locuteur n'a pas encore rencontrés dans l'usage quotidien de son langage. A la limite, à une époque historiquement déterminée, toute société dispose d'une somme considérable de mots, dont on peut établir théoriquement l'inventaire (dans des ouvrages intitulés « trésors » de la langue X) et qui constituent le **lexique général** ou lexique **global**; chaque lexique individuel, n'étant qu'une part constituée de ce lexique-là.

● Le *vocabulaire* est l'ensemble { V } des mots effectivement employés par le locuteur dans tel acte de parole précis. Le vocabulaire est l'actualisation d'un certain nombre de mots appartenant au lexique individuel du locuteur. Ainsi, l'on peut dénombrer et inventorier les mots différents qu'un élève a employés dans un exercice de rédaction ou d'élocution, ce qui fournit une certaine image de la richesse du vocabulaire, à ce moment-là, de l'élève, mais ne peut donner qu'un aperçu fragmentaire de son lexique.

● Vocabulaire et lexique sont en rapport d'inclusion : le vocabulaire est toujours une partie, de dimensions variables selon le moment et les sollicitations, du lexique individuel, lui-même partie du lexique global.

De cette situation découle une double conséquence : l'enseignant ne perçoit jamais la totalité du lexique de son élève; l'élève n'utilise jamais, dans l'acte de parole, la totalité de son lexique. Mais, l'on doit poser que la richesse (quantitative et qualitative) du vocabulaire est fonction de la richesse du lexique. D'où ce problème : comment enrichir le lexique? comment sélectionner dans ce lexique? Cela trace deux voies essentielles à l'enseignant :

— Fournir à l'élève un nombre de mots aussi diversifiés que possible, lui demander un emploi judicieux de tous les mots acquis par lui;

— Faire s'accroître le lexique et se préciser (par un acte de sélection adaptée) le vocabulaire.

B. Les milieux socio-culturels

L'enrichissement et la sélection qu'exigent lexique et vocabulaire ne sont pas, malheureusement, sous le contrôle absolu de l'enseignant. L'élève, dans sa fonction de locuteur, est déterminé par ses relations avec les niveaux socio-culturels qu'il rencontre successivement. Ces niveaux regroupent un ensemble de sollicitations et d'influences variables et souvent divergentes. Ne retenons, par facilité, que le niveau constitué par le milieu familial et par l'école, deux moments alternants de la vie de l'élève.

Il appartient à la psychologie et à la sociologie d'éclairer les rapports de l'individu-élève avec ces micro-sociétés (famille et école). Rappelons succinctement, au plan linguistique qui nous concerne, quelques faits saillants. C'est dans le milieu familial que l'apprentissage de la langue s'effectue : tout au long de la première enfance la famille fournit à l'enfant des ressources de langage fondamentales, tant pour le lexique que pour la grammaire, sur lesquelles s'instaure la « compétence » du jeune locuteur : cela signifie qu'au moment de l'entrée à l'école, l'élève est capable de comprendre et de construire un grand nombre de phrases, grâce auxquelles de nouveaux rapports sociaux vont se constituer.

a) Les phases de l'apprentissage

Qu'en est-il de l'acquisition lexicale durant ces premières années? Empruntons aux psychologues quelques points de repère :

• Il est admis que la phase prélinguistique, avec babil et onomatopées, prépare les acquisitions ultérieures; vers la fin de la première année (encore que les psychologues ne proposent pas de conclusions unanimes sur cette période) l'enfant **comprend** partiellement les messages, et cette phase de compréhension du langage est antérieure à son utilisation.

Mais l'enfant ne signifie pas par un comportement verbal son intelligence du message : il répond, pour ainsi dire, avec tout son corps; les mots (ou ce qui en tient lieu) ne sont pas dissociables d'un contexte d'attitudes, non plus que de la situation dans laquelle ils sont articulés. L'enfant prononce le mot en même temps qu'il l'accompagne de mimiques et de gestes, sans lesquels aucun sens ne saurait lui être prêté. Dès le début de la communication linguistique, l'enfant ne disposant pas d'un contexte verbal qui permettrait de lever toutes les ambiguïtés sémantiques, ce n'est que le contexte situationnel (s'ajoutant aux simulacres gestuels) qui peut fixer le sens des mots (ou pseudo-mots) utilisés. Stade marqué par le syncrétisme des éléments verbaux et non verbaux : non seulement le sens dépend des circonstances, mais souvent une confusion du sens du mot avec la chose désignée s'établit, cependant que l'apprentissage du langage permet à la perception de mieux s'organiser : ce qui est nommé acquiert, simultanément, une existence autonome. C'est l'époque où mère et enfant jouent à mettre en correspondance mots et objets, procédure fort répandue pour l'acquisition du vocabulaire concret.

• Au cours des deuxième et troisième années, le vocabulaire va s'accroître : alors qu'à un an l'enfant dispose de quelques éléments linguistiques, à deux ans il en utilise environ deux cents, et à quatre ans plus de mille; dans la même période, il passe de l'usage de l'élément isolé à celui de la construction syntaxique et de l'organisation de la chaîne parlée.

Mais il existe encore une disproportion entre les exigences nombreuses de la situation et la richesse lexicale; l'enfant « dispose de termes trop peu nombreux pour exprimer la diversité et la complexité des situations [1] », le champ des signifiés semble vaste, celui des signifiants restreint, et le mot employé recouvre des sens très différents selon les contextes situationnels : ainsi cette petite fille qui emploie le signe [lo] toutes les fois que la situation signale la présence d'un liquide : quand il pleut, quand la chasse d'eau est tirée, quand son verre est vide et qu'elle veut boire, etc. : « Le signe [lo] n'est pas un signe univoque, mais il est le signe d'une *famille de situations* dont le commun dénominateur est la présence de liquide. » Si bien qu'« avant deux ans le nombre de termes est toujours inférieur aux références sémantiques : il y a polysémie, le rapport signifiés/signifiant va jusqu'à 1,7 [...]. Avec la continuité de l'accroissement du vocabulaire, la précision des signifiants s'accroît, ceux-ci deviennent plus nombreux et le rapport signifiés/signifiants devient inférieur à 1. »

Simultanément, le message s'organise, « les assemblages de mots doublent de longueur et passent de 2 à 4 termes », de même, au niveau grammatical, à côté des substantifs apparaissent des adjectifs, à côté des verbes, des adverbes. Ainsi « au début de la quatrième année, la possession du langage est-elle nettement amorcée ».

---

[1] Cette citation et celles qui suivent sont extraites de l'article de Mme A. Tabouret-Keller paru dans le *Bulletin de psychologie* de janvier 1966 (v. BIBLIOGRAPHIE, p. 240).

b) L'influence du milieu

Les différents moments que nous avons rappelés délimitent les étapes de l'apprentissage du langage chez tout enfant situé dans un milieu familial « normal ». On comprend, sans avoir besoin de le souligner, que tout milieu « anormal » (mais qu'est-ce que la norme en l'occurrence ?) perturbe l'apprentissage, soit en provoquant des phénomènes de retard, soit en maintenant l'enfant dans un état de sous-développement linguistique; on sait aussi, grâce aux études de Malson (1), que les enfants sauvages, à qui manquent les années d'initiation au langage de la première enfance, sont incapables de dominer vraiment leur propre langue, quand ils ont pu en apprendre les rudiments.

L'influence de la famille ne se limite pas, en matière de langage, aux années d'apprentissage : quand l'enfant sera scolarisé, il n'échappera pas à la permanence du déterminisme familial. Le lexique de l'élève va dépendre, en grande partie, de l'aptitude de son milieu familial à entretenir avec lui discussions et dialogues, à orienter sa curiosité vers des thèmes diversifiés, à l'entourer de ce qu'il est convenu de dénommer « une ambiance culturelle »; c'est par la multiplication des échanges linguistiques avec son milieu que l'élève apprend à préciser le sens des mots qu'il emploie et étend l'aire de son lexique.

De là viennent les plus grandes inégalités chez les élèves devant leur propre langue : il est démontré que les milieux aisés développent le bien parler et l'aptitude au discours, alors que les milieux défavorisés n'ont pas sur leurs enfants cette influence bénéfique et déterminante dans notre société où rhétorique est encore souvent maîtresse des carrières. De ces faits, les études de Bourdieu et Passeron portent un convaincant témoignage.

Le rôle de l'école sera de compléter et de compenser la « culture langagière » reçue du milieu familial. On admet généralement que l'école est lieu de « bon usage »; c'est, du moins, la vocation que lui prêtent les *Instructions officielles* de 1923 : « Le vocabulaire des enfants appartient plus souvent à l'argot du quartier, au patois du village, au dialecte de la province qu'à la langue de Racine ou de Voltaire. Le maître doit se proposer pour but d'amener ces enfants à exprimer leurs pensées et leurs sentiments de vive voix ou par écrit, en un langage correct »; doctes conseils que reprennent les *Instructions* de 1938 : « La langue française que les maîtres enseignent n'est pas celle que les enfants emploient spontanément [...]. A l'école, les maîtres enseignent l'usage correct, le bon usage de la langue, [...] la prononciation exacte et la signification précise du mot. »

Cela signifie qu'en entrant à l'école, l'élève change de milieu linguistique; quand même parlerait-il à la maison un français correct, il resterait qu'à l'école il affronte le « régent » du bon usage et les contraintes d'un parler qui veut

---

(1) Cf. Bibliographie, p. 240.

se rapprocher autant que possible du « modèle » d'une belle langue, riche et précise : tout écart sera sanctionné, par notation ou punition.

L'école est aussi lieu de science : l'élève est confronté à des disciplines variées qui exigent de sa part attention et contention; l'écriture, la rédaction, le calcul, les sciences naturelles, l'histoire, la géographie, etc. Chaque fois qu'il est sollicité par l'une de ces disciplines, il doit entrer dans un domaine au vocabulaire spécifique : celui de la géographie possède ses termes propres, différents de celui des leçons de calcul, lui-même présentant un ensemble de termes que l'élève ne retrouve pas ou peu dans les leçons de sciences naturelles. On pourrait, sans donner dans le paradoxe, souligner que toute initiation à une discipline scolaire n'est qu'apprentissage d'un vocabulaire; n'est-il pas exact qu'un élève « faible en calcul » est aussi un élève qui ne comprend pas les termes techniques de cette science, et pour qui le mot *fraction* ou le mot *quotient* appartiennent à une langue étrangère?

Si bien que le rôle du maître est toujours d'expliquer le sens et l'usage des mots, d'enrichir le lexique de l'élève de tous les mots techniques rencontrés et de faire que ces mots mémorisés soient ensuite, à chaque acte de vocabulaire, correctement sélectionnés. Et l'on refait ici la constatation, maintes fois soulignée, que toutes les disciplines sont enseignement de la langue française.

Toutefois, si l'on se place au niveau du récepteur (l'élève), il convient de noter que ce passage au travers du vocabulaire des diverses disciplines fortifie en lui une expérience, dont les résultats ne lui sont pas nécessairement perceptibles de façon consciente : il éprouve que la langue n'a pas d'uniformité dans son lexique; à la maison, c'est un type singulier de vocabulaire qui est employé, parce que la vie familiale est faite d'usages et de dialogues différents de ceux de l'école; à l'école, selon les variations de l'emploi du temps, on abandonne un type de langage pour en adopter un autre : parler avec le maître demande une attention que l'on ne connaît plus, avec les camarades, pendant les jeux de la récréation. Variations qui sollicitent les éléments différents du lexique propre à chaque élève. Ainsi sera vécue l'expérience des « niveaux de langue » (v. *infra*).

Revenons au point de vue de l'enseignant. Sa fonction est donc, d'une part, d'apprendre à l'élève un maniement précis de son lexique, d'autre part, d'éviter que ce lexique ne s'altère. Le maître, tout d'abord, doit faire que la confusion ne puisse s'installer entre les mots constitutifs des lexiques techniques de chaque discipline; il doit ensuite contrebattre l'influence négative (ou susceptible de l'être) du milieu familial ou de l'environnement scolaire : rentré à la maison, l'élève retrouve les habitudes linguistiques du milieu, et rien ne promet que ces habitudes viendront en renfort aux leçons du maître; au contact des autres élèves, le langage « marginal » de la collectivité scolaire fait à son tour sentir sa pression. Tout, au dehors de l'école, risque de rogner et de réduire les bienfaits des enseignements magistraux. Mais cette situation n'est qu'apparemment scandaleuse; l'élève subit la loi commune qui fait à chacun nécessité de passer d'un niveau de langue à un autre.

C. Les niveaux de langue

La définition en est très délicate, car ici se mêlent grammaire et lexique, normes sociales et intuition personnelle. On peut effectivement plus facilement « sentir » dans la communication le niveau de langue adopté que le décrire. Chacun a le sentiment que son registre d'expression varie selon le thème et les interlocuteurs et que, pour un même thème, les expressions peuvent être très différentes. Ces possibilités de choisir un vocabulaire (et la « tonalité » de celui-ci provoque une organisation syntaxique qui lui est propre) sont à situer au plan de la *stylistique ;* toutefois l'analyse lexicale ne peut les négliger.

Certains linguistes donnent, comme des « niveaux de langue », la distinction établie entre *langue parlée* et *langue écrite ;* cela ne va pas sans confusion, si l'on entend par « langue parlée » un type de vocabulaire et de syntaxe libéré des normes de la correction, par « langue écrite » un langage soucieux de purisme et de « tenue ». Mieux vaut considérer que *langue parlée* appartient à l'ordre *oral, langue écrite* à l'ordre *scriptural,* chaque ordre possédant son code spécifique. C'est à l'intérieur de chaque ordre que s'établiront les divers « niveaux » :

● On admet communément qu'il existe un niveau médian, dénommé *langue commune,* parfois *français standard ;* au-dessus de ce médian, le niveau *soutenu;* au-dessous, les niveaux *familier* et *relâché.* Comment caractériser la « langue commune »? nous pouvons emprunter à Ch. Bally (¹) cette définition : « Le sujet parlant a l'impression qu'il y a dans la langue maternelle des mots *fréquents* et des mots *rares,* des expressions *usuelles* et des expressions *non usuelles;* cela prouve indirectement l'existence d'une *langue commune,* qui reflète, dans un groupe linguistique donné, les formes constantes de la vie humaine et de la vie sociale; toutes les formes d'expression servant à des emplois plus restreints, ou particulières à des groupements plus limités lui restent subordonnées, [...] la langue commune subordonne tous ses moyens d'expression à la nécessité vitale de la communication des pensées; [...] elle a horreur du luxe d'expression; elle tend à unifier les nuances synonymiques : son idéal est de n'exprimer chaque chose que d'une seule manière. »

● Les autres niveaux constituent des écarts par rapport à ce niveau « moyen » : la langue *soutenue* cherche un vocabulaire plus précis et plus rare, joue des nuances et organise sa phrase par référence à des modèles empruntés à un certain « classicisme » où la littérature fait sentir ses pressions. Le niveau *familier* use de mots nouveaux, d'images pittoresques, ressentis comme « anormalités », sans que la fréquence de ses écarts constitue une déformation rendant « inacceptables » les messages donnés; c'est la langue *relâchée,* qui tend, par une violation continue de la norme, à se mettre en marge jusqu'à se fermer dans l'ésotérisme (à l'extrême, on trouve les argots). Cependant, seule une

(1) Cf. BIBLIOGRAPHIE, p. 240.

attitude puriste s'effraiera des niveaux familiers ou relâchés : le rôle du maître est d'abord de savoir ce que sont ces niveaux et quelles fonctions ils remplissent, pour pouvoir les repérer sciemment et conduire les élèves qui en sont affectés à une pratique plus systématique de la langue *commune*. Une preuve que ces niveaux inférieurs présentent un intérêt scientifique nous est donnée par la *Grammaire des fautes* de H. Frei.

● L'habitude est prise de classer à part de la langue *commune*, les *terminologies techniques*, ainsi définies par Ch. Bally : « La terminologie technique comprend donc l'ensemble des termes étrangers à la langue commune et désignant les choses par leur côté impersonnel et objectif avec exactitude et précision; [...] l'état d'esprit supposé par le terme technique se retrouve dans toutes les formes d'activité déterminées; il suffit de citer la langue dite administrative, les termes de métier, les jargons. » Pour apprécier la spécificité de la terminologie technique, il suffit de mesurer l'embarras que chacun a pu éprouver quand il s'agit de dénommer les différentes parties d'une fenêtre ou les pièces de la robinetterie d'une salle de bains, ou les différentes parties d'un moteur.

● Il faut toutefois distinguer entre *terminologie technique* et *métalangage scientifique* : la première joue un rôle de dénomination des branches ou des objets propres à une technique et elle établit un classement parmi les résultats obtenus par l'activité technicienne; le second regroupe les mots par lesquels sont désignés les concepts opératoires d'une recherche ou d'une réflexion scientifique. Ces mots sont souvent empruntés à la langue commune, mais, chargés d'un sens univoque par le chercheur, ils constituent une *langue au-dessus* (non pas au sens d'une hiérarchie) de la langue *commune*, une « *métalangue* » grâce à laquelle la science s'instaure en tant que science et peut conduire ses analyses dans le champ que cette « *métalangue* » elle-même contribue à délimiter.

On trouvera un exemple de métalangage dans le lexique des mathématiques, où les mots *fonction, application, injection*, par exemple, empruntés à la langue *commune*, reçoivent une définition univoque (le sens est fixé, sans variation possible) qui les met à l'écart des emplois « vulgaires »; dans le lexique de la linguistique, *monème, syntagme, prosodie*, sont des éléments de métalangage.

● D'autres critères peuvent être employés pour distinguer d'autres « niveaux », tels ceux que propose Marouzeau ([1]) : « Groupement par l'habitat : il y a un vocabulaire de l'homme du Nord et de l'homme du Midi : on parle ici de *mas* et de *cabanon*, là de *coron* et d'*estaminet;* il y a un vocabulaire de l'homme de la plaine et du montagnard : l'un appelle *alpe* et *gouille* ce qui pour l'autre est *pacage* et *étang;* du campagnard et du citadin : l'un dit *veillée* et *ballade* quand l'autre dit *soirée* et *dancing ;* du marin et du terrien : l'un parle de *grain* et de *suroît*, l'autre de *vent* et de *bise*. » Des regroupements peuvent être effectués également par métier, classe sociale, « cercle fermé » (le village, l'association sportive, la famille, le parti politique, etc.).

---

(1) Cf. BIBLIOGRAPHIE, p. 240.

Nous retiendrons de cette esquisse des niveaux de langue que l'élève, dans son expérience scolaire, traverse quotidiennement ces différents niveaux et que son lexique personnel se constitue, non par l'apport, en couches accumulées, de mots aux origines différentes, mais plutôt par les interactions et contradictions de ces niveaux.

L'enrichissement du lexique suppose une activité du sujet, comparant, classant, regroupant les mots, même si cette activité n'appartient pas à la conscience claire. On peut aussi se représenter l'élève comme soumis aux tiraillements de ces lexiques divers qui tour à tour le cernent et le sollicitent, y compris dans ce milieu scolaire où le maître même, modèle du « bon parler », le harcèle, de la leçon de calcul, jusqu'à celle de... vocabulaire, pour le fournir de mots et de sens nouveaux. Un des rôles de l'enseignant sera pourtant d'aider à une bonne formation lexicale, c'est-à-dire qu'il lui revient de favoriser ce travail de comparaison, de classement, de regroupement que suscite et exige l'apprentissage des mots.

II. Lexique et vocabulaire dans les « Instructions officielles »

L'analyse suivante se fixe comme but de faire apparaître le « soubassement » linguistique des *Instructions officielles* : c'est-à-dire de repérer en elles la trace des influences de la linguistique et des données théoriques des problèmes du lexique.

A. Progression

Au plan de la progression pédagogique, du Cours préparatoire à la classe de Fin d'études, c'est à une analyse de plus en plus affinée du **sens** des mots que le maître doit appliquer son effort : les *Instructions* de 1923 précisent qu'au Cours élémentaire les exercices « portent sur les mots des textes placés sous les yeux de l'élève » et contribuent à en éclairer le sens ainsi que l'emploi. Au Cours moyen, « on commence à lui faire sentir les nuances [...], à grouper les mots de manière à lui faire comprendre leur filiation ». En classe de Fin d'études, « on montrera la filiation des divers sens d'un même mot ».

Il est, de la sorte, souligné que l'enseignement du « vocabulaire » est orienté essentiellement vers la sémantique, c'est-à-dire l'étude, dans le signe, du **signifié**; orientation qui engage le maître à réfléchir sur le problème le plus complexe, peut-être, de la linguistique : qu'entend-on par « sens d'un mot »? comment peut-on analyser le contenu sémantique d'un mot?

B. Usage et synchronie

Les *Instructions* de 1938, répondent en partie aux questions que nous venons de poser. Leur esprit « méthodologique » dérive d'une visée sur le langage qu'il est important de mesurer : le parti pris analytique est celui d'un niveau de **synchronie** : « La plupart des Français, quand ils emploient un mot, ignorent son origine, et ceux qui la connaissent n'y pensent point. Pour tous, la signification et la forme actuelle d'un mot français sont les seules présentes à l'esprit dans l'usage quotidien de la langue parlée ou écrite. » Propos qui corrobore ce conseil de 1923 : « On s'abstiendra de rechercher l'étymologie des mots. » Le champ d'investigation est, de ce fait, limité à l'état de langue contemporain (du moins est-il prioritaire) et à l'expérience que l'élève possède de sa langue *hic et nunc*. Cela conduit au corollaire qu'« il faut toujours en revenir à cette idée : c'est par l'usage seul, c'est-à-dire par l'exercice de la langue parlée et par la lecture que l'enfant enrichit son vocabulaire. » On remarquera que cet usage distingue les deux ordres fondamentaux : le scriptural et l'oral.

C. Contexte et système

Le plus important toutefois dans les *Instructions* de 1938 tient dans les notions de **contexte** et de **système,** par rapport à quoi l'analyse du sens des mots doit être conduite. « C'est dans une phrase, et seulement par cette phrase et par le contexte, que nous pouvons donner à un mot sa signification exacte et nette. » D'où les exercices conseillés : « Faire entrer le mot dans une phrase. » Envisager les relations d'un mot avec ses voisins dans une phrase de structure donnée, c'est porter l'analyse et la pratique de la langue au niveau **syntagmatique,** sur lequel l'attention de F. de Saussure s'était dirigée bien avant que les analyses structurales n'y insistent. Mais les *Instructions* précisent, dans un autre passage, qu'« un mot n'a de signification particulière que grâce à l'existence dans le lexique général d'autres mots de sens voisins »; par exemple, *marcher*, en parlant d'un cheval, n'a de sens propre que par rapport à *trotter*, *galoper*, *sauter*, ...; de même *bourg*, par rapport aux mots *agglomération*, *hameau*, *bourgade*, *village*, *ville*.

On quitte, ce faisant et ce disant, le niveau syntagmatique, pour le niveau **paradigmatique,** que Saussure nommait niveau des « associations »; point de vue qui est complété par ailleurs : « Chaque mot profite de la présence de tous ceux dont il est solidaire, et c'est par cette solidarité même qu'il reste vivant », ou encore, « les mots s'associent dans la pensée selon certains rapports et forment ainsi comme des groupes dont chaque mot évoque tous les autres et dans lesquels elle choisit celui qui lui convient. »

D. Séries associatives

Cette influence saussurienne apparaît encore à propos du problème des *paronymes* et *homonymes*, quand il nous est dit : « Les mots sont associés dans l'esprit d'après leurs sonorités. Des paronymes, des homonymes s'appellent l'un l'autre, grâce à leurs ressemblances... »; par exemple, les mots *armistice* et *amnistie* qui peuvent se confondre dans la mémoire verbale de l'élève qui risque d'employer l'un pour l'autre.

Comment ne pas évoquer le schéma saussurien dessiné autour du mot *enseignement* et ne pas citer le célèbre passage : « Les groupes formés par association mentale ne se bornent pas à rapprocher les termes qui présentent quelque chose de commun; l'esprit saisit aussi la nature des rapports qui les relient dans chaque cas et crée par là autant de séries associatives qu'il y a de rapports divers. Ainsi dans *enseignement, enseigner, enseignons*, etc., il y a un élément commun à tous les termes, le radical; mais le mot *enseignement* peut se trouver impliqué dans une série basée sur un autre élément commun, le suffixe (cf. *enseignement, armement, changement*, etc.); l'association peut reposer aussi sur la seule analogie des signifiés (*enseignement, instruction, apprentissage, éducation*, etc.) ou, au contraire, sur la simple communauté des images acoustiques (par exemple *enseigne*ment et *juste*ment). [...] Un mot quelconque peut toujours évoquer tout ce qui est susceptible de lui être associé d'une manière ou d'une autre (¹). »

E. Sens des mots

Les *Instructions* indiquent dans quelle direction notre analyse des problèmes du lexique doit s'orienter : ce sont les structures lexicales, où tout mot est inséré, les structures sémantiques, où tout mot prend sens, qu'il faut explorer; mais au préalable, ce qui peut sembler étonnant et que les *Instructions* ne signalent pas, nous sommes contraints de nous arrêter sur la notion même de **mot,** puisque le mot est l'élément que vise l'étude du lexique, puisque c'est du sens des mots que l'enseignant doit se préoccuper.

La matière du développement suivant sera faite du rappel des principaux problèmes posés par la définition du mot. Cependant, pour bien aborder, dans la plus grande clarté, ces problèmes, il faut en tracer le cadre, et celui-ci est délimité par les rapports du lexique et de la grammaire.

---

(1) F. de SAUSSURE, **Cours de linguistique générale**, V, 2ᵉ partie, Payot, Paris, 14ᵉ éd., 1969.

CHAPITRE DEUX

ÉTAT PRÉSENT DES ÉTUDES LINGUISTIQUES

I. Les problèmes linguistiques du vocabulaire et du lexique

A. Lexique et grammaire

Apparemment tout peut paraître simple et comme résolu depuis long-temps : depuis qu'il existe des ouvrages dits « de grammaire » et d'autres appelés « dictionnaires ». Le lexique, ce serait l'ensemble des mots et de leurs définitions que les lexicographes ont recueillis et précisés; la grammaire, l'ensemble des règles (et des exceptions) qui prescrivent au locuteur les combi-naisons auxquelles se plient les mots pour que l'énoncé soit intelligible. D'une part le sens, d'autre part les relations. Quand les relations sont indiquées par des mots (*et*, *de*, *que*, etc.), ceux-ci sont appelés « grammaticaux », ou encore « mots vides »; la fonction des mots « lexicaux » (non grammaticaux) étant de porter le sens, ceux-ci seront considérés comme « pleins »; et il est connu que cette terminologie où le « vide » s'oppose au « plein » a longtemps marqué les descriptions de la langue.

Il suffit pourtant de quelques exemples pour que la distinction, d'appa-rence si simple, se brouille sous les difficultés de l'analyse :

• Prenons d'abord le cas de l'article; une de ses fonctions est de situer le nom dans un des deux genres, le masculin ou le féminin (*le* concierge/*la* concierge); une autre est de marquer la catégorie du nombre, singulier ou pluriel (*le* garçon/*les* garçons). Pour indiquer les mêmes catégories grammati-cales, nous aurions pu employer l'article *un*/*une*/*des*. Et pourtant tout locuteur français dira que les phrases « j'ai lu *un* livre » et « j'ai lu *le* livre » n'ont pas tout à fait le même sens, et avec raison. Les articles *le* et *un* marquent l'un comme l'autre le singulier; mais comme ils sont les seuls éléments différents dans les deux phrases et que celles-ci n'ont pas le même sens, il faut bien conve-nir que ces deux mots « grammaticaux » ne sont pas « vides », et qu'en plus des informations grammaticales ils apportent à l'énoncé des informations « lexicales ». Nous glissons du domaine de la grammaire vers celui du lexique, où plutôt, l'un recouvre partiellement l'autre;

• Un autre exemple de cette continuité du lexical au grammatical est fourni par certaines **désinences** grammaticales. Le suffixe adverbial –*ment*, qui ne connaît aucune autonomie dans la phrase, dérive d'un mot « plein » latin, employé à l'ablatif, *mente*. Aucun locuteur français utilisant les adverbes *fortement, tristement,* n'a conscience que la désinence adverbiale en –*ment* est un mot plein qui s'est grammaticalisé. C'est pourtant encore un témoignage qu'il n'y a pas de coupure ni de barrière entre lexique et grammaire;

• Un dernier fait, celui de la **préfixation,** nous aidera à préciser quels rapports s'instaurent entre les deux domaines étudiés. Tous les manuels de grammaire présentent liminairement un tableau des préfixes, comme le font aussi la plupart des dictionnaires. Où, précisément, situer les préfixes? Sont-ils des éléments grammaticaux? Sont-ils des éléments lexicaux? Si nous prenons l'exemple de l'élément préfixal, d'origine grecque, *télé-*, de sens « au loin, de loin », nous constatons que, dans des mots comme *téléphone, télescope,* le sens du préfixe est conservé, mais que dans le mot *téléspectateur,* il renvoie au mot *télévision,* dans le mot *téléski* au mot *téléphérique;* il peut même se rencontrer seul dans un énoncé tel que *je regarde la télé,* où le préfixal est devenu un nom. Cette fois encore un glissement semble s'opérer : un mot, qui comme préfixe avait un sens déterminé, peut changer de sens, en même temps qu'il change de classe (il devient substantif). De plus, dans le français actuel, la série des mots construits sur *télé-* de sens « télévision » ne cesse de s'accroître : le lexique s'enrichit largement. Or, cet enrichissement se réalise selon un modèle, qui est celui de la préfixation : l'antériorité du mot *télé* par rapport au mot suivant, dans tous les cas. De même, les préfixes *re-* et *in-* ne connaissent que cette position (position semblable à celle des articles devant le nom, des pronoms de conjugaison devant le verbe). La préfixation, source d'enrichissement du lexique, fonctionne sur un modèle de type grammatical.

Peut-on, après ces analyses, découvrir un ou plusieurs critères nous permettant de caractériser, en les discriminant, lexique et grammaire?

• La première condition d'une réponse pertinente est que nous abandonnions la terminologie « mots pleins/mots vides ». Nous posons donc que tout élément de l'énoncé est chargé de sens et participe au sens de l'énoncé global. Comparons une fois de plus, deux énoncés quasi semblables : *Le train de Paris vient d'arriver | Le train vient d'arriver de Paris,* la préposition *de* est située une fois à l'intérieur du groupe nominal, une autre fois entre le verbe et le complément. La fonction de la préposition a changé : dans un cas, elle permet la détermination d'un nom, dans l'autre, celle d'un verbe. C'est dans le réseau des constructions auxquelles elle participe que la préposition prend un sens, de même qu'elle tient aussi du sens des mots voisins une partie de son propre sens. Mais elle n'est pas un élément vide. Il en va de même pour l'article *un,* dont on peut dire que le contenu sémantique comprend les traits suivants : masculin + singulier + indéfini, c'est-à-dire qu'entre dans le sens de cet élément « grammatical » tout ce qu'indiquent dans l'énoncé les « catégories grammaticales ». Ainsi, tout aussi bien, dire que *tu* est une « deuxième personne » revient à souligner une part du sens de ce pronom de conjugaison.

• Pouvons-nous cependant situer sur un même plan les éléments sémantiques « grammaticaux » et « lexicaux » ? Plus exactement, dans un groupe nominal (par exemple : *une table*) ou dans un groupe verbal (par exemple : *nous chantons*), les mots contribuent-ils au sens de la même manière ?

Les éléments linguistiques ont pour fonction, du point de vue sémantique, de **référer à** et de **dénommer l'expérience** que nous vivons (dans un contexte socio-culturel) du milieu où nous sommes situés. Dans le groupe nominal *une table*, le second mot, un nom, désigne un élément de ce contexte que l'on appelle **extra-linguistique;** le premier mot, un article, ne fait qu'exprimer une particularité, une **modalité** de l'élément désigné par *table*. Serait donc **lexical** tout ce qui dans la langue peut se rapporter, en la **dénommant**, à **l'expérience** des hommes, **grammatical,** tout ce qui **détermine** les mots de cette évocation. Cela impliquerait que l'essentiel du sens, dans un énoncé (une phrase), est porté par les éléments lexicaux, de telle sorte que le locuteur puisse, éventuellement, faire l'économie du grammatical : la suite de mots *train, gare, soirée, arrivée* peut s'interpréter comme « arrivée, en soirée à la gare par le train »; inversement, la suite *en, à, la, par* ne se prête à aucune interprétation.

• Cherchons encore d'autres critères. Partons de la phrase *les oiseaux chantent dans la forêt*, comparons-la à la phrase *les enfants jouent dans la cour*, que nous comparons à *les poissons nagent dans la rivière*. Ces trois phrases expriment trois contenus différents, mais ont en commun les mots *les, dans, la* qui forment comme un premier « patron » de phrase que l'on peut figurer ainsi : *les* /...../ / /...../ *dans la* /...../. Les pointillés remplacent des mots qui sont marqués et déterminés par les « petits mots » inchangés du « patron » : derrière *les*, le mot sera au **pluriel** et appartiendra à une classe, celle des **noms;** derrière *dans la*, le mot sera au **féminin singulier** et sera de la classe des **noms.** Nous pouvons compléter le « patron » de la phrase *les* + **nom pluriel** ... *dans la* + **nom féminin singulier** : les pointillés attendent un mot de relation, ce sera le verbe, et le « patron » prend la forme définitive : *les* + **nom pluriel** + **verbe** + *dans la* + **nom féminin singulier.**

A partir de ce « patron » nous pouvons construire nombre de phrases différentes, car innombrables sont les noms, innombrables sont les verbes. En revanche, le locuteur ne dispose pas d'un nombre illimité d'articles, ni de prépositions : ces mots sont dénombrables aisément. Ainsi voyons-nous que le **grammatical** représente dans un énoncé le **patron** qui le structure, tandis que le **lexical** fournit les **mots susceptibles de s'insérer** aux places indiquées par le **grammatical.**

De plus, les éléments lexicaux appartiennent à des ensembles vastes; les éléments grammaticaux à des ensembles restreints. Les linguistes définissent alors le **lexical** comme un ensemble de **séries ouvertes,** le **grammatical** comme un ensemble de **séries fermées** : le lexique d'une langue est le lieu des plus grandes variations, des mots disparaissent de l'usage quand d'autres sont créés, selon les nécessités de la dénomination (c'est-à-dire selon les besoins socio-culturels du milieu); la grammaire d'une langue se modifie beaucoup plus

193

lentement, les éléments qui en sont constitutifs sont relativement stables : le nombre des pronoms personnels, des articles, des possessifs ne varie plus et ne semble pas devoir, de longtemps, se modifier.

Nous pouvons conclure (au moins provisoirement) ces remarques sur l'opposition du lexique à la grammaire, par ces mots du linguiste danois K. Togeby : « La grammaire traite de catégories à inventaire réduit, tandis que la lexicologie porte sur des inventaires très étendus. Les flexions, comme le nombre, le genre, la comparaison, le cas, le mode, le temps, ne comprennent que deux ou trois membres chacune. Les inventaires de certaines classes de particules ne sont guère plus larges : trois ou quatre conjonctions de coordination, autant de conjonctions de subordination et d'interjections *(oui, si, non)*, tandis que d'autres classes sont plus étendues : une vingtaine de prépositions et d'adverbes. Par opposition à cette situation relativement simple, on a affaire, en lexicologie, à des centaines d'adjectifs et à des milliers de substantifs et de verbes ([1]). »

B. Les problèmes du « mot »

Rien ne peut sembler plus immédiatement repérable et discernable qu'un « mot » : l'habitude que nous tenons de la lecture et de l'écriture fait que nous avons un maniement familier de cet élément du langage. Si nous le considérons dans son apparence graphique, il est un groupement de lettres bordé sur sa droite et sa gauche d'un « blanc » qui forme ses frontières naturelles. Si nous dictons un texte à un élève, même s'il commet des fautes contre l'orthographe, il transcrira généralement le texte de manière à séparer visiblement les mots les uns des autres. Il est évident que le maître utilisera cette connaissance acquise, dès les premiers exercices d'écriture, pour les différentes leçons de vocabulaire, et qu'il ne donnera pas aux élèves une définition linguistique du mot. Mais il est indispensable que, lui, le maître, sache que le « mot » pose des problèmes, parmi les plus difficiles et les plus débattus de la linguistique.

Chacun a pu lire, une fois au moins, des textes (par exemple une lettre) écrits par des gens mal à l'aise dans les exercices graphiques et remarquer que la découpe de l'énoncé était incorrecte, certains mots se trouvant faire bloc avec leur voisin immédiat. Ce genre de faute est explicable, si l'on se rapporte à l'ordre oral du langage. En français, l'accent d'intensité frappe toujours la dernière voyelle prononcée *(chocolat, national)*, mais, dans un groupe de mots, chaque mot perd son accent personnel au profit du groupe; l'accent se déplace pour se reporter sur la syllabe finale (exemple : *dormez bien, dormez bien vite);* d'autre part, les mots « courts », placés au début d'un groupe, comme les articles, les pronoms, ne reçoivent pas d'accent, si bien qu'un ensemble comme *il le lui donne* ne laisse pas distinguer aisément, à l'audition, *il* de *le* et *le* de *lui.*

---

(1) Cf. BIBLIOGRAPHIE, p. 241.

L'ensemble constitue un « mot phonétique » dont les limites ne coïncident pas avec celles du « mot graphique »; le fait de cette non-coïncidence signale les premières difficultés que le linguiste rencontre pour définir le « mot ».

Malheureusement, toutes les difficultés ne sont pas là : « Le vrai problème est de savoir si les segments isolables qu'on désigne comme des mots correspondent à une réalité linguistique bien déterminée et s'il n'y a pas moyen d'analyser les énoncés d'une façon qui rende mieux compte du fonctionnement du langage » (1). Au regard du linguiste, la notion de « mot » est-elle utilisable pour une connaissance aussi scientifique que possible du langage? On peut en douter à voir, par exemple, les divergences que présentent les dictionnaires (on rencontrera plus loin les problèmes posés par leur confection) : le nombre de mots que l'un aura relevé ne sera pas égal au nombre de mots relevés par son voisin, non seulement parce qu'ils peuvent ne pas embrasser les mêmes niveaux de langue, mais aussi ne pas s'accorder sur le découpage des unités : *arc-en-ciel* figurera-t-il sous *arc* ou sous *ciel?* Sera-t-il retenu comme un seul mot? *Machine à écrire*, qui est un ensemble référant à un objet unique, forme-t-il pour le lexicographe un mot ou trois mots?

Inversement, lorsqu'un seul mot graphique ou phonétique, comme *mousse* [mus], présente plusieurs sens (cas de polysémie) qui dénomment des éléments différents de la réalité socio-culturelle (*mousse* = variété de végétal; *mousse* = écume à la surface des liquides), faut-il compter autant de mots que l'on a relevé de sens? Nul n'échappe à ces difficultés, même s'il s'agit de dénombrer les mots d'un texte de dimensions réduites : on est frappé de constater que deux lexicologues qui ont établi l'index statistique de la *Phèdre* de Racine ne se rencontrent pas sur le nombre des mots différents de chaque tragédie (cf. les index de P. Guiraud et de B. Quemada).

Dans l'article déjà cité, André Martinet propose à la réflexion un « complexe de trois mots » : *dans le château*, qu'il compare au mot *donnerons;* il est évident que tous les locuteurs du français s'accorderont sur le dénombrement et opposeront trois mots dans un cas à un seul mot dans l'autre. Toutefois, dans le premier ensemble, comme dans le second, il est possible de mettre en correspondance certains éléments :

● *château* est le noyau du groupe; *dans* et *le* lui sont subordonnés : *château* peut s'employer seul (comme vocatif, ou dans une énumération d'objets), mais ni *dans*, ni *le;*

● le radical *donn(e)* peut être utilisé seul (comme impératif), mais jamais *(-er)* ni *-ons;*

● dans chaque groupe, l'analyse distingue trois éléments porteurs de sens, même si la participation au sens de l'énoncé ne se fait pas au même plan (v. *supra*).

(1) A. Martinet, « le Mot », dans *Problèmes du langage*, cf. Bibliographie, p. 241.

Et pourtant ni *-er* ni *-ons* ne seront jamais considérés comme mots! Le problème est quasi insoluble, car les découpes que nous imposons à un énoncé, sous les espèces de la graphie (mots graphiques), de la phonie (mots phonétiques) et du sens ne se superposent jamais. C'est pourquoi le linguiste choisit de travailler dans un « en-deçà » du mot et porte son analyse à d'autres niveaux : il apparaît, en effet, que, d'une manière générale, « le mot est un complexe de traits significatifs » (A. Martinet), c'est-à-dire qu'il regroupe des unités minimales de signification. Le premier niveau choisi sera précisément celui-là.

Ce premier niveau est appelé **première articulation** (¹). Pour le caractériser, partons d'une phrase : *je suis à la maison*. Cherchons à décomposer celle-ci en unités minimales de sens, c'est-à-dire, à pousser l'analyse jusqu'au point où les unités retenues gardent **encore** un sens. Je ne peux aller au-delà de 5 unités (même l'élément *maison*, le plus étoffé des 5, ne se prête pas à un découpage tel que *mai-son*) sans perdre tout contact avec le sens. Si je prolongeais l'analyse, j'atteindrais la **deuxième articulation** et obtiendrais une séquence de **phonèmes,** constitutifs certes des « mots », mais ne portant pas de sens : [ʒ], [ə], [s], [ɥ], [i], [a], [l], [m], [ɛ], [z] [ɔ̃].

Les unités minimales de **première articulation** sont appelées **monèmes;** elles peuvent parfois coïncider avec la découpe graphique du « mot », mais souvent être partie intégrée au « mot »; par exemple, *travailleur* comporte deux monèmes : *travail-* et *-eur; nous travaillons* comporte trois monèmes : *nous, travaill-, -ons*. Chaque monème est chargé de sens (²) :

— *nous* = pronom de conjugaison (= *je + tu*) + pluralité;
— *travaill-* = action (ou procès) d'un certain type = non-oisiveté;
— *-ons* = pluralité du procès (*je + tu*);
— *-eur* = suffixe de base verbale + agent du procès.

Cette analyse nous permet maintenant d'opérer parmi les monèmes une distinction : *travaill-* peut entrer dans des groupements divers *(un travailleur, je travaille, travaillez);* dans ces groupements, il pourrait être remplacé par un autre monème, par exemple *point- (un pointeur, je pointe, pointez)*, et beaucoup de monèmes, en nombre indéfini, pourraient occuper ces diverses positions; la série à laquelle ils appartiennent est de type ouvert, ce sont des **lexèmes.** Par contre des monèmes comme *je, à, le, -ez, -ons* appartiennent à des séries peu nombreuses et fermées, ce sont des **morphèmes** (cf. Troisième partie, *chap. II*).

Ainsi ce que l'on désigne traditionnellement comme un « mot » ne constituera pas, pour l'analyse linguistique, une unité pertinente. Si, pour des raisons de commodités dues à l'usage, le terme *mot* est encore employé (y compris par les linguistes), nous savons qu'il ne peut être tenu pour catégorie ou notion scientifique. « Il semble que la solution du problème pourrait se trouver dans

---

(1) V. A. Martinet, **Éléments de linguistique générale,** A. Colin. Cet ouvrage sera désigné, dans les pages suivantes, par les initiales *E.L.G.*
(2) Nous empruntons cet exemple à André Martinet.

le remplacement, dans la pratique linguistique, du « mot » par le concept beaucoup plus souple de « syntagme. » On désigne, sous ce terme, tout groupe de plusieurs signes minimaux. Mais il est sous-entendu que les signes minimaux conçus comme faisant partie d'un syntagme sont tels qu'ils entretiennent entre eux des rapports plus intimes que ceux qui les relient au reste de l'énoncé : dans la phrase *un énorme rocher surplombait la voie ferrée*, on isolera très naturellement trois syntagmes : *un énorme rocher, surplombait*, et *la voie ferrée* » (A. Martinet).

Cette notion de **syntagme** (pour une définition plus affinée du concept, voir les *E.L.G.*, où « mot » se voit substituer « syntagme autonome ») nous la retiendrons comme « arrière-texte » du terme *mot;* cela veut dire que le maître, toutes les fois qu'il l'emploiera, devant ses élèves, le terme *mot*, aura présent à l'esprit que cette notion est approximative, fort discutée et discutable.

Une autre terminologie est souvent proposée aux linguistes, qu'il est intéressant de connaître; elle éclaire les problèmes du mot, dans le même esprit que celle d'A. Martinet, mais sous un angle un peu différent. Elle est due à B. Pottier *(Introduction à l'étude des structures grammaticales fondamentales)* et repose sur le constat de l'ambiguïté de la notion de « mot » : *cheval* est tenu pour un mot, mais que dire de *cheval de course* ou *cheval de frise?* *Moulin* est un mot, mais *moulin à café, moulin à prières* sont-ils un, deux ou trois mots?

C'est pourquoi on nous propose de traiter non plus avec des « mots » mais avec des **lexies** : « Les lexies sont les éléments fondamentaux, en langue, de la construction syntaxique. » On distinguera trois sortes de lexies :

$$\text{LEXIE} \begin{cases} - \text{ simple} & : \textit{cheval} \\ - \text{ composée} : \textit{cheval-vapeur} \\ - \text{ complexe} : \textit{cheval marin} \end{cases}$$

Le classement en lexies repose sur plusieurs critères, notamment :

● **la séparabilité.** On dira *un moulin à café électrique* non *un moulin électrique à café, une chaise longue rouge*, non *une chaise rouge longue, une pomme de terre ronde*, non *une pomme ronde de terre.* Les éléments d'une suite de mots offrent entre eux une certaine cohérence, si bien que « les emplois répétés de certaines associations finissent par s'inscrire dans l'inventaire lexical des sujets parlants, aux côtés des mots simples »;

● **la valeur fonctionnelle.** « Les lexies simples ont une valeur fonctionnelle indiquée par la « partie du discours » à laquelle elles appartiennent : *chaise* est classé en langue comme substantif, ce qui implique un type particulier de comportement dans le discours. » Dans les lexies composées, « la valeur fonctionnelle du groupe est égale à la valeur fonctionnelle du terme situé le plus haut dans une échelle hiérarchique des valeurs » : par exemple, *sous-chef* fonctionne comme la lexie simple *chef*, car on admet que le substantif *chef* dicte à la lexie composée son fonctionnement dans le discours; de la sorte, *dernier-né* = substantif, *au-delà* = substantif ou préposition, *au-dessous* = préposition.

Parmi les lexies complexes, on trouve plusieurs types :

1. groupement d'éléments nominaux : *plaque tournante* = substantif + adjectif = substantif (élément possédant la plus haute hiérarchie);

2. groupement d'un verbe et d'un élément nominal en fonction d'objet : *prendre la mouche* = verbe, *rendre justice* = verbe;

3. groupement d'éléments verbaux : « *Pierre* a monté *la valise* », « *Pierre* va monter *la valise* » (les groupes en romain constituent comme des groupements verbaux intimes à distinguer de *veut monter, fait monter*);

4. groupements arbitraires ou hétérogènes : *de peur que, au lieu de, si je ne m'abuse, à première vue;* parmi ces groupements les uns constituent des séquences figées *(de peur que, au lieu de)* les autres des séquences non figées *(si je ne m'abuse)*.

Les analyses esquissées ci-dessus ont valeur d'avertissement pour les maîtres : dans l'une, on a vu que le mot pouvait constituer un cadre trop large et que les unités à considérer pour mener à bien l'analyse linguistique du langage, les « monèmes », présentaient souvent des dimensions inférieures à celles du mot graphique ou phonétique; dans l'autre, le mot pouvait être un cadre trop étroit et la lexie pouvait occuper un espace supérieur à celui du mot graphique ou phonétique. Mais on remarquera que les critères utilisés dans l'une et l'autre analyse ne sont pas identiques : ici, c'est essentiellement le sens, et lui seul, qui a fondé l'analyse du monème; là, ce sont des rapports de cohérence entre éléments (sans que le sens soit cependant négligé) qui fondent la notion de lexie. Autrement dit, l'étude des éléments d'un lexique doit reposer simultanément sur la considération de rapports sémantiques et de rapports syntaxiques; cela signifie que la traditionnelle leçon de « vocabulaire » doit mettre en œuvre, pour atteindre sa pleine efficacité, non seulement le sens des éléments qui constituent la phrase, mais aussi la manière dont ces éléments se combinent et se regroupent entre eux.

II. Les structures lexicales

Les mots (syntagmes ou lexies), dans le lexique général ou individuel, ne forment pas un ensemble d'éléments juxtaposés, mais nouent entre eux, à différents niveaux, de multiples rapports. Nous avons aperçu comment, selon la situation, se découpait le lexique (vocabulaire choisi, familier, commun, technique, etc.) et l'enseignement de Saussure a attiré notre attention sur les rapports associatifs que les mots entretiennent dans notre esprit (v. p. 188 l'examen des *Instructions officielles*). Sans pénétrer jusqu'au détail des analyses (pour lequel nous renvoyons à la bibliographie en fin de chapitre), nous indiquerons maintenant les caractères fondamentaux des structures du lexique.

A. Fréquence et disponibilité

a) Définition

Les mots ne sont pas étalés sur un plan uniforme dans le lexique; certains ont plus que d'autres des chances d'être employés plus souvent. Il paraît évident que le locuteur français utilisera plus fréquemment le nom *pain* que le nom *baobab*, le verbe *marcher* que le verbe *autopsier*. C'est pourquoi on a cherché à déterminer quel était le vocabulaire le plus employé et selon quelles fréquences les différents mots se répartissaient dans le lexique général.

Dans des ouvrages très connus, un linguiste français, P. Guiraud [1], a dégagé minutieusement les caractères statistiques du vocabulaire et beaucoup insisté sur l'importance de la **fréquence** comme **attribut essentiel du mot :** « Certes tout signe est une création individuelle [...] dans son principe, mais c'est aussi et surtout une création collective; le mot créé par un individu ne prend sa valeur que dans la mesure où il est accepté, repris, répété; aussi est-il finalement défini par la somme de ses emplois. » Connaître la fréquence d'un mot, relativement à un ensemble d'autres mots, est aussi important que d'en savoir les différents sens dans les contextes où il figure : « Les mots se retrouvent avec une fréquence identique dans tous les textes et dans toutes les langues; c'est que la fréquence est un attribut positif et concret du mot et fait partie de sa définition. »

La fréquence d'un mot, en effet, est liée aux caractères phoniques, morphologiques, sémantiques du mot. C'est en tenant compte d'elle que l'on peut les analyser. Ces relations, des études statistiques ont permis de les relever :

● **fréquence et structure phonique.** Les mots les plus fréquents sont les mots les plus courts (le nombre de syllabes d'un mot est égal au logarithme de la probabilité d'emploi du mot);

● **fréquence et âge du mot.** Les mots les plus anciens sont aussi les plus fréquents;

● **fréquence et étymologie.** Les mots les plus fréquents sont les mots de formation populaire;

● **fréquence et extension sémantique.** Les mots les plus fréquents sont ceux qui sont susceptibles du plus grand nombre de significations (le statisticien Zipf a montré que le nombre de significations d'un mot est proportionnel à la racine carrée de sa fréquence).

Pour étudier avec le maximum de précision ces caractères statistiques des mots, il importe avant tout de distinguer (comme nous l'avons fait plus haut) entre lexique et vocabulaire, surtout lorsqu'il s'agit, comme le fait P. Guiraud, d'analyser les textes littéraires. C'est ce que nous ferons maintenant.

---

(1) Cf. BIBLIOGRAPHIE, p. 241.

b) Le lexique

Comment évaluer le nombre de « mots en puissance » dont un locuteur dispose, c'est-à-dire parmi lesquels il peut choisir à un certain moment donné de l'histoire de sa langue? Si l'on prend comme base le dictionnaire *Petit Larousse* (qui, par sa diffusion et sa confection, reflète un usage moyen) pour juger l'étendue numérique du lexique général, on estimera que celui-ci comporte environ 50 000 mots. Combien parmi ces mots constitueront le lexique individuel moyen? L'estimation est d'environ 24 000 mots.

Reste à savoir comment ces mots se répartissent à l'intérieur du lexique. Si nous prenons comme critères les classes grammaticales (car les mots voient leur probabilité d'usage dépendre de leur appartenance à ces classes), la statistique nous indique que les 24 000 mots se distribuent approximativement ainsi :

substantifs	. . . 12 000	adjectifs	. . . . . 5 500
verbes.	. . . . . 4 500	adverbes	. . . . . 1 000

Si l'on combine les relevés du lexicographe et les données du calcul, après avoir classé les mots par ordre décroissant de fréquence, on peut estimer que :

— les   100 premiers mots représentent 59   p. 100 de tout texte
— les 1 000 mots suivants représentent 27   p. 100 de tout texte
— les 3 000 mots suivants représentent 11,5 p. 100 de tout texte
— les 20 000 mots suivants représentent 2,5 p. 100 de tout texte.

c) Le vocabulaire

Rappelons que le vocabulaire est le reflet du lexique dans un énoncé donné, c'est-à-dire que les virtualités du lexique s'actualisent dans un vocabulaire. Si nous revenons au *Petit Larousse* comme témoin du lexique général, la distribution selon les classes grammaticales est la suivante :

substantifs : 62,5 p. 100	verbes : 15 p. 100
adjectifs : 19 p. 100	adverbes : 3 p. 100
mots outils : 0,5 p. 100	

En revanche, dans un énoncé (pour P. Guiraud, il s'agit d'un texte), la fréquence relative, si l'on tient compte de la répétition des mots, s'établit ainsi :

substantifs : 20 p. 100	verbes : 17 p. 100
adjectifs : 7,5 p. 100	adverbes : 5,5 p. 100
mots outils : 50 p. 100	

Il est capital de constater que, dans un énoncé, les mots outils (au nombre réduit de 150 à 200 unités) recouvrent la moitié de cet énoncé; si celui-ci (un roman par exemple) est de 100 000 mots, après élimination des mots outils, il est ramené à 50 000.

d) Les données du « français fondamental »

Dans le champ des recherches sur les caractères statistiques du vocabulaire et du lexique, une place importante est à faire aux enquêtes qui ont été conduites à partir de 1953 sur la langue parlée. Ces enquêtes avaient, au moins, une double fonction : nous renseigner sur les limites et le contenu du vocabulaire le plus fréquemment employé dans la langue orale, et, à partir de ce vocabulaire « fondamental » (ou de base), déterminer une pédagogie nouvelle de la langue française. Une grande école, comme l'École normale supérieure de Saint-Cloud, par sa vocation pédagogique, était destinée à patronner ces recherches. Quelle en a été la démarche et quels en sont les résultats ?

La démarche était celle d'une enquête, conduite sur le vif, à l'aide d'un matériel d'enregistrement (disques ou bandes magnétiques) et visant la collecte de dialogues entre plusieurs interlocuteurs, avertis ou non de l'investigation dont leur parler était l'objet. Ainsi 163 textes, issus de ces dialogues de témoins d'origine sociale et géographique diverse, ont été recueillis puis dépouillés, fournissant un ensemble de 312 135 mots, le nombre de mots différents étant de 7 995. Les mots différents ont été rangés en tenant compte de leur fréquence d'emploi et de leur répartition dans les textes, c'est-à-dire « du nombre de textes où le mot figure ». La liste des fréquences a été arrêtée à la fréquence 20 incluse, ce qui donne un total de 1 063 mots constituant le noyau du vocabulaire de base de l'enseignement d'un « français fondamental ».

Voici la liste des cinq premiers mots :

RANG	MOTS	RÉPARTITION	FRÉQUENCE
1	*être* (verbe)	163	14 083
2	*avoir*	163	11 552
3	*de*	163	10 503
4	*je*	162	7 905
5	*il(s)*	160	7 515

Si l'on met en rapport la fréquence avec les catégories grammaticales, quelques conclusions intéressantes sont à retenir :

1. Ce sont les mots « grammaticaux » (articles, pronoms, conjonctions, etc.) qui atteignent les plus hautes fréquences, puis les verbes et enfin les adjectifs et les noms.

2. « A fréquence égale ce sont les verbes qui apparaissent généralement dans un plus grand nombre de **circonstances** différentes que les noms; ils sont plus **stables** que les noms, qui sont davantage liés aux circonstances extérieures de la conversation, donc au hasard. »

3. « Les mots grammaticaux sont, comme les verbes, des mots **stables,** quelles que soient les **circonstances** dans lesquelles on est amené à les prononcer. »

4. « Les adjectifs sont aussi plus **stables** que les noms. L'adjectif exprime assez souvent des notions plus générales que le nom : de là sa plus grande stabilité, moins forte cependant que celle des verbes ou des mots grammaticaux. »

L'enquête a permis de comparer certains emplois de mots en langue orale et en langue écrite; voici quelques exemples : l'opposition langue orale/langue écrite est très accusée pour les trois verbes *casser, briser, rompre.* « La langue parlée ne connaît pour ainsi dire que le premier, la langue écrite, au contraire, a l'ordre de fréquence *briser, casser, rompre.* » Quant aux mots *docteur* et *médecin*, l'ordre de fréquence dans la langue orale est l'inverse de celui de la langue écrite.

Cependant, les enquêteurs du « français fondamental » ont complété leurs recherches sur le français oral, où la notion de fréquence était fondamentale, par une enquête utilisant des questionnaires établis sur un « centre d'intérêt », où la notion de « disponibilité » est essentielle. Et l'on oppose alors le vocabulaire fréquent au vocabulaire disponible. Pourquoi cette opposition? On a remarqué que les listes de dépouillement fondées sur la fréquence ne comportaient que très peu de mots concrets et que ceux-ci ont une fréquence extrêmement instable (il suffit pour s'en rendre compte de consulter la répartition de ces mots). Cette rareté et cette instabilité sont dues à ce qu'ils sont liés « à certaines circonstances, à certains thèmes de conversation : les mots *fourchette, coude, dent, jupe* ont très peu de chances de figurer dans une liste de fréquence, et pourtant ces mots sont indispensables à tout locuteur. Ce sont ces mots de fréquence faible et peu stable, mais usuels et utiles, qui sont **à la disposition** du locuteur, que l'on appellera **mots disponibles** ».

L'étude que l'on peut faire des mots disponibles soit par tests de lecture, soit par établissement de listes (sur un thème donné) montre que « les noms concrets essentiels apparaissent avec une stabilité remarquable. Au contraire, les verbes sont très peu nombreux et très instables ». Si bien que les caractères du vocabulaire disponible seront l'inverse de ceux du vocabulaire de fréquence : « Dans la liste générale des fréquences, les verbes sont le plus souvent stables et les noms concrets instables, les enquêtes sur les associations d'idées autour d'un centre d'intérêt font ressortir la stabilité des noms concrets et l'instabilité des verbes. On voit comment s'emboîte le vocabulaire; seule, une combinaison du vocabulaire de fréquence et du vocabulaire disponible nous donne le vocabulaire nécessaire. » Autre opposition : tout « se passe comme si les mots concrets d'un centre d'intérêt se présentaient à l'esprit toujours à peu près dans le même ordre, suivant leur **degré de disponibilité** ». Or cette « stabilité psychologique remarquable n'existe pas dans la liste générale des fréquences, parce que cette fréquence générale traduit seulement la probabilité d'apparition dans la conversation; elle est entièrement soumise au hasard ».

C'est donc de cette double enquête que l'on a tenu compte pour établir la liste des mots du « français fondamental ». Des mots ont été éliminés dans la liste de fréquence dont on n'a retenu que 701 unités; des mots ont été ajoutés, que l'on empruntait en partie au vocabulaire disponible (mots qui venaient en tête des enquêtes sur les centres d'intérêt), en partie aux suggestions de la Commission du français fondamental (mots permettant d'exprimer des notions morales, civiques et culturelles). Cela donne un total de 1 445 mots différents, qui se distribuent de la manière suivante :

noms (substantifs)   : 692 mots, soit 48   p. 100 de l'ensemble
verbes   : 339 mots, soit 23,4 p. 100 de l'ensemble
adjectifs   : 98 mots, soit 6,8 p. 100 de l'ensemble
mots grammaticaux : 235 mots, soit 16,2 p. 100 de l'ensemble
+ un « reste » ([1])   : 81 mots, soit 5,6 p. 100 de l'ensemble.

Les travaux qui ont établi le « français fondamental » ouvrent sur la pédagogie de la langue française et sont à l'origine du développement des méthodes audio-visuelles. Il ne faut, toutefois, pas établir entre les enquêtes et les méthodes pédagogiques un lien causal : ce qu'il peut y avoir de novation dans l'utilisation de l'enregistrement magnétique de la langue parlée n'explique pas l'innovation des méthodes audio-visuelles.

L'important est que la progression pédagogique ne se fonde plus sur l'intuition, mais sur la connaissance plus scientifique du lexique et, de surcroît, de la grammaire du français; on peut ainsi gagner en efficacité, surtout quand il s'agit d'enseigner le français aux étudiants étrangers : on leur fournit, avec plus de sûreté, le vocabulaire et les règles grammaticales qui répondent à leurs besoins les plus généraux. La méthode établie est connue sous le nom de *Voix et images de France* (V.I.F.). Un de ses principes fondamentaux est celui de « situation » : « Le langage n'est pas limité à la mélodie des phrases échangées, il se développe à travers des situations et il est inséparable du mouvement de ces situations. » Cette situation de communication sera « reconstituée » dans la classe, à l'aide des projections de films à images fixes et par l'audition de dialogues enregistrés sur bandes magnétiques : une correspondance s'établit entre images et dialogues, de sorte qu'« à chaque image du film correspond un groupe sémantique qui en est l'expression sonore ».

Cette procédure nous rappelle qu'il n'y a pas d'acte de parole interprétable hors d'un contexte et que les mots ne prennent sens que par l'entourage des choses, des gestes et des autres mots qui les accompagnent. L'apprentissage du vocabulaire se fait donc sur la base de l'audition de la langue commune et de la répétition orale des phrases. La lecture ne pourra venir que plus tard, ainsi que l'apprentissage de l'orthographe; n'oublions pas qu'il s'agit, par cette méthode, d'initier des étudiants étrangers à la langue française, mais sachons en retenir quelques principes applicables à des élèves francophones : partir de la langue orale, être sensible à la configuration prosodique de la phrase, savoir écouter la langue, puis articuler, construire groupes de mots et phrases, sentir que le vocabulaire employé est en rapport étroit avec la

---

(1) Dont de nombreux adverbes de manière.

structuration grammaticale, que le mot n'a de valeur qu'au centre de la pratique du locuteur, voilà qui peut renouveler, en grande partie, notre enseignement. Ce passage de la préface de *V.I.F.* soulignera ce que l'on peut adopter ou adapter de cette méthode dans le domaine de la pédagogie du vocabulaire : « Nous devons concentrer tout notre effort : à faire entendre, distinguer et reproduire des groupes de sons; à faire percevoir globalement le sens des groupes sémantiques; à faire acquérir les mécanismes (de structures de la langue et grammaticaux) et à les faire employer spontanément. »

e) Mots thèmes et mots clés

Ces notions sont importantes pour tout enseignant qui travaille sur les textes littéraires et qui est amené à utiliser des index et des tables de concordance dotés d'un traitement statistique du vocabulaire.

Qu'est-ce qu'un **mot thème?**

C'est un mot marqué par une très haute fréquence et qui dans un rangement par ordre de fréquence décroissante du vocabulaire d'un auteur appartient, par exemple, aux 50 premiers rangs. Voici les 10 premiers mots thèmes de la *Phèdre* de Racine, et les 10 premiers des *Fleurs du mal* de Baudelaire [1] :

PHÈDRE		LES FLEURS DU MAL	
Rang	Mots thèmes	Rang	Mots thèmes
1	*être*	2	*œil*
2	*voir*	3	*cœur*
4	*pouvoir*	4	*faire*
8	*œil*	6	*ciel*
10	*dieu*	7	*voir*
11	*vouloir*	8	*beau*
12	*faire*	9	*grand*
13	*fils*	10	*âme*
15	*seigneur*	11	*dire*
17	*cœur*	12	*plein*

(1) Les rangs intermédiaires sont occupés par des mots « grammaticaux ».

Qu'est-ce qu'un **mot clé**?

C'est un mot dont la fréquence présente un écart maximal (dans un texte donné) avec sa fréquence normale (dans d'autres énoncés). Relever les mots clés suppose, évidemment, que l'on puisse déterminer cette « fréquence normale des mots ». P. Guiraud considère que l'on peut utiliser comme référence une liste de mots établie pour la seconde moitié du XIXᵉ siècle par Van der Beke à partir de textes de prose non littéraire.

S'il s'agit de découvrir les mots clés de Baudelaire, par exemple, comment va-t-on procéder? Partons des exemples fournis par P. Guiraud lui-même : les mots *faire* et *grand* ont, dans le vocabulaire des *Fleurs du mal*, les rangs respectifs 4 et 9, dans la liste de Van der Beke, les rangs 2 et 10 : il y a concordance entre les deux rangements, donc, ni *faire* ni *grand* ne seront des mots clés. En revanche, le mot *ange* est de rang 27 chez Baudelaire, de rang 2 420 chez Van der Beke; le mot *parfum* de rang 44 chez Baudelaire, de rang 1 810 chez Van der Beke. Les écarts sont tels que l'on peut, à coup sûr, tenir *ange* et *parfum* pour des **mots clés**. La règle suivie par P. Guiraud est de n'étudier que les mots thèmes qui peuvent devenir des mots clés, et de ne prendre comme mots thèmes que les 50 mots « forts » les plus fréquents.

f) Les index et tables de concordance

Les travaux des statisticiens du lexique et du vocabulaire conduisent à l'établissement de documents précieux pour les chercheurs et tous les enseignants, ce sont les index et les tables de concordance. La matière, généralement, est fournie par les textes littéraires : un ouvrage ou l'intégralité de l'œuvre. Le dépouillement de ces textes peut être effectué soit manuellement, soit mécaniquement : les index de Guiraud relèvent de la première méthode, les index de Bernard Quemada de la seconde. Un index fournit dans l'ordre alphabétique tous les mots employés dans une œuvre et donne des renseignements sur la place du mot dans l'œuvre et sa classe grammaticale; très souvent l'index est complété par la liste des mots thèmes et des mots clés, ainsi que par le rangement selon l'ordre des fréquences. Une table de concordances présente, également dans l'ordre alphabétique, tous les mots du texte, mais accompagnés d'un contexte de dimensions variables (pour un poème, un vers au moins).

Ces outils de recherche sont comme un « dictionnaire statistique » de l'œuvre qui a fait l'objet du dépouillement : ils apportent au lecteur, non pas des données immédiatement utilisables, mais un matériau « exploitable » : il est précieux pour qui s'interroge sur l'emploi d'un mot de savoir s'il est ou non un mot thème ou un mot clé, précieux de pouvoir, d'un premier coup d'œil, à la lecture des concordances, fixer sommairement le champ sémantique d'un mot. Il reste que le recours au texte de l'œuvre est essentiel, mais index et concordances permettent une lecture plus efficace, car ils apportent, de façon exhaustive, toutes les références de l'emploi du mot : ils permettent un travail plus scientifique, et sont le complément nécessaire des dictionnaires usuels.

B. Champs lexicaux et champs sémantiques

Nous avons insisté précédemment sur les répartitions qui se font à l'intérieur d'un lexique ou d'un vocabulaire en fonction des fréquences que les mots connaissent dans les différentes situations d'énoncé. Ainsi des structures, d'un type défini, ont-elles été tracées. Il en est d'autres, fondées plus nettement sur le contenu sémantique des mots et les contraintes socio-culturelles que nous voudrions maintenant découvrir.

Comment définir les notions de champ lexical et de champ sémantique? Dans les deux cas, il s'agit de rechercher les moyens par lesquels le langage est porteur de sens et les deux démarches sont complémentaires :

● **Le champ lexical.** C'est l'ensemble des mots que la langue regroupe ou invente pour désigner les différents aspects (ou les différents traits sémiques) d'une technique, d'un objet, d'une notion : champ lexical de l'« automobile », de l'« aviation », de l'« algèbre », de la « mode », de l'« idée de Dieu », etc.

● **Le champ sémantique.** C'est l'ensemble des emplois d'un mot (ou syntagme ou lexie) dans et par lesquels ce mot acquiert une charge sémantique spécifique. Pour délimiter ces emplois on fait le relevé de tous les entourages que le mot connaît dans un texte donné.

Avant de présenter les résultats de certains travaux dans le domaine des champs lexicaux et sémantiques, abordons des problèmes qui nous sont certes familiers, mais qu'il faut examiner pour la clarté de nos analyses ultérieures. Ce sont les problèmes posés par les phénomènes de **synonymie**, de **polysémie** et d'**homonymie**.

a) La synonymie

Elle se définit, d'une manière très générale, par l'équivalence que le locuteur peut établir entre des mots différents par leurs signifiants (phonie/graphie). Un même signifié se réalise dans des signifiants différents : *distinguer* et *différencier ; imprévu, inattendu, inopiné.*

Cependant, peut-on dire qu'il s'agit vraiment du même signifié, du même contenu sémantique? Peut-on découvrir des synonymes véritables?

Pour que cela soit, il faut que les mots synonymes puissent se substituer l'un à l'autre dans n'importe quel contexte, conditions particulièrement rares : *battre* et *frapper* peuvent être synonymes dans le groupe *battre/frapper quelqu'un,* ils ne le sont pas dans *battre un tapis* où *frapper* ne peut pas se substituer à *battre* (sauf à produire un jeu de mots).

Ou bien il arrive que des mots interchangeables le soient à des niveaux de langue différents : *fameux, magnifique, épatant, sensationnel* traduisent les différentes attitudes affectives du locuteur; *travailler* est le mot commun, *turbiner* est le terme relâché; *fatigué* est utilisé largement, *rompu* est plus choisi, *crevé* est familier. Le sentiment du locuteur est bien celui d'une équivalence, mais réalisée avec des variantes, dues soit au contexte lexical, soit aux niveaux de langue.

Pour éviter que les études de synonymie ne donnent dans le subjectivisme, il faut tenir compte des facteurs linguistiques et extra-linguistiques, et les faire apparaître nettement.

On pourra construire un « arbre synonymique » d'un signifié qui montrera comment les formes (**signifiants**) différentes sont en rapports dans le cadre de tels groupes de mots, de telles constructions de phrases, de tels niveaux de langue; il s'agira pour le maître de tracer les limites de la synonymie, en indiquant où elle commence et où elle finit.

b) La polysémie

On peut définir le fait de polysémie comme le contraire de la synonymie, puisqu'il s'agit de la mise en rapport d'un seul signifiant avec plusieurs signifiés. Plus simplement, il y a polysémie lorsqu'un seul mot (ou syntagme ou lexie) est chargé de plusieurs sens. Exemples :

> *jurer* ses grands dieux / le rouge *jure* avec le vert
> la *clé* de la serrure / la *clé* d'un problème / un mot *clé*
> la *lettre* A / la *lettre* que j'ai reçue / prendre à la *lettre*.

La polysémie est ressentie par le locuteur à l'intérieur de l'état de langue dont il est le contemporain; c'est une notion essentiellement synchronique. Elle répond à un besoin nécessaire au bon fonctionnement d'une langue : on pourrait, en effet, rêver d'une langue où tous les termes seraient monosémiques (un sens par mot, un mot pour chaque sens), mais cela gonflerait le lexique à l'infini et le locuteur ne pourrait pas retenir dans sa mémoire les mots indispensables à la constitution des messages les plus variés. La langue obéit, par la polysémie, à la loi d'économie; elle sait réutiliser plusieurs fois le même signe, en faisant varier son signifié; elle exploite le plus rationnellement possible les ressources de la langue. Mais cela présente un risque certain, celui de l'ambiguïté et exige la mise en place dans la phrase de moyens qui permettent au sens de s'établir clairement : c'est ce que les linguistes dénomment une « levée d'ambiguïté ».

Quand on parcourt les articles des dictionnaires on reste surpris par la multitude de sens que les mots peuvent acquérir : Littré, par exemple, donne 39 acceptions du verbe *aller*, 49 de *mettre*, 80 de *prendre*, 82 de *faire* (on vérifie ici que les mots de haute fréquence sont ceux qui présentent les polysémies les plus riches), et cela pose aussitôt le problème des sources de la polysémie : comment un seul mot parvient-il à se charger de plusieurs sens?

• Une des premières causes se confond avec le processus de **dérivation impropre :**

— un nom propre peut fonctionner en recevant l'article, comme un nom commun : *Bordeaux/une bouteille de bordeaux/**un** bordeaux, Larousse/**un** petit Larousse/**un** Larousse;*

— un adjectif devient substantif : *beau/**le** beau;*

— un adjectif devient adverbe : *haut/parler **haut**;*

— un participe présent transitif peut fonctionner comme intransitif : *une route **roulante**, un thé **dansant**.*

En glissant d'une catégorie grammaticale dans une autre, le mot trouve des modalités nouvelles d'insertion dans la phrase et son sens en est modifié.

• La polysémie peut prendre source dans un phénomène de **captation de sens :** un seul mot, membre d'un groupe, est chargé de représenter la totalité de ce groupe, et son signifié s'enrichit; c'est ainsi que l'on dira *la Chambre* pour *la Chambre des députés, les droit commun* pour *les détenus de droit commun,* etc.

• Les procédures de la **métaphore** et de la **métonymie** participent à la polysémie : une similitude est établie entre deux phénomènes et le mot désignant l'un vaudra désormais pour les deux : *bouton de rose/bouton d'habit/bouton de porte* (métaphore); ou bien un mot désignant la partie d'un ensemble est utilisé pour signifier les autres éléments de l'ensemble : *cuisine* = lieu où l'on apprête les mets/art d'apprêter les mets/les mets eux-mêmes (métonymie).

• **L'influence d'un mot étranger** peut parfois contribuer à développer la polysémie d'un mot français; c'est ce qui s'est produit avec le verbe *réaliser,* dont le sens normal est « rendre réel et effectif » (exemple : *réaliser sa fortune, ses promesses*); mais, en anglais, *to realize* a le sens de « comprendre » et sous l'influence de l'anglais le verbe français acquiert secondairement ce sens-là.

Cet inventaire des procédures de polysémie n'explique pas comment elle est possible et comment l'ambiguïté est presque toujours levée. C'est ici que l'on retrouve l'influence et l'importance du contexte de la phrase, sur lequel les *Instructions officielles* insistent : le signifiant, en effet, n'est pas modifié quand change le sens, mais l'environnement dans lequel il est inséré est à chaque fois différent. Et c'est l'environnement qui va déterminer le sens du mot : le contexte établit le sens, en même temps qu'il lève l'ambiguïté; par exemple, le mot *opération* peut fonctionner dans le français contemporain en accord avec certains mots, alors que d'autres n'admettront pas sa présence : on trouvera *faire une opération* « de tête » (calcul mental), *pratiquer une opération* (intervention chirurgicale), *mener une opération* (stratégie militaire), *lancer une opération* (publicité); on s'aperçoit que les variations portent sur le verbe, et que de ces variations dépendent les différentes « acceptions » du nom *opération.*

Inversement, certains mots peuvent entrer dans des environnements très variés et ne jamais connaître de variations de sens; ce sont généralement des mots appartenant aux vocabulaires techniques et scientifiques : *uranium, carburateur, œsophage, astronaute,* etc., qui entrent dans la classe des mots **monosémiques** et qui ont un indice de fréquence très bas.

Par l'étude de la synonymie et de la polysémie, on aperçoit quelle place tient le contexte dans l'emploi d'un mot et pour l'établissement de son sens. C'est en essayant de placer, par substitution, des mots différents dans un contexte identique que l'on peut juger de leur degré de synonymie; c'est en comparant les contextes différents où peut entrer le même mot que l'on peut estimer les sens variables qui l'affectent. Ce sont là deux opérations complémentaires qui dictent à la pédagogie les procédés à mettre en œuvre pour l'étude du sens des mots. Pour parvenir à la définition d'un mot, ce n'est donc ni à la logique ni à la rhétorique qu'il faut recourir : ce qui est premier, c'est la structure dans laquelle le mot prend place; la définition consistera à établir des tableaux où apparaissent les réseaux structurels du mot dans lesquels le sens est « pris ».

c) L'homonymie

Elle est proche de la polysémie : dans les deux cas, le locuteur est placé devant un seul signifiant et plusieurs signifiés; différence essentielle : le locuteur qui prête plusieurs acceptions au même mot (*prendre* ou *faire*) tient ce mot pour unique, tandis que dans l'homonymie il distingue plusieurs mots (*voile* = soit **une** *voile*, soit **un** *voile*). « Les homonymes sont des mots qui ayant une même forme phonique (homophonie) se différencient par leur sens (1). » Il arrive que l'homophonie se double d'homographie (forme graphique identique); exemple : *louer une personne* (louanges), *louer un appartement* (location).

Il faut distinguer deux types d'homonymie dus, l'un à l'évolution de la forme du mot vers un même signifiant (en partant d'étymologies différentes), l'autre à une scission sémantique dans le signifié d'un mot unique. Convergence homophonique dans le premier cas, divergence sémantique dans le second.

● **Convergence homonymique** : le mot *poêle* désigne soit un instrument de chauffage (latin : *pensile*), soit l'étoffe dont on recouvre le cercueil (latin : *palliam*); les mots qui se confondent homophoniquement sous le groupe phonique [vɛʀ] ont tous des étymologies différentes : *ver* (latin : *vermis*), *vert* (latin : *viridis*), *vair* (latin : *varius*), *vers* (latin : *versus*), *verre* (latin : *vitrum*). La cause de l'homophonie homonymique tient à l'évolution phonétique, qui conduit le mot de sa forme latine à sa forme française.

● **Divergence sémantique** : à l'origine se trouve un mot unique (c'est-à-dire une seule forme étymologique); ainsi, *balle* (de tennis) et *balle* (de fusil) ont la même étymologie. Mais un écart, qui se creuse de plus en plus profondément et largement entre les acceptions du mot, devient tel que le locuteur « sent » deux mots distincts sous la même couverture phonique. Ainsi *grève* (bord de l'eau) et *grève* (arrêt volontaire du travail).

---

(1) H. Mitterand, **les Mots français**, P.U.F., coll. « Que sais-je? », Paris, 1963, p. 80.

Parmi les homonymes on peut aussi distinguer des homonymes **absolus** qui appartiennent à la même classe grammaticale et des homonymes **partiels** qui sont de classe grammaticale différente; *sain/saint, chair/chaire* appartiennent à la première espèce, *sein/sain, chair/cher* à la seconde.

Le problème majeur reste celui de la **levée homonymique** : comment le locuteur prend-il ou a-t-il conscience que deux mots homophones et/ou homographes représentent deux signifiés différents? Pour essayer de répondre, il convient de choisir au préalable l'ordre où est situé le locuteur : ordre oral, ordre scriptural?

● **Ordre scriptural** : au niveau de l'écrit, la levée se fait le plus souvent par les différences orthographiques *(pois/poids/poix, doit/doigt, voix/voie)*. A la lecture aucune méprise n'est possible; cela, en revanche, est un obstacle à toute simplification de l'orthographe et justifie que pour des mots de même « prononciation » il y ait des mots d'orthographe différente : la complexité orthographique rend la lecture moins ambiguë et joue de ce fait un rôle linguistique important.

● **Ordre oral** : au niveau de l'oral, la levée homonymique dépend absolument des éléments contextuels : le mot *grève* utilisé pour signifier « bord de l'eau » n'entre pas dans les contextes qui admettent le mot *grève* signifiant « arrêt du travail », de même pour le mot *voile*, le mot *poêle*, etc. Fort souvent la grammaire vient lever l'homonymie : *passe* accompagné de l'article devient nom *(la passe)*, précédé du pronom devient verbe *(il passe);* quand il est nom, le contexte des autres mots permet de distinguer *la passe du port de mer* de *la passe de football*.

Mais l'incertitude demeure dans beaucoup de cas : faut-il distinguer plusieurs mots différents (homonymie) ou plusieurs sens d'un mot unique (polysémie) sous le signifiant du verbe *décliner*, qui entre dans des contextes absolument divergents *(il décline cet honneur, ses forces déclinent, il décline son nom, il décline le substantif « rosa »)* ? La solution à ce problème — encore peut-elle sembler partielle — consisterait à relever tous les contextes où entrent le mot, et à les comparer après avoir dressé un tableau qui ferait apparaître les points où la discrimination est nette et ceux où elle reste floue ou paraît impossible.

Rien n'est aisé dans le domaine du lexique et nous en donnons une preuve supplémentaire : dans un article sur la polysémie et l'homonymie [1], Ch. Muller étudie les cas où « une homonymie, d'abord accidentelle, aboutit à un état de polysémie et, dans des cas extrêmes, à une fusion sémantique parfaite »; c'est dire que nous sommes confrontés au problème inverse de celui que nous avons examiné jusqu'ici : l'homophonie provoquant une convergence sémantique. Ainsi des deux verbes homonymes *voiler* (dérivant de *voile*, et issus du même mot latin) dont l'un signifie « munir un bateau de sa voilure », et l'autre, dans

_____

(1) Cf. Bibliographie, p. 242.

un vocabulaire technique, « donner une courbure », « gauchir »; ce dernier « est fréquent au participe adjectivé *voilé;* indiquant alors une courbure défectueuse, il a passé des vocabulaires techniques dans celui du grand public avec la naissance du cyclisme : une *roue voilée* [...]. L'autre verbe a donné, lui aussi, un participe passé : [...] une *voix voilée*, un *film voilé*. Dans l'un et l'autre de ces adjectifs, la métaphore originelle est aujourd'hui peu discernable, et ils tendent à se rapprocher l'un de l'autre, contenant tous deux la notion d'un défaut accidentel ».

Les problèmes que l'on rencontre avec la synonymie, la polysémie et l'homonymie, comme tend à le souligner l'ébauche ci-dessus présentée, ne trouvent aucune solution au niveau du mot lui-même, pris isolément; ils nous renvoient toujours à des groupements plus larges de mots (des contextes), comme si le sens n'était pas la propriété du mot, mais s'établissait dans un espace large et mal défini. Ce n'est que la constatation, sur un point, du fait que la langue organise ses unités en ensembles et que seule l'analyse de ces ensembles peut nous apporter un peu de clarté. Voilà pourquoi nous allons aborder l'étude des champs lexicaux et sémantiques.

d) Les champs lexicaux

Ce sont des ensembles de mots (ou de syntagmes ou de lexies) qui se regroupent pour signifier une certaine expérience : création d'une technique, désignation d'une activité pratique ou notionnelle. L'étude d'un champ lexical peut se faire d'un point de vue historique (analyse diachronique) ou d'un point de vue statique (analyse synchronique); elle peut viser un vocabulaire concret ou abstrait. Nous essaierons ci-dessous de présenter ces différents aspects, en choisissant parmi les travaux des linguistes contemporains.

1. Analyse diachronique

Prenons comme types les enquêtes conduites par P. J. Wexler sur *la Formation du vocabulaire des chemins de fer en France* et par L. Guilbert sur *la Formation du vocabulaire de l'aviation* [(1)] *:* dans les deux cas il s'agit de comprendre comment la naissance et la création d'une technique provoquent l'apparition de mots nouveaux (ou syntagmes ou lexies) ou des regroupements et déplacements dans le lexique préexistant.

● **Premier exemple** : le vocabulaire des chemins de fer.

Le vocabulaire des chemins de fer nous est devenu familier; les mots *locomotive, tunnel, wagon, rail, viaduc* sont passés dans la langue commune et n'ont aucune apparence d'étrangeté. Comment toutefois ont-ils pu s'intégrer à notre lexique, comment les techniciens et les inventeurs les ont-ils choisis parmi d'autres termes qui pouvaient tout aussi bien être utilisés?

---

(1) Cf. Bibliographie, p. 242.

P. J. Wexler souligne que, préalablement au choix définitif, une assez longue période d'hésitation et de quasi-confusion prédomine : avant la phase de « dénomination », on a une phase de « description »; on procède par emprunts à la terminologie des techniques voisines : transports *(fourgon, tombereau, tilbury)*, navigation fluviale *(canal sec, remorqueur, gare)*, industries *(galerie, coulisse, chauffeur, mécanicien)*, ou bien l'on a recours à des locutions ou à des périphrases *(chariot à vapeur, route en fer, chariot de remorque)*. Le résultat était une grande variété et quelque anarchie préjudiciables à la précision que requiert tout vocabulaire technique. Par ailleurs, ce n'est qu'après le succès des chemins de fer en Angleterre que l'exploitation de cette technique de transport se répand en France; les techniciens imitent alors, au moins pour le lexique, les réussites anglaises. Le résultat est une introduction massive et constante de mots anglais dans le lexique français.

Cependant, ces emprunts sont déterminés non seulement par les besoins de la dénomination, mais aussi par les structures de la langue et du lexique des emprunteurs. Le mot anglais *locomotive* entre d'autant plus facilement dans le lexique français qu'il présente un suffixe *-ive*, qui a son répondant dans le suffixe adjectival français *-if/-ive (adoptif/adoptive)*, et l'on emploie d'abord *locomotive* comme adjectif dans le groupe *machine locomotive*. Inversement, le mot *train* n'élimine pas totalement le mot *convoi*, parce que celui-ci avait connu une très grande fréquence, dès l'origine, dans le vocabulaire des ingénieurs. Un vocabulaire ne se constitue qu'à l'intérieur des contraintes qu'imposent la morphologie, la syntaxe et le lexique général de la langue.

• **Deuxième exemple** : le vocabulaire de l'aviation.

Ces tendances sont confirmées par la thèse de L. Guilbert : à l'origine, « le champ lexical de la technique naissante comprend aussi bien le vocabulaire des textes techniques que celui des œuvres littéraires ». Avant que n'apparaisse le terme de dénomination qui s'imposera dans la langue commune, *avion* (18 avril 1890), un foisonnement de néologismes recouvre le champ lexical : *aéronef, iptéronef, aéromotive* (formé sur *locomotive*), *machine volante à aile, appareil iptéro-mécanique*, etc.

L. Guilbert insiste également sur le fait que ces créations néologiques, rendues nécessaires par la progression de la recherche technique, prennent les formes que les structures lexicales et grammaticales de la langue imposent ou tolèrent : un certain nombre de modèles préexistent à la formation du vocabulaire technique et ce sont eux qui dirigent les créations nouvelles. « Le choix de la forme linguistique est déterminé par un modèle morphologique existant dans la langue. La morphologie du mot *avi-ation* (base *avi* + suffixe *-ation*) est conforme à un type de nom en usage. » Un vocabulaire se constitue donc, sous la double influence des besoins ressentis par les utilisateurs, pour désigner notions et objets nouveaux (déterminisme socio-culturel) et des possibilités et latitudes du système linguistique.

2. Analyse synchronique

Il s'agit dans ce type de démarche de voir comment, à un moment donné de l'histoire, un ensemble de mots se distribuent pour désigner certains objets ou certaines notions. L'ensemble peut avoir les dimensions les plus variables. Ainsi J. Dubois, dans sa thèse *le Vocabulaire politique et social en France de 1869 à 1872* [1], étudie des centaines de mots qui entrent dans 5 408 contextes dûment répertoriés et datés à partir de vastes et nombreux dépouillements (650 auteurs de livres ou discours, 250 périodiques), tandis que H. Meschonnic, dans son article *Essai sur le champ lexical du mot « idée »* [1], étudie la distribution des emplois du mot *idée* et de dix autres : *concept, notion, esprit, pensée, connaissance, opinion, réflexion, jugement, imagination, souvenir*, regroupés parce qu'ils expriment tous un « objet ou une fonction de la pensée ». Les deux analyses, malgré leur inégalité dans la masse lexicale traitée, visent le même but : rendre compte du découpage d'un contenu sémantique par une multiplicité de mots, en dessinant le ou les réseaux relationnels de ces mots.

● **Premier exemple** : le vocabulaire politique.

J. Dubois montre que l'ensemble du champ lexical s'organise autour de relations diverses, telles que les oppositions, les identités, les associations :

— Les **oppositions** se présentent soit sous la forme de couples *(réaction/ liberté)*, soit sous la forme de constellations autour d'un même mot *(révolution/ aristocratie, révolution/réformes, révolution/ordre)*, ou encore comme séries d'oppositions parallèles *(classes riches/pauvres, supérieures/inférieures, bourgeoises/populaires)*;

— Les **identités** rapprochent des mots (mais non à la manière des synonymes) qui apparaissent dans des groupes tels qu'ils puissent se substituer absolument l'un à l'autre : dans les syntagmes « *avènement des masses, des prolétaires, des travailleurs* », « *affranchissement des travailleurs, du travail, des masses* », les mots qui entrent dans les compléments de noms sont équivalents les uns des autres, « deux termes qui sont distincts dans d'autres syntagmes se trouvent être ici permutables »; ce sont des « substituts sémantiques » (J. Dubois les nomme aussi « variantes combinatoires », en rapprochant ce phénomène de celui de la « neutralisation » des phonèmes);

— Les **associations** sont des relations que le contexte instaure : des mots fréquemment proches dans la phrase établissent entre eux des combinaisons privilégiées; ainsi *révolution* s'associe à *progrès*, à *socialisme; ouvriers* à *travailleurs*, à *salariés*, à *pauvres*...

Ces analyses (qui ne couvrent qu'une partie de la thèse de J. Dubois) tendent à souligner ce qui est systématiquement organisé dans un champ lexical et que les valeurs sémantiques des mots s'établissent en fonction des autres mots de la langue. Le sens d'un mot ne se lit qu'au travers de la grille des structures.

---

(1) Cf. BIBLIOGRAPHIE, p. 242.

● **Deuxième exemple** : le champ lexical du mot *idée.*

L'article de H. Meschonnic, visant un micro-champ lexical, conduit à deux tableaux qui classent les syntagmes en fonction des constructions grammaticales qu'ils connaissent dans la phrase. Ce travail permet d'apercevoir que certains de ces mots excluent des constructions que d'autres admettent, que ces exclusions permettent de délimiter le ou les sens des mots, et que l'on ne peut définir un mot hors des syntagmes où lui et ses voisins du champ peuvent figurer.

La catégorie grammaticale joue un rôle dans la délimitation du sens : « Le pluriel dans certains cas rend intransitif et ferme un syntagme; [...] on dit *se faire une idée de...* et l'on attend la suite (à quoi s'oppose *se faire une opinion*) ; mais *se faire des idées* n'en est pas le pluriel, c'est autre chose : des soucis, des illusions. » De même, si l'on trouve *idées,* on trouvera bien plus rarement *l'idée,* mais on a *l'idée de justice.* « En chaque unité sémantique la nature du rapport et le sens du ou des mots agissent l'un sur l'autre pour créer l'effet de sens », ce que semblent prouver les variations sémantiques que connaît l'expression figée *avoir idée.* Il suffit que change le pronom sujet pour que toute la valeur sémantique de l'expression soit modifiée. « Avec un pronom personnel *(je/tu),* sa valeur est celle d'une « insuffisance de l'information » ou d'une « croyance subjective » : *j'ai idée qu'il n'en veut plus, je n'ai pas idée de ce qu'il veut dire.* Avec l'indéfini *on,* c'est une exclamation indignée ou étonnée : [...] *A-t-on idée! On n'a pas idée!* [...] Interrogation et négation y ont le même sens, tant les valeurs sont renversées. »

Les études que nous avons présentées très rapidement illustrent toutes, avec un éclairage et des perspectives variés, que les faits lexicaux sont d'une grande complexité parce qu'ils sont soumis à des pressions de types très différents. On n'explique pas le sens d'un mot si l'on néglige les circonstances historiques où il est situé, on ne l'explique pas non plus si l'on ne tient pas compte des actions et réactions qu'il connaît à l'intérieur des systèmes d'ordre divers que le langage instaure pour pouvoir fonctionner (morphologie, syntaxe, synonymie, polysémie, homonymie). Sans une connaissance, ne fût-elle que limitée, des principales structures de la langue (et grammaticales et lexicales), sans la conscience que ces structures existent, il est vain de compter sur l'aide (pourtant non négligeable) des différents dictionnaires pour cerner le sens d'un mot. La linguistique est seule à pouvoir apporter une clarté sur ces questions. Elle le fera encore pour nous permettre de pénétrer des analyses orientées cette fois-ci vers une plus fine intelligence du sémantisme des mots.

e) Les champs sémantiques

Le point de départ est un mot dont on recherche le ou les sens (ce que l'on nomme ordinairement les « différentes acceptions »). Cette démarche engage à affronter des questions d'ordre théorique sur lesquelles les sémanticiens contemporains ont ouvert un débat qui semble n'avoir aucune limite; au centre de la discussion, le problème du lieu où se trouve le sens : dans le mot lui-même?

dans les contextes du mot? dans les situations où le mot est prononcé? dans la « mémoire » ou la « conscience » du locuteur? Le problème a une telle ampleur, qu'il a paru à beaucoup de linguistes et pendant longtemps relever de la psychologie, de la sociologie, de la philosophie, mais non de la linguistique. Celle-ci se contentait de savoir que le sens était présent dans tout discours, elle y faisait référence, mais sans se préoccuper de l'analyser en soi, en tant qu'entité singulière dotée de ses propres structures. La linguistique visait en priorité la phonologie et la syntaxe; il aura fallu que la linguistique structurale parvienne aux limites d'elle-même pour que la sémantique trouve place parmi ses recherches.

Comment parvient-on à tracer les frontières du champ sémantique dans lequel un mot prend son sens? Il est impossible d'abord de ne pas le situer historiquement, car un mot appartient à la société qui l'utilise; il est donc nécessaire, préalablement à toute étude de ce type, de préciser l'époque envisagée. Il faut ensuite relever un grand nombre de textes (oraux ou écrits) où le mot figure : stade de l'enquête où se constitue le « corpus », c'est-à-dire l'ensemble des textes recueillis. Apporter toutes précisions sur les conditions de cette collecte, sur les critères qui ont conduit les choix, sur les bornes que l'on pose pour circonscrire la recherche, est tout aussi indispensable. Vient ensuite le « traitement » du matériau linguistique.

Sur deux exemples, on essaiera (comme nous l'avons fait plus haut) succinctement et rapidement de proposer des voies d'approche du sémantisme d'un mot, localisé parmi tant d'autres.

● **Premier exemple** : recherche du statut syntagmatique d'un mot.

Nous empruntons ici, à un article de J. Dubois, *Recherches lexicographiques : esquisse d'un dictionnaire structural* [1], les principes d'analyse qui sous-tendent l'étude des sens du verbe *passer*. Premier principe : une unité significative (un mot) connaît une « double définition structurale » :

1. Le mot est un système de rapports (structure paradigmatique); exemple, le mot *monter*, qui connaît les oppositions suivantes : *monter/descendre, monter/démonter, monter/baisser, monter/grimper, monter/montage, monter/montée*, etc.

2. Le mot entre dans divers syntagmes, nominaux ou verbaux (structure syntagmatique) qui se présentent sous différentes formes : syntagme fermé (*hocher la tête, hocher* ne s'emploie pas sans l'objet *tête*), syntagme conditionné (*passer d'un lieu à un autre*, où l'emploi de la préposition *de* est lié à l'emploi d'une autre préposition et où l'ensemble détermine une valeur d'emploi de *passer*), syntagme libre dont l'objet peut être limité à une classe de mots et le sujet exclusivement animé ou inanimé.

Il s'agit d'établir le statut syntagmatique d'un verbe ou d'un nom, en cherchant quel type de sujet admet tel verbe, ou quel type de complément : les valeurs d'emploi du mot sont ainsi déterminées par des oppositions entre éléments qui suivent (*il tourne* s'oppose à *il tourne le dos* : opposition entre absence de complément et présence d'un complément d'objet direct) ou entre éléments qui

(1) Paru en 1962 dans le n° 1 de la revue *Études de linguistique appliquée*, Didier, Paris.

précèdent (*la voiture chasse* s'oppose à *il chasse le gibier :* opposition entre un sujet inanimé, *la voiture*, et un sujet animé *il* [*le chasseur*]).

Sur le tableau ci-contre (¹), on lira aisément quels sens les diverses constructions peuvent cerner, car il s'agit bien de **cerner,** d'entourer le mot d'autres mots corrélatifs; la définition se répartit sur toute la surface du tableau; elle ne dépend plus d'un classement logique, par exemple de l'abstrait au concret, ou du « propre » au « figuré ». Ce n'est pas la substance du contenu sémantique du mot qui est fouillée et explorée; elle se découpe sous la grille des relations aperçues dans les textes (oraux ou écrits).

● **Deuxième exemple :** le mot *soleil* chez Apollinaire.

Ce deuxième exemple ressortit à une étude du vocabulaire poétique d'Apollinaire (²), plus précisément d'un mot clé, *soleil*, qui a le rang 10 dans l'index de P. Guiraud. Le corpus est constitué des œuvres en vers (édition de la Pléiade) et des poèmes en prose que sont les nouvelles du *Poète assassiné.* La méthode s'apparente à celle de J. Dubois, mais il s'agit moins de relever des types de syntagme, que de repérer les termes qui accompagnent de préférence le mot *soleil* dans les emplois qu'il connaît dans l'œuvre d'Apollinaire; il reste que le but est d'établir le réseau sémantique de *soleil*. Il ne serait d'aucune utilité, ni d'aucun secours de consulter un dictionnaire; nous posons *a priori* que ce mot, comme tout mot poétique, prend une charge sémantique seconde (connotative), due au traitement spécifique qu'il reçoit dans un message marqué comme poétique. La recherche se propose alors de décrire le « dictionnaire personnel » du poète Apollinaire, à partir de ses œuvres.

On connaît ces vers des *Fiançailles :*

J'ai tout donné au soleil

Tout sauf mon ombre

La liaison *soleil/ombre* se révélera importante, au cours de l'enquête, mais au préalable on remarquera que le mot *soleil* est source ou centre d'images.

Le mot *soleil* est souvent en corrélation avec le mot *flamme*, le mot *fruit*, mais plus étonnamment avec le mot *fouet*, le mot *guerre*. Cependant, les fréquences d'emploi conduisent à distinguer comme fondamentales les liaisons suivantes :

— *soleil/amour* (où l'on remarque que le mot se « mythifie » : c'est le soleil qui est dit susciter l'amour, devenir l'amour, accompagner l'érotisme);

— *soleil/sang* (avec de nouveau un mythe : *sang* et *soleil* se correspondent et sont l'un par l'autre nourris : « Adieu Adieu/Soleil cou coupé »);

— *soleil/ombre* (le contraste linguistique double celui de la réalité extra-linguistique : « Ombre encre du soleil/Écriture de ma lumière »);

— *soleil/nuit* (« villes qui [...] vomissaient la nuit le soleil des journées »);

— *soleil/brasier/poésie* (« Qu'au brasier les flammes renaissent/Mon âme au soleil se dévêt »).

---

(1) Extrait de l'article de J. Dubois, *op. cit.*, p. 47.
(2) Travail inédit de Jean Peytard (Université de Besançon).

Statut syntagmatique du verbe *passer*

1	2	3	4	5
zéro	*+ modalité (adjectif adverbial, adjectif)*	*+ préposition + expansion non conditionnée*	*+ préposition + expansion conditionnée*	*+ expansion directe inconditionnée (commutation objet/sujet avec auxiliaire être ou commutation avec le pronominal)*
les voitures passent	→ vite	il passe dans le bureau il passe au bureau = par le bureau	il passe pour un faible	il passe la frontière il passe les marchandises
les jours passent	→ lentement	le jour passe en réjouissances	passer par les armes	il passe la journée dehors
le café passe la douleur passe	→ trop vite → a vite passé	→ avec un cachet	il passe pour stupide	il passe le café les cachets passent la douleur
	il passe inaperçu			

6	7	8	9	10
+ expansion directe conditionnée, avec ou sans article	*+ expansion directe + préposition et expansion inconditionnée*	*+ expansion directe + préposition + expansion conditionnée*	*se passer + zéro*	*se passer + expansion directe ou prép. + expansion*
il passe la main il passe son tour	il passe la tête par la portière, etc.	il passe un meuble d'un lieu à un autre (*de* ne peut s'employer sans *à, dans, par*, etc.) il passe son livre à son voisin. La valeur d'emploi de *passer* est déterminée par la chaîne sujet animé, verbe, objet, à, + expansion : *SVO à O*.		il se passe les mains dans l'eau
il passe le temps			la douleur se passe ça se passe	la journée se passe en réjouissances
il passe commande				

11
faire (laisser) passer
laissez-le passer devant faites-le passer

Les exemples ne sont ici que des indications; dans le tableau complet on a procédé à un inventaire exhaustif des moyens d'expression; les syntagmes verbaux y sont prolongés par les dérivés nominaux correspondants (*passage, passe*, etc.) : *le passage à la frontière* est le syntagme nominal commutable avec le syntagme verbal *il passe à la frontière*.

217

Poursuivre dans le détail ce type d'enquête entraîne à une lecture d'un genre nouveau : on voit s'organiser le vocabulaire du poète au centre de ce que la tradition nomme les « thèmes », mais que nous appelons le « réseau sémio-lexical » : le poète *re-structure* dans le lexique général son propre vocabulaire et les mots prennent un sens nouveau par cette *re-structuration*.

f) Les analyses du sémantisme

1. Problèmes du sens

Jusqu'ici nous avons beaucoup parlé du **sens** des mots, des problèmes que posait la distribution des mots dans un champ lexical ou un champ sémantique, sans pourtant chercher ni à définir la notion même de « sens » ni à appréhender les éléments qui doivent pourtant entrer dans les ou le sens des mots.

Si nous n'avons pas défini la notion de *sens*, c'est que le terme est, du lexique, le moins aisément définissable, puisque, pour le définir, il est nécessaire d'employer le mot même de *sens*. Mais si la définition nous échappe, cela n'empêche pas que nous ayons l'« expérience » du **sens** : l'acte même de parler et de comprendre suppose que le sens existe. Les analyses présentées plus haut en portent témoignage : tout locuteur est capable de tenir tel mot pour l'équivalent, fût-ce approximatif, de tel autre, et cet acte qui fonde la synonymie demande qu'il y ait appréciation du sens et comparaison entre les mots qui le transmettent. De plus, quand nous recensons les contextes où entrent les mots, nous avons conscience de cerner, d'entourer, même fugacement, un certain sens, que nous pouvons faire varier en modifiant ces contextes. Ce jeu de variations n'est rendu possible que parce que chaque élément cerné n'est pas un lieu vide, mais participe au sens de la phrase ou d'un énoncé plus long, c'est-à-dire est partie prenante du sens, est part de sens; le fait que le locuteur puisse isoler des mots, dans un ensemble, pour les réemployer dans d'autres ensembles (les phrases qu'il énonce de nouveau) dénote qu'il crédite ces mots d'un rôle sémantique. Enfin, lorsque le linguiste établit une ligne de partage entre la première et la deuxième articulation, distinguant entre monèmes et phonèmes, bien qu'il ne procède pas à une analyse du sens des monèmes retenus, il tient pour pertinent que ces éléments sont porteurs de sens : il fait référence au sémantisme, c'est-à-dire à son intuition de locuteur qui l'avertit que dans un cas le sens existe, et dans un autre non. Ainsi, le fait que nous ne définissions pas le sens ne signifie pas que nous n'ayons aucun sentiment de sa présence dans tout énoncé et que nous ne l'utilisions pas.

Si la linguistique s'est longtemps détournée d'une étude du sens, c'est que ce domaine était aussi celui de la logique ou de la psychologie, c'est que limiter l'étude au fonctionnement des mots (tout en utilisant le sens comme critère) garantissait à la linguistique une prise plus efficace, parce que formelle, sur le langage.

2. La substance sémantique

L'expérience du locuteur, comme la démarche descriptive du linguiste, montrent donc qu'une substance sémantique est présente dans tout énoncé : comment peut-on en tenter l'analyse?

Ce n'est pas le **mot** qui constituera l'unité de base; mais on utilisera les éléments et les groupes qui ont été distingués précédemment : morphème, lexème, lexie, et l'on conduira l'analyse à chacun de ces différents niveaux. Nous rappelons que le **monème** est l'élément minimal porteur de substance sémantique (première articulation) et que le **phonème** (deuxième articulation) est l'élément qui permet de distinguer entre les significations, sans être lui-même significatif (porteur de sens).

Nous suivrons de près la démarche de B. Pottier dans son étude *Vers une sémantique moderne* [1] et poserons que tout monème est un ensemble de **traits** (l'ensemble pouvant se réduire à un seul élément) sémantiques, ou **sèmes** [2].

• Les monèmes s'opposent les uns aux autres grâce à leurs sèmes différents ou interférents. Par exemple, *le* et *la*, dans *le tableau* et *la porte*, ont en commun (ils interfèrent sur ce point) les sèmes *article + défini*, et se différencient par les sèmes *masculin* et *féminin*. Lorsque le monème est un **morphème**, les sèmes qui constituent sa substance sémantique sont appelés **sèmes relationnels :** masculin, singulier, pluriel, défini, par exemple. L'ensemble des sèmes relationnels d'une forme est un **catégorème** (que l'on appelle traditionnellement « catégorie grammaticale »). Lorsque le monème est un lexème, les sèmes sont appelés **sèmes substantiels** et leur ensemble constitue un **sémème.**

Si l'on essaie d'analyser la substance sémantique du lexème *chaise*, on peut dire qu'elle est composée de quatre sèmes :

$$s_1 = pour\ s'asseoir \qquad s_2 = sur\ pieds$$
$$s_3 = pour\ une\ personne \qquad s_4 = avec\ dossier$$

Le sémème S est donc l'ensemble $\{ s_1, s_2, s_3, s_4 \}$. Le lexème *fauteuil* comporte un sème supplémentaire : $s_5 = avec\ bras$. On peut schématiquement représenter les rapports du sème substantiel au sémème de la manière suivante :

$$sème \in sémème$$

$$Sémème = \{ sème\ 1,\ sème\ 2,\ \ldots,\ sème\ n \}$$

On peut comparer plusieurs sémèmes entre eux et voir quels sèmes ils ont en commun; il peut se faire que les sèmes communs constituent la substance d'un nouveau lexème; par exemple, on constate que les sèmes s_1 *(pour s'asseoir)* et s_2 *(sur pieds)* sont communs aux sémèmes de *tabouret, chaise, fauteuil,*

(1) Cf. BIBLIOGRAPHIE, p. 243.
(2) Le vocabulaire utilisé ici pourra déconcerter le lecteur non spécialiste. Il est évident que ce *métalangage*, repris de l'étude de B. Pottier, n'est qu'un *métalangage :* il n'est proposé ici que pour information. On pourra sans inconvénient, si l'on trouve cette étude trop aride, passer outre.

canapé; le lexème composé des sèmes communs s_1 et s_2 existe en français sous la forme *siège* : on dira que ce lexème est l'**archilexème** des lexèmes constituant l'ensemble cité; « cela veut dire que toute chaise, tout fauteuil, etc., est un *siège*, mais non inversement » (B. Pottier). Cette relation peut être représentée sur un modèle ensembliste, l'**archisémème** étant un sous-ensemble de ces sémèmes.

Il est possible d'établir une hiérarchie entre les sèmes des lexèmes et ceux des archilexèmes : ainsi l'archisémème qui regroupe des traits communs (sèmes) à *caniche* et *épagneul* est le contenu sémantique du lexème *chien*, l'archilexème de *chien* et *chat* est *animal*, celui d'*animal* et d'*homme* est *être*, et l'on arrive à l'archilexème *chose*, « qui peut remplacer tous les substantifs de la langue ».

Un lexème ne se définit pas uniquement au niveau de ses composantes singulières (sèmes qui lui sont propres), il est marqué également par ses relations avec des classes sémantiques très générales : par exemple, le lexème *chien* comme le lexème *homme* appartiennent à la classe des « animés », et l'on peut compter comme un trait constitutif de la substance sémantique du lexème la classe « animée ». Ce trait portera le nom de **classème,** et nous en distinguerons trois : *animation* (animé/inanimé), *continuité* (continu/discontinu), *transitivité* (transitif/intransitif).

● A un autre niveau, celui où se combinent lexèmes et morphèmes pour construire les lexies (simples, composées, complexes), nous trouvons un autre type de problèmes : quelles conséquences ont sur le sémantisme ces combinaisons ? comment et quand sont-elles possibles ?

Premier point important : toute lexie appartient à une « partie du discours » (verbe, adjectif, adverbe, substantif, conjonction, etc.) appelée **grammème.**

Quelle est la valeur sémantique des grammèmes ? Si l'on prend le groupe *adjectif + substantif*, on peut dire que l'adjectif est subordonné au substantif, que le substantif définit un contenu (la *terre*) et que l'adjectif généralise l'exploitation possible de ce contenu (on dira *teint terreux, métal terreux, cul-terreux*); de la même façon le verbe définit un contenu *(manger, vouloir)* et l'auxiliaire généralise l'exploitation possible de ce contenu (*vouloir* peut se dire de *manger, courir : il veut manger, il veut courir*, etc.). Tout ce que les grammèmes d'une lexie lui apportent en tant que substance sémantique (résultat des combinaisons que les grammèmes autorisent) prend le nom de **fonctème.**

Quand lexème et morphème se combinent, on enregistre donc des conséquences sémantiques; ainsi pour la suffixation, *-teur/-tion* jouent un rôle sémantique très important en se combinant avec des lexèmes, car ils vont traduire les trois situations essentielles d'un événement :

1 — la virtualité *(le traducteur, le créateur);*
2 — l'action en cours *(la traduction, la création);*
3 — le résultat *(la traduction, la création).*

Enfin, deux ou plusieurs lexies vont être connectées dans l'énoncé, et cette rencontre produira, elle aussi, ses effets spécifiques dont la résultante est le sens de l'énoncé. Mais quelles lexies peuvent se combiner entre elles ? sont exclusives d'autres ?

On peut estimer que « chaque lexie a un certain nombre de virtualités combinatoires, qu'on peut appeler ses **virtuèmes** » (B. Pottier) qui vont déterminer hautement le sémantisme de l'énoncé.

Prenons l'exemple, fourni par B. Pottier, de la phrase suivante : *je vais vous présenter une cuisinière*. Telle quelle, la phrase reste ambiguë, car de quelle cuisinière s'agit-il? La lexie *cuisinière* peut appartenir aux classèmes « animé » ou « inanimé »; des adjectifs qui appartiennent exclusivement au classème « animé » comme *rousse, enrhumée*, adjoints à *cuisinière*, sélectionneront dans cette lexie le classème « animé », l'ambiguïté sera levée et l'auditeur comprend que l'on parle d'une personne. Inversement, l'adjectif *émaillée* sélectionne dans la lexie le classème « inanimé » et *cuisinière* désigne un objet matériel.

● La construction d'une phrase est donc d'ordre syntactico-sémantique; elle est combinaison de traits qui, à des niveaux divers et à des moments et points de l'énoncé, se repoussent ou s'attirent; cela permet des messages d'une grande banalité comme *il fait jour à midi à Paris* ou d'une grande originalité : *la terre est bleue comme une orange* (Eluard); deux phrases qui, au niveau des fonctèmes, manifestent la plus grande régularité, mais divergent au niveau des virtuèmes; la seconde est surprenante, car elle associe des lexies dont les sèmes et classèmes semblent s'exclure. La grammaire contrarie le jeu sémantique normal et le style apparaît.

L'analyse sémantique du langage ne se réduit pas au classement présenté ci-dessus d'un certain nombre de catégories; mais nous avons pensé qu'il fallait que les maîtres aient connaissance des recherches actuelles conduites par les linguistes sur les problèmes de l'analyse du sémantisme; ils pourront, grâce à la bibliographie, se rendre compte qu'il ne s'agit que d'un commencement et que la diversité des écoles, des tendances, est à la mesure de la variété et de la complexité des problèmes. Avant de poser les problèmes d'application des théories à la pratique pédagogique (comme nous le faisons plus bas), il faut déjà retenir de tout ce que la linguistique apporte que l'établissement du sens (à quoi l'enseignement du vocabulaire conduit et ramène) est une opération difficile, et d'autant plus difficile que les élèves parlent et comprennent le français et qu'ils ont le sentiment que « cela va de soi ». Trop souvent aussi, la leçon de vocabulaire se réduit à une recherche des synonymes, comme si cette quête était innocente, comme s'il suffisait de placer face à face deux mots, dits équivalents, pour lever la difficulté, alors qu'on la redouble en usant de la synonymie.

Souvent aussi le recours aux dictionnaires semble la panacée, et une lecture de définition un acte suffisant à éclaircir les nuances d'un mot : or, un dictionnaire, si riche et si bien fait soit-il, n'est qu'une voie d'approche du sens, un outil que l'on ne manie pas non plus sans danger; car le dictionnaire n'est pas un « absolu » où sont cachées les solutions à toutes les questions que le sens pose; le dictionnaire est un objet « relatif », non seulement parce qu'il ne donne toujours (ou presque) qu'un sens « approché », mais aussi parce qu'il dépend de l'époque où il a été écrit, de la méthode lexicographique utilisée et des connaissances de son auteur en matière de science du langage.

III. Lexicologie et lexicographie

Deux mots qui désignent deux attitudes et deux méthodes à l'égard du lexique : la lexicographie est la technique des dictionnaires, la lexicologie est l'étude scientifique du lexique. Il est évident que le lexicographe ne peut traiter du lexique, l'inventorier et en définir les termes sans avoir, fût-ce de façon peu consciente, une conception théorique de l'ensemble lexical sur lequel il travaille; en revanche, le lexicologue ne peut pas se passer des instruments de documentation (véritables échantillons) que constituent les dictionnaires. Aussi, à l'époque contemporaine, est-ce souvent le même chercheur qui confectionne les dictionnaires et pose, en termes de linguistique, les problèmes lexicaux.

A. La lexicographie

Quand un lecteur consulte un dictionnaire, quelle curiosité cherche-t-il à satisfaire? Que cherche-t-il à apprendre dans les pages du dictionnaire? Que va-t-il y trouver?

Cette consultation n'est jamais « innocente » : le lecteur a toujours comme motif profond de résoudre un problème de sens, de rendre claire une zone du langage qui échappe provisoirement à son usage. Mais la plupart du temps, il se confie au dictionnaire, sans savoir quel est le type d'instrument qu'il manipule; or, rien n'est plus important — et surtout pour un enseignant — que de pouvoir dominer par la connaissance les outils dont on dispose. La « mesure » que l'on fait du langage à l'aide des dictionnaires comporte nécessairement une part d'approximation que l'on ne peut bien estimer qu'en sachant d'où viennent les dictionnaires, qui ils sont, et ce qu'ils peuvent offrir.

a) Chronologie des principaux dictionnaires

Rappelons d'abord quelques dates essentielles, que nous empruntons aux ouvrages cités en bibliographie, mais singulièrement à la thèse de B. Quemada, *les Dictionnaires du français moderne*.

◆ XVIᵉ siècle

— 1539 : *Dictionnaire françois-latin contenant les motz et manières de parler tournez en latin*. Ce dictionnaire, œuvre de l'imprimeur Robert Estienne, est vraiment le premier qui enregistre un nombre considérable de mots français; il ouvre l'ère de la lexicographie moderne.

— 1606 : *Thrésor de la langue françoyse, tant ancienne que moderne*, de Jean Nicot. Le titre même de « trésor » indique l'ambition de son auteur, qui est de rassembler les **archives de la langue :** c'est l'intérêt de ces premiers dictionnaires du XVIᵉ siècle que de montrer à quel regroupement du lexique ils s'adonnent, à l'inverse des premiers glossaires qui restaient très fragmentaires. A partir de ces exemples, les lexicographes chercheront à donner l'extension la plus grande à leurs inventaires du lexique.

◆ **XVIIᵉ siècle**

— 1680 : *Dictionnaire françois contenant les mots et les choses*, de P. Richelet. C'est le premier dictionnaire « monolingue » général.

— 1690 : *Dictionnaire universel contenant généralement tous les mots françois tant vieux que modernes et les termes de toutes les sciences et des arts*, d'A. Furetière (3 volumes). On peut le considérer comme un des premiers dictionnaires de type encyclopédique, car il est l'inventaire le plus riche du lexique de cette époque.

— 1694 : *Dictionnaire de l'Académie française*. C'est la première édition de ce dictionnaire qui en comportera huit successives : 1718, 1740, 1762, 1798, 1835 (avec un complément en 1842), 1878, 1932-1935 ; la 9ᵉ édition est en cours de préparation. En 1694, le seul désir de l'Académie est de rassembler les mots de la « langue polie » ; il trouve son complément dans le *Dictionnaire des arts et des sciences* (2 volumes) de Thomas Corneille (1694), qui recueille également des archaïsmes et des vulgarismes que l'Académie écartait.

◆ **XVIIIᵉ siècle**

— 1704 : *Dictionnaire universel françois et latin* (3 volumes), des Pères jésuites de Trévoux (connu surtout sous la dénomination de *Dictionnaire de Trévoux*), qui connaîtra quatre éditions jusqu'en 1743, où il paraît en 6 volumes. Il se situe dans le sillage de Furetière. Dernière édition, la 6ᵉ (8 volumes) en 1771.

— 1751-1771 : *Encyclopédie ou Dictionnaire raisonné des sciences, des arts et des métiers*, publiée sous la direction de Diderot (il comprendra 35 volumes au total en 1780). Travail collectif d'une « équipe » de savants qui cherchent à faire le point du savoir universel, il ne vise pas seulement à définir les mots, mais à apporter, sous forme critique, une information sur la société de l'époque susceptible de faire progresser le mouvement des « lumières ».

◆ **XIXᵉ siècle**

— 1800 : *Dictionnaire universel de la langue française*, de C. Boiste, dont les plus importantes rééditions sont elles de 1819 (5ᵉ éd.) et 1834 (8ᵉ éd.).

— 1843 : *Dictionnaire national ou Grand Dictionnaire critique de la langue française embrassant avec l'universalité des mots français l'universalité des connoissances humaines* (neuf éditions jusqu'en 1861), de L. N. Bescherelle.

— 1851 : *Dictionnaire de la langue française*, de P. Poitevin. Il présente la particularité de donner de multiples citations littéraires empruntées aux auteurs du xviiᵉ, du xviiiᵉ siècle et contemporains.

— 1863-1873 : *Dictionnaire de la langue française* (5 volumes, plus un supplément qui paraîtra en 1877), d'Emile Littré (le *Littré* a été souvent réédité, et parmi les dernières rééditions on retiendra celle de J.-J. Pauvert-Gallimard-Hachette, en 7 volumes, avec supplément incorporé, 1957-1958). Le *Littré* est marqué par l'influence de la linguistique historique dont l'importance est reconnue par tous, dès la seconde moitié du siècle : on trouve dans ce dictionnaire, après chaque article, un historique du mot, avec son étymologie (mais cette partie est généralement périmée, et l'on se gardera de l'utiliser); de plus Littré s'appuie sur de nombreuses citations d'auteurs, empruntées majoritairement au XVIIe et au XVIIIe siècle. Cela fait que le *Littré* est surtout un dictionnaire de l'usage classique.

— 1865-1876 : *Grand Dictionnaire universel du XIXe siècle* (15 volumes, plus deux suppléments en 1878 et 1888), de Pierre Larousse. C'est une extraordinaire encyclopédie du XIXe siècle, de lecture passionnante.

— 1890-1900 : *Dictionnaire général de la langue française du commencement du XVIIe siècle à nos jours*, de Hatzfeld, Darmesteter et Thomas (deux volumes). Bien que moins riche que le *Littré*, il est beaucoup plus rigoureux dans l'analyse sémantique des définitions et dans l'historique qu'il en propose. C'est un très bon outil de travail.

◆ **XXe siècle**

Nous retiendrons parmi la multitude des dictionnaires publiés ceux qui peuvent fournir aux enseignants une aide efficace et sûre.

— *Dictionnaire étymologique de la langue française* de Bloch et von Wartburg (P.U.F.), établi en partie d'après le *Französisches Etymologisches Wörterbuch* de W. von Wartburg (véritable monument de l'étymologie française, en cours d'édition).

— *Nouveau Petit Larousse*, dont on utilisera l'édition la plus récente, car chaque année le texte du dictionnaire est modifié en fonction des mots nouveaux et des mots périmés.

— *Grand Larousse encyclopédique* (10 volumes, plus un supplément paru en 1968).

— *Dictionnaire de la langue française*, de Paul Robert (6 volumes), dont un « abrégé » a paru en 1967 sous le titre *Petit Robert*.

— *Dictionnaire du français contemporain*, de J. Dubois, R. Lagane, G. Niobey, D. Casalis, J. Casalis, H. Meschonnic (Larousse, 1967).

b) Les différents types de dictionnaires

Après avoir rappelé quelques grandes dates et quelques éditions importantes de dictionnaires, il faut essayer de classer ces derniers selon les principaux types auxquels ils appartiennent. Nous retenons la typologie que proposent R. L. Wagner dans *les Vocabulaires français* et B. Quemada dans sa thèse (*op. cit.*).

◆ Dictionnaires bilingues et dictionnaires monolingues

Les dictionnaires usuels du français que nous avons l'habitude de consulter sont de type monolingue (*Petit Larousse, Encyclopédie Quillet, Robert*, etc.). Or, les premiers dictionnaires sont bilingues : l'usage semble remonter très haut dans le temps, à l'époque où le latin est devenu une langue étrangère pour les non-clercs. La nécessité de mettre le texte de la Bible à la portée des fidèles conduit à l'établissement de « gloses » constituées de listes de mots latins avec, en correspondance, une traduction ou une explication en langue française (v. Wagner, *op. cit.*, pp. 100-106, sur les gloses *Abavus-Aalma*).

A partir des glossaires bilingues, deux voies de développement sont possibles : ou bien enregistrer plus de deux langues et parvenir à l'ouvrage multi-lingue, comme le fera le *Calepin* édité d'abord en 1502 sous forme de diction-naire bilingue latin-grec et qui enregistrera en 1588, en plus du français, dix langues (dont l'hébreu, le flamand et le hongrois!), ou bien développer unilaté-ralement la part du français, au point qu'elle deviendra prépondérante; les rubriques en français sans équivalent latin se multiplient et les « *Trévoux* » au XVIIIe siècle, qui s'appellent encore *Dictionnaire universel français-latin*, ne sont plus, de fait, des dictionnaires bilingues.

◆ Dictionnaires extensifs et dictionnaires sélectifs

Dès 1539, le dictionnaire de Robert Estienne tend à devenir le catalogue de l'ensemble des mots de la langue. Le lexicographe cherche à étendre le champ de sa collecte lexicale, et cette tendance à l'enrichissement va se poursuivre de manière ininterrompue. Si l'on compte environ 12 000 mots dans les diction-naires de « grande extension » au début du XVIIIe siècle, on en dénombre une moyenne de 150 000 à la fin du XIXe siècle.

Mais, à l'inverse, une autre tendance se manifeste : on en a le meilleur exemple avec le *Dictionnaire de l'Académie*, qui refuse d'enregistrer tous les termes techniques ou d'emploi trop spécialisé. L'Académie sélectionne dans le lexique de son temps les mots qui ont leur emploi dans une couche sociale bien précise : le « monde », que constitue la meilleure partie de la Cour.

Ainsi chaque « niveau de langue », chaque milieu peut fournir matière à une répertorisation : les *Curiositez françoises*, de A. Oudin (1641), recueillent les termes bas et burlesques ou les proverbes, le *Grand Dictionnaire des précieuses*, de B. de Somaize (1660), fait l'inventaire des tours de langage propres à cette coterie. Cette tendance à la sélectivité donnera les dictionnaires des différentes techniques ou activités humaines, de l'aviation aux mots croisés. La lexico-graphie raffine aussi sur sa propre matière et produit des dictionnaires d'ortho-graphe, de prononciation, d'homonymes, de synonymes, etc.

◆ Dictionnaires de mots et dictionnaires de choses

La distinction porte cette fois sur l'orientation que choisit le lexicographe pour traiter son objet : il peut vouloir analyser la langue à partir de son lexique; il se place alors devant un ensemble de signes linguistiques et renseigne le

225

lecteur sur l'origine, la forme, la prononciation, les constructions admises, les niveaux de langues spécifiques de chaque mot présenté. Les dictionnaires les plus employés pour connaître de l'usage correct et littéraire de la langue doivent fournir ces informations : c'est le cas des *Littré, Robert, Larousse,* etc. Mais le lexicographe peut choisir une autre orientation, celle de donner sur les choses évoquées par les mots le plus grand nombre possible d'informations : on ouvre la voie au développement des dictionnaires universels et des encyclopédies, dont Furetière est un des initiateurs et dont le *Grand Larousse encyclopédique* est le représentant remarquable pour notre temps.

c) Problèmes de méthode en lexicographie

1. Le classement

Comment classer les mots ?

● Nous sommes habitués à l'ordre **alphabétique,** qui nous permet des recherches rapides dans le corps du dictionnaire; mais cet ordre n'est en rien fondé sur des exigences linguistiques et il n'a pas été toujours celui que les lexicographes ont retenu.

● On peut, en effet, choisir un classement fondé sur l'**étymologie,** et l'on regroupe alors tous les mots d'une même famille autour du mot primitif : c'est ce classement que l'on trouve dans la première édition du *Dictionnaire de l'Académie* (1694), c'est celui que suivent de nombreux dictionnaires étymologiques.

● On peut imaginer aussi un classement reposant sur les concepts auxquels les mots correspondent, et l'on aura un classement **idéologique.**

● Enfin, les derniers développements de la lexicologie ont amené un classement des mots en **ordre inverse** (cf. les travaux du Centre du vocabulaire de Besançon sur le *Littré* et le *Petit Larousse*), où la dernière lettre du mot dirige la procédure de rangement. Ces dictionnaires « inverses » permettent le développement des recherches sur la formation des mots composés et la suffixation.

Il reste que le classement par ordre alphabétique « demeure le plus commode et le plus rigoureux : la pratique des relevés de collocations et des renvois synonymiques et analogiques en corrige les insuffisances » (H. Mitterand).

2. La définition

L'habitude fait aussi que nous demandons toujours à un dictionnaire de nous proposer en face de chaque **mot vedette** (ou **mot souche**) une définition, et que nous confondons aisément le **sens** du mot avec le **contenu** de la définition.

Les analyses présentées plus haut sur les problèmes du sémantisme ne peuvent que provoquer une certaine méfiance en face des procédures définitoires : il faudrait, pour que nous retenions les enseignements d'une définition, que celle-ci répondît aux exigences de critères purement linguistiques. Est-ce toujours le cas ? La définition n'apparaît pas, pratiquement, dans les dictionnaires du XVIᵉ siècle ; il faut attendre Richelet, Furetière et l'Académie pour que l'usage de la définition s'impose aux lexicographes.

On peut considérer qu'il y a trois types principaux de définitions :

◆ La définition logique

Elle met en œuvre les données de la logique classique fondées sur la distinction entre le **genre** et les **marques spécifiques** (cf. les analyses de R.-L. Wagner).

Le rôle du **définisseur générique** est « d'avoir une précision suffisante, [...] d'englober le défini sans atteindre [...] à trop de généralité ». Ainsi BALEINE sera défini génériquement par *poisson* jusqu'au XIXᵉ siècle, puis par *mammifère* (les termes génériques changent sous l'influence de l'évolution des sciences). Le rôle du **définisseur spécifique** est « de cerner de plus près l'identification amorcée par le **générique** ».

Le lexicographe cherchera la précision maximale sans trop étendre sa définition ; celle-ci rassemblera les traits spécifiques (qu'il est possible de repérer dans l'énoncé de la définition) derrière le trait générique ; par exemple, BALEINE est défini ainsi par le *Dictionnaire de l'Académie* de 1762 : *poisson* (genre) // *de mer | d'une grandeur extraordinaire |* (traits spécifiques). Ou bien GIBOULÉE : *espèce d'orage* (genre) // *qui se réduit à des coups de vent passagers | avec de petites averses | et de petites grêles, | qui est bientôt suivi d'une éclaircie | et qui survient au printemps |* (traits spécifiques).

Il reste que les définitions peuvent être plus complexes à construire, surtout lorsqu'elles visent non plus la dénomination d'un objet mais un concept ; l'ordre dans lequel les différents traits et les diverses acceptions doivent être présentés devient essentiel : force est de reconnaître que les articles, par exemple dans le *Littré*, n'offrent pas toujours une cohérence séduisante, alors que le *Dictionnaire général* parvient à un résultat plus satisfaisant.

◆ La définition nominale

Elle est rejetée de plus en plus par les lexicographes à cause de son caractère tautologique : elle use très souvent des synonymes, c'est-à-dire qu'elle propose des équivalences mais ne parvient pas à analyser la substance sémantique du mot visé ; ou bien elle s'appuie sur les antonymes (les contraires) : *double* opposé à *simple*.

C'est la difficulté et l'insuffisance de la définition en tant que telle qui ont amené les lexicographes à compléter celle-ci par des exemples et des citations, c'est-à-dire à retrouver par ce procédé de contexte les emplois réels du mot dans l'énoncé. Les exemples sont le plus souvent forgés par le lexicographe lui-même ; on peut alors leur reprocher leur caractère subjectif et leur manque d'autorité. C'est pourquoi le recours aux « grands écrivains » s'est imposé. Il faut reconnaître, cependant, que les exemples et les citations jouent aussi un rôle de témoignage sur l'époque, sur l'histoire, sur la société, sur la littérature où est prise la langue que le dictionnaire illustre et analyse. Autrement dit, un dictionnaire est aussi un instrument qui véhicule une idéologie : le meilleur exemple reste celui de l'*Encyclopédie* de Diderot.

◆ La définition « structurale »

Les insuffisances des définitions logiques et nominales tiennent surtout au fait qu'elles sont peu fondées linguistiquement. En appeler à la logique, ce n'est pas s'appuyer sur les données de la science du langage : faire référence aux données de l'expérience, par les exemples ou par les images (dessins, schémas, photos), entraîne dans le domaine de l'extra-linguistique. D'autre part, peut-on accepter — ce que l'on trouve constamment chez Littré — dans le même article, des citations appartenant à des niveaux de langue différents et à des époques fort éloignées l'une de l'autre, c'est-à-dire que le plan de la diachronie ne soit pas nettement distingué de celui de la synchronie?

Les lexicographes qui tiennent compte de l'acquis de la linguistique tendent à se détacher de la définition, et à lui substituer une description : celle des réseaux (v. CHAMPS LEXICAUX ET SÉMANTIQUES) qui circonscrivent les valeurs sémantiques du mot, à un moment donné. Conscients de l'importance de l'oral dans la constitution des faits du langage et de l'influence des techniques de la presse, de la radio, de la télévision, ils se détournent de la citation littéraire. Ils accordent une place importante à la construction syntaxique dans la détermination du sémantisme d'un mot.

Cette procédure est celle qui fonde le *Dictionnaire du français contemporain :*

• Les termes retenus dans ce dictionnaire, au nombre d'environ 25 000, forment le vocabulaire du français contemporain. C'est affirmer que le parti pris est celui de s'en tenir à la synchronie;

• Les auteurs, estimant qu'« un dictionnaire du français contemporain doit être établi sur les bases d'une description scientifique du lexique », ont voulu que « les définitions présentent comme une traduction explicite de tous les traits sémantiques distinctifs qui définissent le mot dans une structure donnée ». C'est pourquoi « les synonymes et les contraires ne sont pas présentés groupés, mais sont indiqués après les différents emplois, mettant en évidence les équivalences réalisées effectivement; car il arrive que tel synonyme, possible dans un emploi déterminé, soit exclu dans un autre. Ainsi pour ARÔME : *Ce bordeaux a un arôme incomparable* (syn. : BOUQUET). *Le salon est plein de l'arôme des œillets* (syn. : PARFUM). *L'arôme d'un civet de lièvre* (syn. : FUMET) ».

Il n'est pas surprenant que ce dictionnaire se présente comme destiné à l'apprentissage de la langue française, et comme un outil pédagogique visant les élèves de l'enseignement secondaire et les étudiants étrangers. Nous reviendrons, *infra*, sur son importance quand nous envisagerons les applications pédagogiques des théories dégagées jusqu'ici, en matière de lexique.

B. La lexicologie

Nous l'avons définie comme l'étude scientifique du lexique; nous devons préciser que cette étude scientifique suppose que l'on applique à l'investigation du lexique les données théoriques de la linguistique contemporaine (aussi bien transformationnelle que structurale). Nous ne reviendrons pas sur les démarches concernant les champs sémantiques ou lexicaux, sur les analyses qui tentent de donner du lexique une description aussi cohérente que possible : elles sont des illustrations éclairantes des méthodes de la lexicologie. Nous nous bornerons à rappeler maintenant quelles directions fondamentales et quelles techniques emprunte la lexicologie.

a) Lexicologie descriptive

Son domaine est vaste et diversifié; on peut en découvrir les principaux repères en parcourant les revues spécialisées, en particulier, les *Cahiers de lexicologie :*

• Elle cherche à se situer par rapport à la grammaire et à la sémantique (K. Togeby, *Grammaire, lexicologie et sémantique*, n⁰ 6), et réfléchit sur les outils qui permettent une collecte exhaustive et une exploitation rapide du lexique (B. Quemada, *la Mécanisation des inventaires*, et A. J. Greimas, *les Problèmes de la description mécanographique*, n⁰ 1).

• Elle fait le bilan de ses recherches (n⁰ 3) et analyse différents champs lexicaux (L. Guilbert, *les Antonymes*, et J. Peytard, *Motivation et préfixation : remarques sur les mots construits avec l'élément « télé »*, n⁰ 4; A. Rey, *Un champ préfixal : les mots français en « anti »*, n⁰ 12; J. Dubois et L. Irigaray, *les Structures linguistiques de la parenté*, n⁰ 8; M. Tournier, *Vocabulaire des textes politiques français : méthode d'inventaire*, n⁰ 10).

• Elle cherche dans la pratique lexicographique matière à réfléchir sur elle-même (J. Stindlova, *les Dictionnaires inverses*, n⁰ 2; J. Rey-Debove, *la Définition lexicographique : recherches sur l'équation sémique*, n⁰ 8; A. Rey, *les Dictionnaires : forme et contenu*, n⁰ 7).

• Elle essaie de cerner et de pénétrer le « sémantisme » (K. Baldinger, *Sémantique et structure conceptuelle*, n⁰ 8; J. Dubois, *Unité sémantique complexe et neutralisation*, n⁰ 2; J.-J. Katz et J.-A. Fodor, *Structure d'une théorie sémantique*, n⁰ˢ 9 et 10).

• Elle pose les problèmes du traitement statistique des mots (Ch. Muller, *Fréquence, dispersion et usage : à propos des dictionnaires de fréquence*, n⁰ 7).

• Elle analyse les structures du vocabulaire littéraire (Th. Aron, *Racine, Thomas Corneille, Pradon. Remarques sur le vocabulaire de la tragédie classique*, n⁰ 11; N. Gueunier, *la Création lexicale chez Henri Michaux*, n⁰ 11; L. Benkö, *Image littéraire et lexicographie*, n⁰ 12).

b) Lexicologie appliquée

Nous laisserons de côté, pour en avoir traité plus haut, les applications directes de la lexicologie à la lexicographie : on ne peut concevoir d'écrire et confectionner, de nos jours, un dictionnaire sans utiliser les données de la lexicologie, et tout lexicographe se double maintenant d'un lexicologue. D'autres applications retiendront notre attention :

• **L'enseignement des langues** se trouve modifié par les grandes enquêtes sur le langage oral : les travaux du *CREDIF* débouchent sur la méthode audio-visuelle et fondent la progression pédagogique, pour l'apprentissage du vocabulaire, sur les listes de fréquence établies après dépouillement de centaines de milliers de mots. L'enseignement du « français langue étrangère » (cf. les recherches du *BELC*) demande, pour la pratique des exercices systématiques de vocabulaire, une analyse précise des structures du lexique français. Les meilleurs exercices de laboratoires de langue tiennent compte des réseaux contextuels où peuvent entrer les mots.

• **L'étude des textes littéraires** bénéficie également des progrès de la lexicologie. Grâce aux machines mécanographiques, il est devenu possible de confectionner des fichiers très étendus de cartes perforées, à partir desquelles sont établis les index et les tables de concordance des œuvres. Les études du style d'un auteur y gagnent en finesse et en précision : on verra un exemple d'utilisation de ce nouveau matériau dans l'étude du mot *parole* chez Claudel par H. Mitterand (*Cahiers de lexicologie*, nº 3, pp. 160-168). L'index permet « la comparaison de tous les contextes immédiats, ou micro-contextes, dans lesquels apparaît un même mot. D'une telle confrontation, on peut aisément, et en toute sûreté, établir la table singulière des emplois que l'écrivain fait du mot considéré, dessiner le spectre sémantico-stylistique du mot dans le langage de cet écrivain, décrire ce qu'on pourrait appeler l'« idiosémie » du mot ». Et l'on peut envisager que se crée une **lexicologie littéraire** « débarrassée de tout ce que peut avoir de hasardeux le recours à l'intuition, à la critique impressionniste, ou aux dictionnaires généraux » (H. Mitterand).

Au-delà de la pédagogie ou de la stylistique, la lexicologie connaît des applications plus « techniciennes » :

• Dans le domaine de la **traduction automatique** ou **mécanique,** les deux langues doivent être analysées non seulement au niveau de leur grammaire, mais (et la tâche est plus difficile) au niveau des lexiques : la machine doit pouvoir comparer les mots ou les syntagmes ou les lexies ; elle ne peut y parvenir que si le « programme » qu'on lui propose comporte un codage précis des contextes et du sémantisme des unités à comparer. Pour parvenir à ce résultat, il faut allier les services des machines électroniques qui permettent le traitement massif d'un lexique nombreux aux analyses que la théorie lexicologique peut conduire ou du moins proposer (v. *Cahiers de lexicologie*, nº 3).

• C'est aussi à la lexicologie que les **documentalistes** font appel, au moins partiellement, pour travailler sur les innombrables unités que sont les « documents ». Le documentaliste doit aussi, comme un lexicographe, répertorier et exploiter des centaines de milliers de fiches; il doit aussi les « définir » et les classer selon un certain nombre de traits distinctifs; il rencontre des problèmes de synonymie, de constitution de familles de mots apparentés, de rapports entre mots et concepts. C'est pourquoi, la science de la documentation emprunte, non seulement d'une façon générale à la linguistique, mais aussi singulièrement aux travaux des lexicologues (v. *la Documentation et les études lexicologiques*, par E. de Grolier, dans les *Cahiers de lexicologie*, nº 3).

Conclusion

L'exposé précédent n'a pas cherché à établir un bilan des travaux publiés ou en cours sur les problèmes que posent les « mots » et leur usage; il n'a pas voulu non plus suivre dans leur détail et jusqu'à leur terme les analyses particulières intéressant les phénomènes les plus importants. Le reproche de n'être, sur aucun de ces points, exhaustifs, ne nous sera fait qu'à la condition d'oublier le but que nous visons : signaler et baliser un espace de recherche, cerner les nœuds où se croisent les intérêts des chercheurs. Car notre sentiment demeure que de connaître l'existence de ce que le jargon dénomme une « problématique ». est le moment fondamental où l'enseignant prend la distance qui fonde la réflexion pédagogique conçue comme un retour sur les techniques jusqu'ici utilisées.

Pour que cela s'accomplisse, il faut que notre exposé soit compris comme une ouverture sur une bibliographie minimale suggérée ci-après (p. 240). De ces lectures pourrait se former comme une « prise de conscience » des **présupposés** de l'enseignement du vocabulaire (dans les différents ordres : 1er et 2e degré) à savoir qu'il n'y a pas de pédagogie « innocente », que toute pédagogie est un parti pris (fût-il non conscient) à l'égard du langage dans ses rapports avec l'individu et le milieu socio-culturel. Or, la linguistique de type structural (et maintenant aussi de type transformationnel) nous donne **prise** sur le langage, tout en en soulignant les aspects contradictoires et fuyants sous l'analyse : exemple privilégié, la saisie difficile du « mot » et la nécessité qui nous contraint d'utiliser ce vocable au moment même où nous en révélons l'instabilité floue.

L'impression que l'on gardera des aspects du lexique (comme du vocabulaire) est qu'il regroupe une myriade d'éléments aussi mal saisissables individuellement que collectivement. Au contraire, en effet, de la grammaire qui évoque aussitôt la notion de règle et d'ensemble de règles, le lexique provoque le sentiment immédiat du discontinu et de l'inorganique, d'une mouvance permanente. Le bienfait de la linguistique est d'outrepasser cette immédiateté et de signaler quelles structures donnent à l'informe apparent sa cohésion profonde. Autre bienfait, celui de supposer et de commencer à démontrer que le sémantisme lui-même d'une langue est sous-tendu de structures spécifiques.

Mais en même temps que les structures instaurent dans l'ensemble lexical un ordre, elles provoquent par leur existence même le « désordre » au niveau des démarches traditionnelles. Expliquons-nous : les habitudes pédagogiques conduisent dans ce domaine lexical à travailler en direction du « mot » pris comme **élément,** et même si l'attention est depuis toujours attirée sur l'importance du contexte, il demeure admis que le « mot » contient en lui son **sens** particulier. Or, à partir du moment où l'existence des structures est prouvée et reçue, on ne peut plus « cerner » le sens d'un « mot » qu'en portant l'analyse, au-delà du mot lui-même, sur le système où il est pris. D'où ce désordre dans la pédagogie, contrainte de renverser, si l'on peut dire, l'ordre des facteurs!

Il reste, certes, le recours aux dictionnaires, qu'il est non seulement bon de consulter, mais toujours nécessaire. Toutefois, et la linguistique y provoque, il est indispensable de remettre en question les dictionnaires eux-mêmes : tiennent-ils compte, et comment, des structures lexicales? Et quand même ils le feraient, il conviendrait de les dépasser dès que l'on aborde l'analyse des mots d'un vocabulaire littéraire. A ce moment-là, le dictionnaire n'est qu'un jalon : il faut découvrir, dans une recherche patiente, le *dictionnaire singulier* de l'auteur étudié.

Ainsi, ce que nous avons pu montrer des analyses concernant le vocabulaire aura surtout souligné l'entrecroisement des faits du langage, les approximations et les difficultés de leur étude scientifique. Toutes choses qui peuvent déconcerter et paraître nous éloigner de l'« humble réalité pédagogique ». Mais ce serait gravement oublier que la réalité et le concret quotidiens nous échapperaient d'autant plus que nous renoncerions à les dominer par la **théorie;** ce serait négliger ce fait, communément reçu, que pour avoir prise sur le concret, il n'est que l'abstraction. Aussi, allons-nous maintenant essayer de tracer quelques perspectives pédagogiques.

CHAPITRE TROIS

PERSPECTIVES PÉDAGOGIQUES

Introduction

Ces propos ne cherchent pas à dégager une méthode d'enseignement du vocabulaire, car nous sommes conscients qu'il appartient à chacun de déterminer sa méthode et que la linguistique ne peut actuellement que proposer des perspectives de recherche plutôt que des applications. Ils ne visent pas non plus à préciser une progression qu'il appartient aux commissions pédagogiques prévues de proposer.

Nous aimerions, en guise de conclusion des analyses présentées sur le lexique et le vocabulaire, signaler quelques directions de travail et faire quelques suggestions de caractère pratique qui, dans leur ensemble, recouperont souvent les conseils des *Instructions officielles* ou de tel manuel de psycho-pédagogie.

Rappelons d'abord le but de tout enseignement du vocabulaire : enrichir en qualité et en quantité le lexique individuel de l'élève. En quantité, cela exige que les champs lexicaux parcourus le soient dans leur multiplicité et leur diversité; en qualité, cela demande que les champs sémantiques soient explorés minutieusement et que l'on parvienne à travailler avec précision sur les synonymes et les homonymes. Disons immédiatement que cette distinction du quantitatif et du qualitatif n'a qu'une valeur relative et que les deux notions sont solidaires, car apprendre à l'élève à discerner les « nuances » d'un mot (qualitatif) c'est en même temps **multiplier l'usage** de ce mot (quantitatif).

Cet enrichissement se fera à partir de tout vocabulaire occasionnellement rencontré au cours des différentes leçons, qu'elles appartiennent à l'enseignement du « français » ou à celui de toute autre discipline (mathématiques, histoire, morale, etc.) : l'important est de ne pas limiter le travail d'observation et de réflexion au seul vocabulaire lu, mais de l'étendre aux mots employés oralement par les élèves ou le maître.

Il est évident que ce n'est pas alors à une leçon de vocabulaire que le maître invite sa classe, mais à de simples et rapides remarques. La leçon se présente avec un appareil plus lourd et une portée plus profonde. Elle s'élabore sur une base orale ou écrite, en distinguant deux niveaux : l'usage commun (oral/écrit) et le texte « littéraire ». Dans le premier degré, les élèves sont placés alternativement devant des exemples empruntés à la langue orale et aux textes du livre de lecture, dans le second degré devant les « morceaux choisis » du programme de littérature. Le niveau des élèves et le type de discours analysé déterminent l'orientation de la leçon de vocabulaire : on n'étudie pas le vocabulaire d'un auteur de la même façon que celui qu'on utilise dans la cour de récréation.

Autre aspect important de notre enseignement du vocabulaire : il s'adresse à des élèves dont la langue première est le français. Cela rend plus facile et plus complexe la tâche du maître. Plus facile, parce que l'intuition linguistique peut être sollicitée ; plus complexe, parce que le jeu des synonymes favorise l'approximation. L'essentiel est de savoir **exploiter** cette intuition, pour amener l'élève à la comprendre et à la situer : il ne s'agit pas, on s'en doute, de « théoriser » par développements magistraux, mais d'ancrer ce que l'élève sent intuitivement dans les cadres que constituent l'environnement des mots ou les différents champs. Le but visé est d'amener l'élève à la connaissance du **statut lexical** du mot : distribution du mot dans la phrase, appartenance aux ensembles synonymiques, aux champs lexicaux et sémantiques. Bref, de travailler dans la linéarité syntagmatique et l'espace paradigmatique.

I. Recherche du statut lexico-syntagmatique

A. La base d'observation

Nous n'insisterons pas sur la base « scripturale » fournie par les textes d'auteurs, car elle a été constamment privilégiée par les successives *Instructions officielles;* il est, de surcroît, normal que la réflexion des élèves soit en priorité orientée vers un vocabulaire fréquent dans les textes de lecture : expliquer les mots difficiles est indispensable à une lecture correcte.

Mais nous avons remarqué l'importance du vocabulaire oral et souligné combien il risquait de brouiller ce vocabulaire appris en classe. Qu'il soit considéré comme mauvais exemple, à cause des faux sens ou contre sens qui peuvent l'affecter, a suffi pour qu'on le maintienne à l'écart des leçons de la classe. De plus, il a été longtemps difficile de faire observer, c'est-à-dire écouter des textes oraux, car il faut pour cela des documents. Or le disque n'apporte souvent que des textes écrits interprétés oralement; ce qu'il convient d'observer c'est la langue orale commune, dans son emploi quotidien. Le magnétophone permet d'enregistrer des récits ou des dialogues, et il ne manque pas, actuellement, d'émissions radiophoniques et de télévision où les protagonistes parlent sans préparation, dans ce que l'on nomme le « direct ». Il suffit de « repiquer », sur bandes, ces discussions et de les proposer à l'écoute, de toute la classe, autant de fois qu'il est nécessaire.

A-t-on réfléchi qu'il vaut mieux étudier le vocabulaire des sports, par exemple, sur l'audition d'un reportage en direct, que dans les textes fameux d'André Obey, Magnane ou Montherlant, ne serait-ce que pour l'emploi fait sur le vif par le reporter d'un vocabulaire technique souvent, par ailleurs, familier aux élèves? Ce n'est pas, cela va sans dire, l'emploi du magnétophone qui fait la valeur de ces leçons; il n'est qu'instrument de support, comme l'est pour l'écrit le tableau noir.

B. Enquête et classement

Ce que nous cherchons, à ce point de la leçon, c'est l'environnement du mot, c'est-à-dire le cadre lexical et syntaxique dans lequel il est le plus fréquemment employé. Simultanément, l'enquête progresse sur deux plans : on recueille les mots de l'entourage, mais ces mots appartiennent à des classes et catégories grammaticales. Il est donc essentiel de relever leur fonction.

Il ne s'agit pas, il faut y veiller, d'une leçon de grammaire couplée à une leçon de vocabulaire; il s'agit de faire sentir aux élèves que le sens des mots n'est pas indépendant des constructions grammaticales dans lesquelles ils peuvent entrer : le verbe *jouer* voit son sens modifié, selon qu'il comporte un complément ou qu'il se trouve en construction intransitive (*Jean ne travaille pas, il joue aux dominos* doit être opposé à *Jean ne travaille pas, il joue*). D'autre part, dans le lexique, certaines suites de mots se présentent fréquemment, alors que d'autres sont peu usitées ou franchement impossibles à constituer. On trouve *éclat de roche, de bois, de verre*, on trouve aussi *faire un éclat* et encore *l'éclat du teint*, on trouvera plus rarement *un éclat de charité;* on dira qu'*un verre se brise en mille éclats*, peut-on dire d'*un rire* qu'il *se brise en mille éclats?* L'usage commun rejettera cette construction, mais le poète non, qui nous dit : « mon verre s'est brisé comme un éclat de rire ».

L'enquête doit donc se déployer dans les directions les plus nombreuses, pour permettre, à son terme, l'établissement d'une « grille » lexico-syntagmatique du mot (v. ci-dessous, un exemple de grille).

Classement lexico-syntagmatique du verbe *dévorer* (1)						
SUJETS			VERBE	COMPLÉMENT		
chose	animal	personne	*dévorer*	chose	animal	personne
	loup		*dévore*		*mouton*	
	lion		*dévore*		*mouton*	
		Jean	*dévore*	*gâteau*		
		Jean	*dévore*	Ø(2)	Ø	Ø
	loup		*dévore*	Ø	Ø	Ø
	lion		*dévore*	Ø	Ø	Ø
		Jean	*dévore*	*livre*		
feu			*dévore*	*forêt*		
		Jean	*dévore*	*fortune*		
armement			*dévore*	*budget*		
Spoutnik			*dévore*	*espace*		
soucis			*dévorent*			*père*

(1) Établi à partir du *Dictionnaire du français contemporain*.
(2) Ø signifie : absence (de complément).

Une fois la grille établie, il devient possible de construire des séries d'exercices sur chaque « moule » ou « patron » lexico-syntagmatique. Par exemple, sur le patron *sujet animal* + *verbe* dévorer + *complément animal*, on imaginera de faire varier uniquement le complément, en substituant à *mouton, rat, belette, lapin,* etc.; inversement, la substitution porte sur le sujet, le complément ne variant pas. On parcourt ainsi toute la grille, et c'est dans ce parcours que les nuances du verbe apparaissent et se fixent, car le rôle du maître est de faire comparer les différents « patrons ». C'est en opposant *les soucis dévorent mon père* à *Jean dévore son gâteau,* en soulignant les différences dans l'entourage lexical et grammatical *sujet chose* + *verbe* + *complément personne,* opposé à, *sujet personne* + *verbe* + *complément chose,* que l'on parvient à **fixer** l'intuition que l'élève avait de la différence sémantique manifestée par le verbe dans les deux emplois. On peut inventer, comme cela a été préconisé pour la grammaire, des exercices structuraux de vocabulaire à l'usage des élèves francophones, en s'inspirant des travaux des chercheurs spécialistes du français langue étrangère (v. BIBLIOGRAPHIE).

Il n'est pas utile de travailler sur un grand nombre de mots au cours d'une seule leçon; la méthode préconisée ne le permet d'ailleurs pas : il faut beaucoup de temps pour découvrir l'environnement et ensuite construire la grille de classement.

II. Recherche du statut lexico-paradigmatique

L'étude vise les rapports que le mot entretient à l'intérieur des différents champs que nous avons délimités au cours de notre analyse. Il s'agit de distinguer les homonymes, de faire apparaître les nuances sémantiques qui séparent les synonymes, de tracer les réseaux des champs sémantiques et lexicaux.

A. Les homonymes

Nous avons vu qu'il existait plusieurs types d'homonymes. Nous prendrons comme exemple un homonyme « parfait », le mot **feu,** qui présente la même forme phonique (homophonie) et la même forme graphique (homographie) pour ses diverses acceptions.

Comment parvenir à démontrer aux élèves que sous un seul « mot » se dissimulent en fait plusieurs lexies? Nous savons que la levée d'homonymie ne peut se réaliser que par les différents contextes. Il faudra donc repérer par enquête prolongée les multiples constructions où le mot peut entrer et établir des comparaisons, qui nous aideront à tracer le réseau homonymique du mot. Nous trouvons :

    1. *allumer un feu de bois, allumer un feu de Bengale;*
    2. *coup de feu, ouvrir le feu.*

Les élèves, par intuition (parce qu'ils sont francophones) ne confondront certainement pas les deux mots; mais pourquoi? L'essentiel est de justifier l'intuition exacte des élèves par comparaison des contextes; celle-ci se fera par commutation : il est impossible de dire *ouvrir le feu de bois, ouvrir le feu de Bengale*, on peut dire *ouvrir le feu sur l'ennemi*, mais non *allumer le feu sur l'ennemi;* on dit *se chauffer au feu de bois*, mais non *se chauffer au coup de feu*. Nous sommes devant deux mots différents, malgré l'identité de prononciation et d'orthographe. La procédure allie donc l'enquête à la comparaison des contextes et doit conduire à l'établissement d'une grille homonymique où l'on regroupera les mots homonymes sous différentes rubriques.

Grille homonymique de *feu* ([1])				
combustion	sensation de brûlure	explosion armes	éclairage	ardeur vivacité des sentiments
feu de bois *feu de Bengale*	*feu du rasoir*	*coup de feu* *feu à volonté*	*feux de la rampe* *feu de position*	*feu de la passion* *feu de la colère*

(1) Établie à partir du *Dictionnaire du français contemporain*.

Les exercices consisteront à compléter le tableau et à construire des phrases où chaque mot puisse entrer; mais, de surcroît, les phrases construites seront source de comparaisons qui feront apparaître la spécificité des environnements.

B. Les synonymes

La tentation et la tendance principale des élèves est d'abuser des synonymes dans la définition qu'ils donnent des mots qui sont soumis à leur réflexion : recherche des équivalences toute naturelle, puisque la langue au niveau sémantique fonctionne essentiellement sur ce principe. Des élèves francophones sont donc tout à fait capables d'utiliser la synonymie, et nous allons exploiter cette capacité. Comment? En leur faisant prendre conscience de la distance qui sépare les synonymes. La démarche est à peu près celle-ci : découvrir le ou les traits sémiques que deux ou plusieurs synonymes possèdent en commun et tracer, à partir de cette base commune, les divergences.

A titre d'exemple, nous emprunterons à M. Galisson (qui destine cette méthode aux étudiants étrangers) sa démarche analytique. Il dresse pour des couples de mots synonymes une grille sémique. La base commune sémique est constituée par les sèmes identiques, les divergences sont indiquées par les sèmes spécifiques.

Prenons comme exemple le couple synonymique, *terne/mat*. Voici la grille sémique obtenue :

	couleur sans éclat	marque	ne marque pas	
		un défaut		
TERNE		×		*Sa peinture est un peu* TERNE.
MAT			×	*C'est une belle jeune fille au teint* MAT.

sèmes identiques	sèmes spécifiques
présentation	réemploi

« Les hachures indiquent la base sémique commune aux deux mots; les croix (×) marquent la présence du sème spécifique; les phrases de réemploi viennent **illustrer** la définition du mot et parfois la **préciser** ([1]). »

Autre exemple, le couple synonymique *roulotte/caravane*. Voici la grille sémique, plus complexe que la précédente :

	voitures d'habitation	tirées par		habitations		des forains des nomades	des gens en vacances	
		une auto	un cheval	permanentes	temporaires			
ROULOTTE		×	×			×		*L'hiver il ne doit pas faire chaud dans une roulotte.*
CARAVANE					×		×	*Au mois d'août toutes les caravanes sont sur les routes.*

(1) R. GALISSON (v. BIBLIOGRAPHIE, p. 243).

C. Champs sémantiques et champs lexicaux

Nous avons indiqué, dans le chapitre précédent (voir, *supra*, pp. 206 *sqq.*), comment on pouvait distinguer ces deux types de champs : le champ sémantique est l'étude des variations de sens que connaît un mot dans les limites d'un ensemble lexical donné (FLAMME dans *Alcools*, DÉSIR dans *Phèdre*); cette analyse est surtout pertinente quand il s'agit d'une œuvre littéraire, où le recours au dictionnaire pour la détermination du sens est très peu efficace. Il faut dès lors, en utilisant un index si possible, relever tous les emplois du mot dans le contexte d'une phrase au moins. L'intérêt vient surtout des mots qui entrent en contact le plus fréquemment avec le mot étudié et qui constituent ses **collocations**. Le réseau du mot dans ses rapports aux différentes collocations constitue le champ sémantique du mot. Mais ce genre de recherche pour être vraiment fructueux demande à être poursuivi avec les mots des principales collocations; c'est à ce prix que l'on peut espérer découvrir les structures sémantiques du vocabulaire d'un auteur dans une œuvre donnée (1).

Le champ lexical regroupe autour d'une notion tous les mots qui permettent d'en définir l'extension et la compréhension. Il est évidemment plus difficile à délimiter que le champ sémantique qui offre le support permanent d'un seul mot; il laisse place à l'arbitraire du jugement du chercheur. Aussi a-t-on le plus souvent choisi d'analyser des champs lexicaux (dénommés aussi « sémantiques ») dont le référent présentât des frontières précises et une structuration de type socio-culturel : champ de la parenté, champ de l'habitation, champ des animaux domestiques. Nous renvoyons (v. BIBLIOGRAPHIE) à ces études notre lecteur qui y verra les méthodes préconisées par les différents chercheurs et les enseignements qu'ils en retirent pour l'analyse structurale du sémantisme.

---

(1) Voir l'étude de H. MITTERAND : « Corrélations lexicales et organisation du récit : le vocabulaire du visage dans *Thérèse Raquin* », dans *Linguistique et Littérature* (Actes du colloque de Cluny), éditions de *la Nouvelle Critique*, Paris, 1969.

Bibliographie

1. Ouvrages et articles cités

Ch. MULLER, **Étude de statistique lexicale : le vocabulaire du théâtre de Pierre Corneille,** Larousse, Paris, 1967.

C'est dans les premières pages de cet ouvrage, qui est un moment très important des applications de la statistique à l'analyse linguistique, que l'on trouvera, formulées très distinctement, les définitions des termes de *lexique* et *vocabulaire.*

Aspects du langage, numéro du *Bulletin de psychologie* (édité par le Groupe d'études de psychologie de l'Université de Paris), janvier 1966.

C'est à l'article de Mme A. Tabouret-Keller que nous avons emprunté l'essentiel de nos remarques sur les débuts du langage. Titre de l'article : *A propos de l'acquisition du langage* (pp. 437-451).

L. MALSON, **les Enfants sauvages : mythe et réalité,** Union générale d'éditions, Paris, 1964.

Ouvrage qui pose les problèmes (dépassant notre propos) des rapports de l'homme au milieu naturel et social, et étudie la part de l'éducation dans le développement de l'individu : « L'homme en tant qu'homme, avant l'éducation, n'est qu'une simple éventualité. »

P. BOURDIEU et J.-Cl. PASSERON, **les Héritiers. Les étudiants et la culture,** Éditions de Minuit, Paris, 1964.

Ouvrage qui démontre le rôle déterminant des « facteurs sociaux d'inégalité culturelle » sur les chances de réussite des étudiants. A lire.

Ch. BALLY, **Traité de stylistique française** (2 volumes), Georg et Klincksieck, Genève-Paris, 3e éd., 1951.

C'est dans la cinquième partie, chap. Ier *(la Langue commune et les milieux)* et chap. II *(la Terminologie technique et la langue littéraire)* que l'on trouvera une première analyse des « niveaux de langue ».

P. GUIRAUD, **l'Argot,** P.U.F., coll. « Que sais-je? », Paris, 1956.

Bonne mise au point. Comporte un *Index des mots argotiques et populaires.*

G. ESNAULT, **Dictionnaire des argots,** Larousse, Paris, 1965.

Introduction à lire. L'ouvrage est pour les amateurs d'argot un bon complément de l'essai de P. Guiraud.

J. MAROUZEAU, **Précis de stylistique française,** Masson, Paris, 1959.

Le passage auquel il est fait allusion appartient au chap. III *(Aspects du vocabulaire).*

F. DE SAUSSURE, **Cours de linguistique générale**, Payot, Paris, 4e éd., 1949.

Ouvrage de base, auquel il faut toujours revenir. On commencera, pour une « initiation à la linguistique », par la lecture du *Cours*. On pourra se reporter au livre de G. MOUNIN, **Ferdinand de Saussure ou le Structuraliste sans le savoir**, Seghers, coll. « Philosophes de tous les temps », Paris, 1968. Nous recommandons aux lecteurs qui connaissent l'italien l'édition du *Cours* parue aux Éditions Laterza (Bari, 1968) avec une introduction et un commentaire (portant sur l'interprétation et les variantes). Remarquable biographie de Saussure et riche bibliographie. Travail dû à M. Tullio di Mauro.

◆ Sur les problèmes de préfixation, on trouvera des compléments à l'analyse du préfixe *télé* dans **Motivation et préfixation : remarques sur les mots construits avec l'élément « télé »**, *Cahiers de lexicologie*, nº 4, 1964 (J. Peytard).

K. TOGEBY, **Grammaire, lexicologie et sémantique**, dans les *Cahiers de lexicologie*, nº 6, 1965.

Article d'abord aisé et donnant une vue claire sur les rapports qu'entretiennent les trois domaines.

A. MARTINET, **le Mot**, étude parue dans *Problèmes du langage*, Gallimard, coll. « Diogène », Paris, 1966.

Nous lui avons emprunté l'essentiel de nos remarques sur le problème du mot. Article à lire.

B. POTTIER, **Introduction à l'étude des structures grammaticales fondamentales**, dans la revue *la Traduction automatique*, nº 3, sept. 1962.

Étude suggestive et dont on peut garder beaucoup de remarques pour une application pédagogique. Terminologie à utiliser prudemment, à cause de sa nouveauté.

◆ Pour les problèmes d'analyse statistique du vocabulaire, on se reportera à deux ouvrages fondamentaux :

P. GUIRAUD, **les Caractères statistiques du vocabulaire, essai de méthodologie**, P.U.F., Paris, 1954.

P. GUIRAUD, **Problèmes et méthodes de la statistique linguistique**, P.U.F., Paris, 1960.

Nous leur avons emprunté nos analyses concernant la fréquence, les caractères statistiques du mot, les mots thèmes et les mots clés.

◆ Pour mener une étude précise sur le vocabulaire des auteurs, on se reportera aux *Documents pour l'étude de la langue littéraire (concordances, index et relevés statistiques)*, publiés par la Librairie Larousse, sous la direction de B. Quemada (**Corneille** : *le Cid, Polyeucte ;* **Racine** : *Phèdre ;* **Baudelaire** : *les Fleurs du mal ;* **Apollinaire** : *Calligrammes*).

G. Gougenheim, R. Michea, P. Rivenc, A. Sauvageot, l'**Élaboration du français fondamental (1er degré),** Didier, Paris, 2e éd., 1964.

Ouvrage qui retrace les étapes du travail d'équipe accompli pour l'enregistrement et le dépouillement de textes de français parlé des années 50. Donne la liste par rangs de fréquence des mots les plus employés. Précise la notion de « disponibilité ». Donne en fin d'ouvrage la grammaire du français fondamental. Est à la source des méthodes audio-visuelles d'enseignement du français.

H. Mitterand, **les Mots français,** P.U.F., coll. « Que sais-je ? », Paris, 1963.

Ouvrage très important par sa précision, sa bibliographie et la justesse de ses analyses. Nous lui devons l'essentiel de notre étude : nous lui avons emprunté pour la présentation des problèmes d'homonymie, de synonymie, de champs lexicaux et sémantiques. A lire pour avoir une vue complète des problèmes de lexique et de vocabulaire.

S. Ullmann, **Précis de sémantique française,** Éditions A. Francke, Berne, 2e éd., 1959.

A consulter sur les questions d'homonymie et synonymie. Les 50 premières pages constituent une bonne introduction aux notions fondamentales de la linguistique.

Ch. Muller, **Polysémie et homonymie dans le lexique contemporain,** dans la revue *Études de linguistique appliquée,* no 1, 1962, éditée par Didier, Paris.

P. J. Wexler, **Études sur la formation du vocabulaire des chemins de fer en France (1778-1842),** Droz, Genève, 1955.

Une des premières études systématiques d'un champ lexical où sont montrées les difficultés que rencontrent les introductions de mots nouveaux dans une langue.

L. Guilbert, **la Formation du vocabulaire de l'aviation,** Larousse, Paris, 1965.

Vaste et minutieuse enquête par laquelle l'auteur cherche à « suivre avec précision comment à un signifié nouveau [...] s'attache un signifiant nouveau ». L'analyse est conduite selon les critères et les méthodes de la linguistique structurale.

J. Dubois, **le Vocabulaire politique et social en France de 1869 à 1872,** Larousse, Paris, 1963.

Étude extrêmement systématique, et menée dans une perspective structurale (méthode des distributions). Travail déterminant pour les recherches lexicologiques.

H. Meschonnic, **Essai sur le champ lexical du mot « idée »,** dans les *Cahiers de lexicologie,* no 5, 1964.

Les analyses pertinentes de cette étude sont accompagnées de tableaux qu'il est nécessaire de consulter, car ils peuvent, par adaptation, être utilisés pour la pédagogie du vocabulaire.

B. Pottier, **Vers une sémantique moderne,** étude publiée par la revue *Travaux de linguistique et de littérature* (éditée par le Centre de philologie et de littératures romanes), Strasbourg, 1964.

Essai d'analyse structurale de la substance sémantique. Travail à compléter par la lecture de **Présentation de la linguistique. Esquisse d'une théorie** du même auteur, Klincksieck, Paris, 1967.

R.-L. Wagner, **les Vocabulaires français. Définitions, les dictionnaires,** Didier, Paris, 1967.

Cet ouvrage est une excellente introduction aux problèmes de lexicologie. Nous lui devons l'essentiel de nos développements sur ces questions.

B. Quemada, **les Dictionnaires du français moderne (1539-1863),** Didier, Paris, 1967.

Étude érudite à laquelle il faut avoir recours pour connaître l'histoire de la lexicographie et savoir ce que sont les dictionnaires que nous utilisons.

◆ Sur les techniques de dépouillement lexicologique, on consultera le n° 3 des *Cahiers de lexicologie,* qui comprend les *Actes* du Colloque international sur la mécanisation des recherches lexicologiques (Besançon, juin 1961).

◆ Pour l'analyse du sémantisme et l'enseignement du vocabulaire, on consultera :

R. Galisson, **l'Enseignement du vocabulaire par les textes,** B.E.L.C., Paris, 1966.

R. Galisson, **la Notion de structure; typologie comparée des exercices structuraux et des exercices lexicaux de mémorisation,** B.E.L.C., Paris, 1967.

2. Ouvrages généraux

Nous ne donnerons que quelques titres d'ouvrages que nous n'avons pas signalés dans la partie précédente et nous avertissons le lecteur qu'il trouvera dans la plupart d'entre eux une bibliographie détaillée.

Statistique

Ch. Muller, **Initiation à la statistique linguistique,** Larousse, coll. « Langue et langage », Paris, 1968.

Synthèse des travaux antérieurs, en particulier sur le théâtre de Corneille. Comporte une partie théorique *(Principes et méthodes de la statistique linguistique)* et une partie d'applications aux études du lexique *(la Statistique lexicale).*

Sémantique

A.-J. Greimas, **Sémantique structurale,** Larousse, coll. « Langue et langage », Paris, 1966.

Ouvrage fondamental si l'on a déjà de bonnes bases de linguistique générale. Ouvre des perspectives sur l'analyse sémantique des œuvres littéraires.

E. Coseriu, **Pour une sémantique diachronique structurale,** dans la revue *Travaux de linguistique et de littérature*, Strasbourg, 1964.

Structures lexicales et enseignement du vocabulaire, dans *les Théories linguistiques et leurs applications* (Actes du premier Colloque international de linguistique appliquée, publiés sous les auspices du Conseil de la coopération culturelle du Conseil de l'Europe), Didier, Paris, 1967.

Comme la précédente, cette étude s'adresse surtout à des spécialistes.

J.-J. Katz et J.-A. Fodor, **Structure d'une théorie sémantique,** dans *Cahiers de lexicologie*, nos 9 et 10.

Analyse du sémantisme conduite par deux linguistes qui fondent leur recherche sur les principes de la « grammaire transformationnelle ».

Lexicologie

G. Matoré, **la Méthode en lexicologie, domaine français,** Didier, Paris, 1953.

Un ouvrage de base. Lecture aisée. Marque surtout les rapports du lexique à l'évolution de la société.

P. Guiraud, **Structures étymologiques du lexique français,** Larousse, coll. « Langue et langage », Paris, 1967.

Tentative fructueuse de fonder une étymologie de type structural : « L'ensemble des mots qui ont quelque caractère formel commun, ont en commun quelque caractère sémique correspondant. »

N. N. Lopatnikova et N. A. Movchovitch, **Précis de lexicologie du français moderne,** Éditions en langues étrangères, Moscou, 1958.

Très bon chapitre sur la formation des mots.

Revues

Les Cahiers de lexicologie, dirigés par B. Quemada, Didier-Larousse, Paris. Deux numéros annuels.

Revue indispensable à qui veut connaître les recherches actuelles dans le domaine de la lexicologie.

Langue française, revue éditée par Larousse, Paris. Quatre numéros par an.

Le numéro 2, consacré à la lexicologie, fait le point des travaux actuels. Bibliographie très riche, à laquelle on se reportera. Consulter aussi le numéro 4 : *la Sémantique.*

CINQUIÈME PARTIE

Les problèmes du style

On trouvera peut-être étonnant que ces problèmes soient évoqués dans un ouvrage, qui vise d'abord les maîtres de l'enseignement du premier degré, dont la tâche est d'apprendre à de jeunes élèves, avant toute chose, à écrire correctement et non pas à « faire du style »; on ajoutera aussi que les exercices de lecture, dans le meilleur des cas, cherchent à éclaircir le sens d'un texte, à en dégager le « plan », mais non à proposer une analyse stylistique.

Ainsi le style représenterait un niveau que l'on n'atteint qu'au moment du passage de la « narration » à la « dissertation », au moment où l'on aborde l'« explication de textes » : privilège des grands élèves du second degré et des étudiants de l'enseignement supérieur. Le style serait donc affaire de maturité psychologique et de progression scolaire, mais non une « qualité » de la langue qui se révèle dès que celle-ci est employée par un locuteur, dans l'oral comme dans l'écrit.

Le parti pris adopté ici est que le moindre exercice et la moindre leçon de français demandent à être situés dans l'ensemble de la langue et que, pour le cas singulier du style, on ne traite bien d'**expression,** écrite ou orale, que si l'on est averti des problèmes qu'elle présente. De plus, le maître est aux prises dans chaque leçon de lecture ou de récitation avec des difficultés qui ressortissent au style; même si le maître n'a pas à les évoquer devant ses élèves, il doit en avoir conscience et connaissance pour la bonne conduite de sa classe. Il reste (on le verra) que la manière d'apprendre à composer un paragraphe ou à construire une phrase dépend directement de la conception, intuitive où réfléchie, que l'on a du style. Mieux vaut ne pas « faire du style » en le sachant, que pratiquer un mauvais style sans en rien savoir.

La linguistique, sans prétendre apporter ni recettes ni méthodes, se donne pour tâche de rendre plus clairs les présupposés de la pédagogie de la langue; et nous pensons que cet éclaircissement est libérateur. C'est pourquoi nous allons essayer, en premier, par un examen des *Instructions officielles*, de découvrir quelle conception du style elles recouvrent ou révèlent.

CHAPITRE PREMIER

STYLE ET RÉDACTION

I. Les « Instructions officielles »

Nous limiterons l'analyse aux passages relatifs à l'expression écrite, c'est-à-dire à tout ce qui intéresse les faits de « rédaction ». Le problème du style n'y est jamais traité de front; le mot lui-même est très peu souvent employé. L'attention est essentiellement appelée sur l'**environnement** qui peut aider l'expression écrite à s'épanouir : nécessité pour l'élève d'une motivation psychologique, priorité accordée à l'observation de la « réalité ».

A. La motivation psychologique

Elle est constamment affirmée, des *Instructions* de 1923 à celles de 1957 : une relation est établie de cause à conséquence entre liberté, spontanéité et expression écrite : si l'élève sent, par la liberté qu'il prend de choisir un thème ou un sujet, qu'il est responsable de son « écriture », alors celle-ci sera de meilleure qualité et plus authentique qu'elle ne l'aurait été, sur un sujet proposé et imposé par le maître. L'autorité en cette matière ne peut engendrer, semble-t-il, que la stérilité ou l'artifice; la contrainte n'éveille pas le besoin d'écrire. C'est la doctrine qui s'affirme dans plusieurs textes officiels.

Selon les *I. O.* de 1923, « le dessin libre doit avoir pour pendant la rédaction libre »; conseil est donné de faire appel « à l'activité de l'écolier et avoir confiance en sa liberté », de ne pas fournir aux enfants des idées et des expressions toutes faites car « c'est refouler leurs pensées personnelles ». Les *I. O.* de 1938 n'insistent plus sur cette nécessité, considérée comme admise communément par tous les maîtres; mais on retrouve dans les *I. O.* de 1957 (destinées aux C. E. G.) les mêmes recommandations, développées cette fois-ci dans le langage de l'esthétique : « En matière d'art (création et expression), l'élève ne progressera que si le maître a su épouser l'élan de sa pensée et de sa sensibilité, [...] l'art du maître consiste justement à sauvegarder la liberté de pensée et d'expression de l'enfant. » A quoi répond en écho cette phrase d'un traité de psycho-pédagogie : « Il faut que le maître sache éveiller le poète qui sommeille en tout homme. »

Il est pratiquement impossible de fournir une réponse à ces « axiomes »; tout d'abord parce que l'on ne répond pas à des axiomes, on les accepte ou on les refuse; ensuite parce que douter que la « liberté » de l'élève puisse, en matière de langage, produire les meilleurs résultats, serait contredire cette générosité qui prête tant à la spontanéité humaine.

Aussi convient-il de déplacer le problème sur son véritable terrain, celui du langage et de la linguistique. Tant que l'on analyse l'acte de « rédaction » en termes de psychologie — ou de morale —, on reste à l'extérieur de l'objet visé. Le conditionnement est, incontestablement, important, peut-être déterminant pour susciter le besoin d'écrire, mais s'il déclenche un acte, il n'en fournit ni l'orientation ni le matériau.

Écrire, c'est se heurter au langage dans sa matérialité : l'écriture donne corps aux mots, elle réalise la langue. La résistance n'est plus d'ordre psychologique, mais linguistique. Les contraintes lexicales, sémantiques, syntaxiques sont là, qu'il faut savoir déjouer pour en jouer, qu'il faut reconnaître pour les dominer. Cela est vrai déjà dans l'ordre de l'oral : les leçons d'élocution démontrent à l'évidence combien il est malaisé de faire dépasser le stéréotype par l'élève. Comment dans l'acte d'écriture, où tout est plus complexe parce que le langage acquiert une épaisseur, une densité bien supérieure, l'élève éprouverait-il sa « liberté »? Écrire ce n'est pas seulement franchir la barrière d'une pudeur ou d'une crainte que susciterait le milieu socio-scolaire, c'est s'engager dans la langue, pénétrer parmi les réseaux multiples d'un code qui, passif, impose sa complexité.

On s'étonne moins qu'un élève soit gêné par le vocabulaire et les règles d'un problème de calcul, on admet qu'il entre dans un domaine tenu pour second et artificiel et l'on comprend qu'il faille le conduire parmi les embûches et les traverses de ce code. Mais parce que la langue de communication est sentie comme naturelle et propre à l'individu, alors *laissez-le s'exprimer et il s'exprimera bien, laissez-le écrire ce qu'il lui plaît d'écrire et l'écriture sera bonne !* Or, l'élève bien disposé, volontaire et libre dans le choix du sujet et du moment de rédiger, va éprouver que l'outil à exploiter a sa propre inertie et ne se prête pas si facilement au gré de sa fantaisie libérée. Le problème, en effet, celui qui engage le style, reste de savoir comment apprendre à l'élève à s'orienter, plus librement, parmi le code de la langue à écrire. Et à cela nulle spontanéité ne suffira jamais.

B. L'observation de la réalité

Le second axe que l'on conseille de suivre pour que la pédagogie de la « rédaction » touche à l'efficacité, est celui de l'observation de la réalité. Les *I. O.* y insistent avec une certaine fréquence : « Ce dont nos élèves auront besoin dans la vie pratique c'est avant tout de voir les choses telles qu'elles sont, donc de savoir observer avec méthode »; ce dont ils ont besoin « c'est d'une langue précise, capable d'exprimer le caractère objectif des choses ». Parti pris qui semble exclure toute expression du caractère « non objectif » des choses et d'abord de tout ce qui appartient à la « vie intérieure ». Et l'on ajoute : « La langue qui leur sera nécessaire est non pas une langue subtile, propre à rendre les nuances du sentiment... » S'en tenir à ces recommandations permettra aux élèves « d'écrire avec correction et trouver les mots propres pour exprimer leur pensée ».

Nous avons précédemment rencontré le conseil majeur de libérer la spontanéité, comme gage d'une expression de qualité, maintenant la caution du monde extérieur des choses est requise, avec l'objectivité, pour que la langue soit exploitée au mieux de ses ressources. L'adhésion réaliste aux choses est posée comme condition et comme guide de la bonne expression écrite. Nous sommes versés dans un « sociologisme positiviste ». Or, sous-jacent à ce privilège accordé aux choses sur la langue, on découvre la croyance naïve et simpliste à l'adéquation du langage à la « réalité »; la croyance qu'à chaque mot correspond une chose, qu'à chaque qualité ou attribut d'une « chose » un mot fournit son répondant. Plus grave, on se fixe le but d'éliminer l'expression du « sentiment », comme si un élève pouvait (contrairement aux données de la psychologie) neutraliser ses réactions subjectives dans l'exercice de sa parole. Une fois encore, semblables recommandations, si bien intentionnées soient-elles, ignorent la réalité de la langue et que l'on ne va aux « choses » qu'en traversant le langage. Tout cela pose qu'il y aurait d'une part le « réel », de l'autre la langue, et qu'à bien observer on déclencherait mécaniquement et spontanément une expression correcte, adéquate et précise.

Parallèlement, les mêmes *I. O.* de 1938 établissent entre la langue et la pensée des rapports, donnés comme évidents, qui permettraient, à les bien respecter, d'obtenir des textes correctement rédigés par les élèves : « Une phrase est élégante quand l'ordre des propositions et des mots reproduit le mouvement de la pensée. » Il faut apprendre aux élèves à « trouver les mots propres pour exprimer leur pensée ».

Tout est ainsi parfaitement disposé : d'abord l'univers des choses, puis l'univers du langage, enfin celui de la pensée. Trois ordres distincts, mais entre lesquels le « sujet écrivant » (mais comment définir ce « sujet »?) peut, à son gré, établir des contacts, des passages, des coïncidences. Le « mouvement de la pensée » existe, comme indépendant, et attendant que les mots viennent le revêtir pour lui donner bonne et juste apparence. La pensée, c'est le contenu; la langue, c'est la forme. La pensée étant maintenue dans son domaine spécifique, munie de sa logique, plie à son obéissance une langue docile. Mais qu'est-ce que le mouvement de la pensée, hors du mouvement de la langue? Peut-on négliger que la langue, dans son système, par ses structures, présente sa propre « logique » avec ses enchaînements spécifiques contraignants pour le sujet? Non plus qu'on n'exprime le caractère objectif des choses indépendamment de la langue, on ne peut saisir le mouvement de la pensée, sans le truchement, l'assise et la réalisation de la langue.

Force-t-on l'analyse quand on signale que la conception du langage développée dans les *I. O.* est quelque peu entachée de métaphysique, et que, croyant traiter de l'expression écrite du langage (l'exercice de « rédaction »), ces mêmes *I. O.* se fourvoient? L'extraordinaire de ces formulations « officielles », où la bonne intention ne garantit pas le bon conseil, tient dans cette méprise que l'on croit disserter sur ce qui fonde l'expression écrite du langage, tout en restant extérieur à ce qui fait le corps et l'âme de toute expression, la langue elle-même. Cette attitude conduit à la fois à se méfier du « style » et à réduire la pédagogie à une « imprégnation par les œuvres », c'est-à-dire, à la limite, à nier toute pédagogie de l'expression écrite.

C. Lecture et clichés

« Apprendre à écrire, comme apprendre à parler, c'est apprendre à penser » *(I. O.)* Fort bien (car cette phrase réinstaure la langue dans sa fonction d'informer et former la pensée). Plus contestable est l'affirmation que « la méthode par laquelle l'enfant apprend à exprimer sa pensée par écrit ne diffère pas de celle par laquelle il apprend à parler », aphorisme contrebattu par la distinction que les linguistes établissent entre le code de la langue orale et le code de la langue écrite et par le fait qu'un message écrit n'est jamais reçu ni compris comme un message oral. Mais cette affirmation fonde une pédagogie, celle du recours aux textes écrits comme modèles susceptibles de former les élèves à l'habitude de la langue écrite. Il faut « rattacher le plus souvent possible les exercices de rédaction aux exercices de lecture; par la lecture, les enfants s'exercent à comprendre la langue écrite, par la rédaction ils s'exercent à écrire et à s'exprimer à leur tour ». C'est là un conseil qui représente un progrès sur celui qui orientait l'élève vers le caractère objectif des choses; c'est maintenant la « langue littéraire », c'est-à-dire, la langue spécifique d'un écrivain qui doit conduire à l'exercice de rédaction. On apprend à écrire par l'imitation de qui a bien écrit. Et pourtant, il convient, une fois encore, de marquer les limites de cette méthode du *lisez d'abord, vous écrirez ensuite*, parce qu'elle risque d'engendrer la passivité et du maître et de l'élève.

Que la lecture soit un adjuvant indispensable de la rédaction est une vérité bien établie. Nécessaire, elle n'est cependant pas suffisante. Si le modèle littéraire peut stimuler, il peut aussi provoquer des « blocages ». L'élève, en effet, quand il lit un grand écrivain, éprouve la sensation d'entrer dans un univers étrange où tout est mieux dit qu'il ne le dira jamais et où tout est plus « beau » qu'il ne l'espérait : l'écriture littéraire l'impressionne par sa virtuosité et sa perfection, il est sous le charme d'un langage qui déploie dans l'aisance le rythme de ses phrases. Mais est-il, de ce fait, vraiment sensible au style? Que garde-t-il du livre lu? L'imprégnation subie va-t-elle le pourvoir du « don de bien et mieux écrire »? Il est à craindre que le souvenir retenu ne soit que celui d'un récit, d'une histoire, peut-être d'une certaine « beauté », mais dont la source reste profondément mystérieuse. La lecture peut, de surcroît, laisser à l'élève le sentiment que le style est le propre d'un monde lointain et que cette vertu de belle langue restera à jamais étrangère à son effort. Si le style est le propre du livre, vanité que vouloir s'en approcher soi-même.

Conclusion

La critique présentée ci-dessus peut sembler excessive; elle n'est, en fait, qu'exigeante. Tout se passe comme si les conseils et les prescriptions des I. O. poursuivaient l'essentiel, sans jamais l'atteindre ni pouvoir le cerner. A chaque fois, l'attention du maître se trouve déportée tantôt vers la psychologie, tantôt vers la logique, tantôt vers la « réalité des choses », tantôt vers la « littérature »; à chaque fois, en plaçant l'accent sur des domaines contigus à l'exercice de la langue, à l'intérieur et compte tenu desquels elle fonctionne effectivement, on donne l'impression que l'on favorise l'apprentissage de l'expression écrite. Mais est-ce simplement en favorisant ou en créant un conditionnement que l'on obtiendra des résultats véritables au plan de la rédaction?

La pédagogie est aussi l'art de pénétrer, par la connaissance, l'objet que l'on enseigne, non pas seulement de présenter cet objet ou de le rendre utilisable. Susciter de bonnes dispositions à l'égard de la langue écrite est certes nécessaire, mais jamais suffisant. Ce qu'il faut, pour le maître, c'est avoir réfléchi, par des analyses aussi scientifiques que possible, sur la réalité de la langue, dans l'ordre de l'oral et du scriptural, c'est pouvoir méthodologiquement **découvrir** les moyens d'enseigner l'expression, de parvenir à une « prise » sur le style, non par simple usage de l'imitation ou de l'imprégnation empirique mais par pénétration des fonctions et du fonctionnement de la langue. Ce qu'il faut, c'est situer l'élève et le maître dans la langue, et partant d'elle retrouver, oui, l'environnement psychologique, social et littéraire. Rien n'est donné facilement dans ce domaine, mais tout peut être tenté si, au préalable, on a retenu cet acquis de la linguistique : tout travail sur le langage est supporté par la théorie du langage.

II. Regard sur quelques manuels de style

Comme nous l'avons fait pour les *I. O.*, nous allons essayer, par une analyse cursive, d'interroger quelques manuels en usage dans les premier et second degrés, de façon à cerner les présupposés qui fondent leur conception et leur enseignement du style.

On va retrouver quelques reflets des *I. O.*, tel ce recours à l'« observation » que préconise l'auteur d'un manuel de « rédaction » : « C'est l'observation et l'action qui est à la base de notre méthode de rédaction et de français. » Aussi conduit-il les élèves, méthodiquement, à la quête des mots et tournures correspondant aux objets, bruits, odeurs, attitudes, allures, actions, aux gestes d'une scène animée, aux moments de la journée et des saisons, aux traits d'une personne, etc. Ainsi « la rédaction n'est plus un exercice « en l'air », elle se fonde solidement sur l'observation directe, sur l'action ».

A regarder dans le détail, on s'aperçoit très vite de la confusion entretenue par le mot *observation ;* il semblerait que la méthode fasse appel à une analyse de l'expérience, vécue par les élèves, de l'univers où ils se trouvent situés. *Observation* renvoie, généralement, à un objet, tenu pour extérieur, ou posé comme extérieur au sujet observant. Pour notre exemple, il s'agirait de « tourner » l'élève en direction des choses et de lui en faire relever les attributs et qualités. Or, telle n'est pas la procédure : les choses ne sont atteintes, à chaque leçon, qu'au travers du langage littéraire, des « phrases d'auteurs »; par exemple, la présentation d'une leçon révèle aussitôt la confusion soulignée antérieurement entre l'extra-linguistique (le **référent**) et le linguistique (les **signes**) : sous le titre principal : « *Nous observons la table de toilette* », on trouve « *Apprenons à décrire un objet* », puis « *Exercice 1 : la phrase. — Étudions deux phrases d'auteurs* ».

Non qu'il s'agisse pour nous de ruiner cette méthode (qui doit parvenir à des résultats) mais de prendre conscience qu'elle mêle, à son insu, plusieurs points de vue : elle suppose qu'il existe une possibilité d'analyser la « réalité » comme par un contact immédiat et innocent, et qu'à bien regarder (sous la conduite du maître) les objets, les mots affleurent à la conscience et prennent position dans les phrases; puis, deuxième moment, l'élève est placé devant une « phrase d'auteur » qui rend, elle aussi, compte d'un type d'observation, la différence étant que chez l'auteur tout est plus précis et plus beau. Mais, l'élève se trouve, de ce fait, passer d'un plan à un autre, tout en croyant rester au même niveau : on exige d'abord de lui qu'il transcrive le résultat de son observation dans son propre style; ensuite, on le transpose dans la « littérature », où ce qu'il observe n'a plus l'apparence des « choses » mais des phrases; il n'est plus face à la « réalité », mais devant un langage, travaillé par une certaine plume.

Quelle est, alors, la visée de cette « observation » donnée comme principe directeur de l'ouvrage? Les choses du monde extérieur ou le langage littéraire? Et surtout, quelles sont les conséquences de cette démarche ambiguë?

Les conséquences sont au moins de deux espèces : l'une est d'entretenir une dichotomie, si évidente qu'elle est devenue lieu commun, entre la pensée et le langage, l'autre de réduire le style à un art de l'habillement. Conséquences solidaires car, à vouloir séparer la pensée du langage, on ne peut que prêter à celui-ci le soin de bien parer celle-là.

L'illustration de cette attitude est inscrite au long de l'ouvrage, où sont opposées les « phrases d'auteurs » aux phrases « banales » (celles dont les élèves doivent être responsables?) : le même contenu de pensée est exprimé de deux manières, la médiocre et l'excellente. Par exemple, sont mises en regard : *Il y a le long des parties faibles des parois quelques traverses de bois blanc, clouées au petit bonheur* (phrase « banale »), puis *Quelques traverses de bois blanc, clouées au petit bonheur, soutiennent les parties faibles de la paroi* [Jules Romains]. Il est évident que l'auteur a transformé, en la « banalisant » (emploi de *il y a*, déplacement dans l'ordre des mots) la phrase de Jules Romains, dans l'intention d'amener les élèves à comparer les deux phrases, et en supposant que, à contenu de pensée égal, la langue offrait, au moins, deux possibilités d'expression. Le critère qui autorise le choix en faveur de la phrase d'auteur est celui de la « précision », ainsi que permet d'en juger l'exercice proposé : *Copions la phrase de Jules Romains [...] et soulignons les verbes précis qui remplacent* il y a *et* l'on voyait; *soulignons les détails particuliers et caractéristiques qui nous permettent de reconnaître les murs de cette cabane.*

Procéder de la sorte, et quelle que soit l'excellence des intentions du maître, conduit à admettre (fût-ce d'une manière inconsciente) que le style est une fonction ornementale du sujet parlant/écrivant, mais n'appartient pas à la langue, qu'il est hors de la langue, qu'il se réduit à une forme dont la fonction adventice est d'habiller un contenu, sans lui être en aucune manière liée; le style succéderait à la formulation préalable du contenu et n'aurait aucune prise sur lui. Quel élève ne sentirait alors qu'il est placé devant un pur artifice et que bien écrire est gratuit comme un « acte d'école »?

On pense pouvoir échapper à ces difficultés en liant de près les exercices de style aux fondements mêmes de la langue, c'est-à-dire à la grammaire, comme le font deux manuels de qualité qui proposent que le travail du style soit conduit en corrélation avec l'étude grammaticale.

• L'avant-propos du premier de ces ouvrages porte comme titre : *Que la stylistique doit s'appuyer sur la grammaire*, et développe le principe que « chaque chapitre de grammaire comporte des applications stylistiques qui en découlent logiquement [...] », que « grammaire et stylistique doivent être intimement liées : la première ayant pour but de mettre en évidence les divers mécanismes de la langue, tandis que la seconde étudie les possibilités expressives offertes par ces mécanismes et les conditions de leur emploi eu égard aux nuances de la pensée à exprimer ».

Cette déclaration liminaire souligne que le style se confond avec l'expressivité (« les possibilités expressives ») et distingue déjà le plan de la langue de celui de la pensée (« nuances de la pensée à exprimer »). Un peu plus avant dans l'ouvrage, la confirmation et l'éclaircissement de ces principes nous sont fournis : « Parmi ce vocabulaire et ces mécanismes grammaticaux de notre langue, l'écrivain choisit ce qui lui convient pour traduire aussi exactement que possible les idées ou les sentiments qu'il veut exprimer. Il les choisit aussi pour produire certains effets. Par exemple, décrivant une ruche, vous pouvez écrire : *A l'entrée les abeilles s'entassaient, fourmillaient* [...] aussi bien que *A l'entrée c'était un entassement, un fourmillement d'abeilles.* »

On retrouve, d'un côté le matériau du langage, de l'autre « les idées ou les sentiments à exprimer », et l'on est toujours placés devant la dichotomie pensée/langage; on découvre la notion d'« effets » de style, fondée sur le choix. Mais ce choix, sur quel critère peut-il lui-même se fonder pour permettre enfin au style de se réaliser?

• Le second de ces ouvrages permet, mais partiellement, de répondre à la question posée. Après avoir, sans équivoque, défini le style comme « les différentes manières d'exprimer une même idée ». L'auteur ajoute qu'« il peut affecter tous les faits de langue (sons, mots, phrases) ». Et dans son chapitre sur « L'art du style », il précise la notion d' « effet de style » : « Il n'est senti que par comparaison (plus ou moins consciente) des signes de langue entendus (sons, mots, constructions) avec des signes différents de même sens. » Plus loin, l'auteur est encore plus explicite : « Ces effets, puisqu'ils ne sont sentis que par comparaison, sont d'autant plus intenses qu'ils sont plus nouveaux, plus étrangers au parler ordinaire; l'inédit, l'insolite est toujours remarqué. » Puisqu'il faut pouvoir comparer, le terme de référence sera la « langue commune ». Et nous retrouvons la situation où nous étions placés : le style est le propre de l'**écart**. C'est toujours, par l'élimination d'une tournure, d'un mot, d'une phrase, tenus pour chargés de banalité que l'on accède au style; à s'écarter de la langue commune, valeur médiocre (au sens de valeur moyenne) on a quelque chance de rencontrer sur sa voie le STYLE.

Tout semble donc merveilleusement simple, à ce niveau théorique : s'écarter de la langue commune par la recherche d'« innovations expressives » dans les différents « domaines : prononciation, vocabulaire, morphologie, syntaxe », c'est découvrir et réaliser « un effet de style ». Il faut donc savoir choisir, en s'écartant de la voie triviale, et en écartant tout ce qui rappelle l'usage commun : « L'effet de style résulte d'un choix [...] que fait celui qui parle entre deux signes de langue de même sens; ce choix lui est dicté par des goûts comparables à ceux qui inspirent les peintres ou les musiciens : il existe donc un art du style. »

Conclusion

Nous pouvons maintenant dégager plus nettement les présupposés de ces méthodes et des *Instructions* : le **style** est toujours considéré comme un élément non nécessaire à l'expression; il vient, de surcroît, fournir la pensée d'une **élégance** qui n'est pas pour elle un attribut de nature; il naît d'une élaboration à partir d'un sens invariable, il n'est pas « pris » dans le sens. A qui veut « bien écrire », revient la charge de choisir par goût, par intuition, parmi les différentes formes qu'il est possible de donner à la même idée. Et comme il faut éduquer ce goût, la lecture des grands écrivains y pourvoira : « Il faut lire, mais lire seulement de bons auteurs [...], le style s'enrichira par cette imprégnation lente », affirme l'un de nos deux manuels. L'imitation tient lieu alors de toute pédagogie. A quoi on ajoute, comme garde-fous plus que comme principes, des conseils pour bien écrire : « On évitera l'obscurité, la lourdeur, la sécheresse, la monotonie, la cacophonie; on recherchera la clarté, l'élégance, la richesse, la variété, l'euphonie. » Et l'autre manuel renchérit : « Que votre style soit clair... précis. Écrivez simplement et naturellement. Ayez le souci des nuances. Veillez à l'harmonie de vos phrases. Que l'idée à exprimer commande votre phrase. »

Rechercher les notions qui sous-tendent une pédagogie du style ne peut être confondu avec un dénigrement des ouvrages ci-dessus analysés qui ont l'immense mérite d'aborder la tâche de l'apprentissage du style, en donnant à leurs exercices (fondés rigoureusement sur les données de la grammaire) la précision et l'ingéniosité requises. De plus, ces ouvrages se recommandent des grands noms et des acquis de la linguistique; dans sa préface, l'un d'entre eux rappelle les travaux de Charles Bally, de Jules Marouzeau et de Henri Frei. Enfin, les exercices dépendent toujours d'une description, non seulement grammaticale, mais aussi « stylistique » de la langue.

Les présupposés que nous avons cherché à faire affleurer ne sont pas fruits d'un pur hasard; ils viennent de loin et de haut. On les retrouverait déjà mis en question par Pascal dans son propos sur « Beauté poétique », présents dans un certain transfert au plan de l'« écriture » des belles manières et du « bon usage » en pratique dans le « monde »; présents aussi dans une théorie du style précisément édifiée aux côtés de la linguistique et se réclamant d'elle, théorie que nous appellerons **de l'écart** et qu'il convient maintenant de préciser.

CHAPITRE DEUX

LES ANALYSES DU STYLE

I. Le style comme écart

A. L'écart fondamental

a) Langage et pensée

Cette notion d'**écart**, sur laquelle se fonde toute une stylistique (comprise comme art d'écrire et étude systématique des œuvres), est fort complexe. Notre but n'est pas ici d'entrer dans le détail des implications linguistiques et philosophiques, mais de signaler seulement quelques acceptions du terme et ce qu'il recouvre de divers. Définir le style comme la recherche de l'originalité, de l'innovation ne va jamais sans admettre implicitement ou explicitement qu'il existe un intervalle séparant la pensée de son expression par le langage. La préface que J. Marouzeau a écrite pour son *Précis de stylistique française* le révélera suffisamment, et nous y ferons souvent référence.

On y trouve, en effet, en substance, que la pensée préexiste à la langue et que la fonction de celle-ci est d'appliquer les mots sur celle-là, comme on le fait d'une grille dont le treillis découpe une matière. Déjà l'**écart** est présent : il est cette distance à franchir par le langage en quête de la pensée. Vulgairement dit, la pensée est là, première, attendant que le matériau du langage vienne lui donner forme. Premier point important par les sous-entendus idéologiques qu'il suggère, par les questions qu'il pose, aussi : comment, pour n'en prendre qu'une, concevoir et décrire cet intervalle (est-il d'ordre chronologique ?) entre pensée et langage que l'on sépare comme si la chose allait de soi ?

De plus, cet intervalle présuppose l'inadéquation de l'expression à la pensée. « La langue est incapable de fournir une traduction adéquate de la pensée même la plus claire » (Marouzeau). La grille, pour reprendre l'image précédente, ne se présente donc jamais sous un aspect uniforme et n'offre que des variantes d'elle-même. L'une sera jugée par le sujet adéquat à sa pensée, l'autre sera rejetée comme trop approximative. Essais tâtonnants qui vont fonder le style. C'est donc une **défectuosité**, inhérente au langage, qui détermine un choix et ouvre ainsi la possibilité du style, « effort incessant du sujet parlant pour tirer parti d'un instrument défectueux ». Remarquable paradoxe qui, au moment de montrer la prééminence du style, l'installe sur la précarité même des instruments qu'il utilise! Appelons cette attitude celle de l'**écart fondamental** : rupture entre pensée et langage, qui situe le locuteur dans un permanent aller et retour d'une entité à l'autre.

A poser dans ce vis-à-vis la pensée et le langage, on en vient inéluctablement à définir le style comme « l'**attitude** que prend l'usager » à l'encontre du « matériel que la langue lui fournit » (Marouzeau), comme la **marque** d'une réaction subjective à l'égard des « mots ». C'est ainsi que l'on retrouve la notion, déjà rencontrée plus haut, de *choix*, notion qu'il faut maintenant situer et préciser.

Pour autant qu'il est possible, au travers de l'usage variable qu'en font les « stylisticiens », de cerner cette notion, elle implique la **liberté** du locuteur. Liberté d'un sujet placé **à l'extérieur**, et non pris **à l'intérieur**, du langage. Elle suppose que le sujet différencié **juge** sa langue du fond de sa conscience pure (à tous les sens du terme!). Que dirait le psychanalyste de cette conception, pour le moins naïve, de l'« être-en-position-de-parole »? Mais passons... Ainsi le locuteur pèserait et mesurerait le rapport de sa pensée au matériel du langage, après quoi il déciderait de retenir, pour plus d'adéquation, telle « tournure » de préférence à telle autre. Premier mouvement, fondamental certes, mais premier seulement.

b) Les procédés affectifs

En effet, si le locuteur choisit entre plusieurs possibilités, il n'agit de la sorte que pour **marquer** son propre choix; le marquer, à tous les niveaux de langage, au coin de sa subjectivité. Or quoi de plus subjectif (comme traducteur du sujet choisissant) que l'*affectivité* définie d'une manière très générale par R.-L. Wagner [1] comme « ce qui exprime comment ils (les agents du message) réagissent devant une situation »?

Pour inclure dans un énoncé sa propre part, le locuteur, parmi les moyens offerts par le langage, oriente son choix en direction de ceux qui signalent le mieux sa **marque**. Or, on ne se distingue que par le refus du banal. C'est dire que le locuteur doit « sentir » tout ce qui s'écarte de la banalité reçue. Nous retrouvons, mais à un autre plan, la notion d'écart : c'est ici la marge qui sépare le trait marqué comme affectif, du trait tenu pour usé, pour courant, pour moyen. La nécessité d'exprimer l'affectif, conduit à explorer dans la langue tout ce qui est, de quelque manière, éloigné d'un usage neutre : recherche de l'expressivité qui « s'exprime aussi bien dans les sons que dans le vocabulaire ou la syntaxe ». Mais si le style est la traduction par le langage de l'*affectivité*, il faut admettre que le style occupe un domaine singulièrement étendu, qu'il n'est plus le fait seulement des écrivains, mais de tout locuteur cherchant à marquer son discours de traits « surprenants ». Ce qui nous conduit, en fait, à établir une distinction entre le style « littéraire » et le style « quotidien ».

---

(1) **La Grammaire française. Les niveaux, les domaines, les normes, les états de langue,** C.D.U. et S.E.D.E.S., Paris, 1968.

c) Le style quotidien

Il arrive souvent que l'on dise de quelqu'un au langage pittoresque qu'il « a du style », sans qu'il soit alors question de langage littéraire; l'allusion vise une certaine aisance, un brio, une élégance hors du « commun ». Il est ce locuteur qui « différencie l'expression de ce qu'il a à dire, l'accommode [...] aux circonstances de l'énoncé et colore cet énoncé » [1].

Nous devons pour la clarté d'une conception du style qui pénètre la pédagogie, être avertis que s'il y a deux types de style à distinguer, il y a aussi deux types de stylistique : l'une prend pour objet les énoncés « quotidiens », l'autre les énoncés « littéraires ». A son origine, la stylistique que voulait Charles Bally n'était qu'une investigation des moyens par lesquels les éléments affectifs sont traduits, à une époque déterminée, dans le langage. La stylistique « étudie la valeur affective des faits du langage organisé, et l'action réciproque des faits expressifs qui concourent à former le système des moyens d'expression d'une langue »; et il ne s'agissait pas, pour Bally, d'analyser le style d'un individu, mais « le langage d'un groupe social déterminé ». Ajoutons que Bally privilégiait dans sa recherche le « langage parlé ».

d) Le style littéraire

Aussi l'étude du style d'un auteur visera-t-elle un autre objet et un autre but : il ne peut s'agir alors que de rendre compte d'un langage particulier; le style « désigne les pratiques auxquelles un écrivain a recours, une fois entré dans l'acte auquel l'incite son pouvoir : traduire dans les mots de sa langue la situation retenue pour thème » [1]. N'entre « dans le champ de ces études (que) ce qui, de l'ordre du lexique à celui des allitérations, concourt à exprimer le contenu d'une situation réfléchie par un tempérament » [1].

Quant à définir les méthodes d'approche du style littéraire, cela relève d'un autre propos que nous aborderons plus loin.

Nous retiendrons que

— L'étude du style embrasse deux domaines fort différents selon que l'on se place dans l'ordre de la littérature ou dans l'ordre du « langage commun »;

— La notion d'*écart* qui fonde la majorité des définitions du style recouvre d'une part une conception idéaliste des rapports de la pensée et du langage, d'autre part une opération du locuteur discriminant entre le banal et l'expressif;

— Pour établir une distance entre banal et expressif, il faut disposer d'un repère, d'un troisième terme, que l'on désigne généralement sous la dénomination de **norme**.

---

(1) R.-L. WAGNER, *op. cit.*

B. La norme

C'est une notion qui est souvent présente dans la définition que l'on donne du style. Ainsi Jean Cohen ([1]), après avoir précisé que son but est de « confronter le poème avec la prose », ajoute : « Puisque la prose est le langage courant, on peut la prendre pour norme et considérer le poème comme un **écart** par rapport à elle. L'écart est la définition même que Charles Bruneau, reprenant Valéry, donnait du style [...] c'est un écart par rapport à une norme, donc une faute, mais, disait encore Bruneau, *une faute voulue*. » Le même auteur, un peu plus bas, rappelle que « Bally lui-même définissait le style comme *déviation du parler individuel* et Léo Spitzer comme *déviation individuelle par rapport à une norme* ».

Toutefois, si l'on admet que le style ne peut être défini que par la considération d'une norme, le problème majeur sera de trouver la méthode et des critères qui établissent objectivement cette norme, qui fassent que celle-ci ne soit pas réduite à un vague sentiment de normalité, à une intuition variable selon les sujets. C'est l'obstacle principal contre lequel vient buter toute conception du style comme écart. Il semble que l'on puisse tracer deux voies suivant lesquelles la stylistique cherche son accès à la norme : l'une est celle des « niveaux linguistiques », l'autre celle du « calcul mathématique » (nous précisons que ces dénominations ne sont en rien usuelles et que nous les proposons pour délimiter des champs de recherche).

a) La norme des niveaux

Le fait de style apparaît en contraste du code et de l'usage qui marquent, à une époque donnée, la langue aux niveaux phonique, grammatical et sémantique. La norme se confond avec les descriptions aussi objectives que possible proposées par les grammairiens, sémanticiens et phonologues, à un moment donné de l'« histoire de la langue ».

1. La phonostylistique

On trouvera dans l'ouvrage de Pierre-R. Léon, *Laboratoire de langues et correction phonétique*, pp. 171 *sqq.*, un excellent exposé des travaux et des méthodes employées pour l'étude du style, au niveau phonique. On s'attardera en particulier sur le *tableau des possibilités du français oral pour l'étude phonostylistique* (p. 176). Voici un « échantillon » d'analyse proposée par l'auteur (p. 179) :

« Soit cette courte phrase du président de Gaulle : « je vous ai compris... ».
a) Articulation : très tendue. Donne à la voix un ton rauque. Effet de pathétique. Renforcement violent du [k] de « compris » = accent d'insistance. Effet de

---

(1) V. Bibliographie, p. 269.

conviction. *b*) Rythme : coupure après le premier *je*, suivi d'un silence. Impression d'émotion. L'accent d'insistance sur le [k] de *compris* est précédé d'une tenue très allongée de l'occlusive ; cette tenue prend une valeur expressive qui renforce l'insistance normale et ajoute au pathétique du ton de la voix. *c*) Intonation : la phrase, comme presque toutes celles du discours, se termine par une montée brusque qui continue par un palier haut. Elle prend une valeur implicative oratoire. Rien de définitif n'est dit comme dans une phrase énonciative normale. L'implication qui laisse la phrase en suspens est éminemment oratoire, elle sollicite l'auditeur, lui faisant attendre une suite, le prenant pour témoin, le chargeant de terminer au besoin à sa convenance. »

Il est évident que cette analyse est conduite sur document sonore, et fait référence à une norme, celle qui a été établie par les travaux de P. Fouché et P. Delattre (p. 172), le français choisi étant celui du « Parisien cultivé ».

2. Grammaire et style

Les études de style qui prennent fond sur la norme grammaticale sont nombreuses et diverses ; tantôt elles visent l'emploi des temps, tantôt la structure de la phrase, tantôt (quoique plus rarement) la morphologie.

Emploi des temps ? Il suffit de penser à l'usage de l'imparfait du subjonctif en langue orale qui est immédiatement ressenti comme une recherche, puisque dans cet ordre il est **normalement** très peu employé ; il en ira de même pour le passé simple, alors que dans l'ordre de l'écrit où il est resté fréquent ce temps ne produit pas d'effet de style (du moins à la 3e personne).

Structure de la phrase ? L'ordre des mots a fait l'objet d'analyses précises et une thèse a pu être consacrée à *l'Inversion du sujet dans la prose contemporaine, étudiée plus spécialement dans l'œuvre de Marcel Proust* (R. Le Bidois). Des études qui se fondent sur la grammaire générative ont déjà vu le jour [1].

3. Sémantique et style

Ce niveau est celui qui a de tout temps fait l'objet des études les plus diversifiées et qui, toutefois, laisse le plus d'insatisfaction au chercheur. Il recouvre tout ce que l'on dénomme « effet de sens », et singulièrement toute la « rhétorique », mais il souffre de l'approximation qui marque les analyses du sémantisme (v. LEXIQUE ET VOCABULAIRE).

Nous signalerons que, longtemps délaissée, la rhétorique retrouve soin et faveur sous l'effet des progrès de la linguistique : il suffit de citer les travaux de R. Barthes et de G. Genette (on se reportera à l'ouvrage de ce dernier, *Figures*). De même, les analyses linguistiques du sémantisme permettent de fonder plus sûrement celles des « effets de sens » : comme exemple, on proposera l'article de T. Todorov, *les Anomalies sémantiques* (v. BIBLIOGRAPHIE).

---

(1) Voir BIBLIOGRAPHIE, p. 271, notamment *Linguistique et Littérature* (Actes du colloque de Cluny).

Pourquoi sommes-nous surpris et pressentons-nous un écart par rapport à la norme sémantique, à la lecture de cette phrase, citée par Todorov : « *Il écoute la musique qui reluit sur ses chaussures* » (Breton et Eluard)? Nous sommes devant une « anomalie sémantique », parce que, si le verbe *reluire* admet dans son environnement le nom *chaussures*, on ne le rencontre **normalement** pas doté du nom *musique* comme sujet. « Le verbe *reluire* exige un sujet comportant le sème « visuel », alors que *musique* ne le possède pas, et comporte le sème « auditif » (Todorov).

De même, pour la phrase « *Tu sais que ce soir il y a un crime vert à commettre* » (Breton et Soupault), l'anomalie réside dans le syntagme *crime vert*. *Vert* a comme caractéristique combinatoire le sème « matériel » alors que *crime* comporte le sème « non matériel ».

Dans ces différents exemples, la norme grammaticale est respectée, mais les combinaisons sémantiques sont perturbées. Cela suppose que nous fassions référence à une certaine norme sémantique, dont on peut évidemment se demander ce qui la fonde, en dehors de nos « habitudes » et de notre expérience quotidienne de la langue. L'incertitude où l'on est de donner un fondement « objectif » à cette norme a conduit les linguistes à rechercher le secours du calcul mathématique.

b) La norme des calculs

1. Usage de la statistique

Puisque la norme représente l'usage de la langue admis à un moment donné par un ensemble de locuteurs, il doit être possible de définir celle-ci par la moyenne des mots et tournures employés et de faire appel à la science de la statistique. Si l'on peut parvenir, à l'aide de relevés sur un ensemble de faits représentatifs, à dessiner l'état de langue moyen d'une époque, alors on tiendra cet état pour la norme; il ne manquera plus que de comparer tel fait singulier avec la norme et de mesurer l'importance de l'écart. C'est la direction que P. Guiraud a donnée à ses travaux (cf. LEXIQUE ET VOCABULAIRE). Remarquons tout d'abord que ceux-ci visent essentiellement la langue littéraire : il s'agit, par exemple, de comparer l'usage d'un mot chez un écrivain avec l'usage du même mot dans la langue commune. La norme que P. Guiraud retient est constituée par le *Dictionnaire* de Van der Beke qui embrasse la période de la fin du XIXe siècle au début du XXe siècle. Ce dictionnaire est élaboré selon les prescriptions de la statistique et regroupe des séries d'échantillons de textes de prose, littéraires ou non : romans et contes, pièces de théâtre, journaux et revues, histoire, biographie, civilisation, sciences et philosophie. Sont ainsi retenus, pour l'ensemble, 1 147 748 mots, dont on détermine la fréquence et que l'on classe par rang de fréquence.

2. Mots thèmes et mots clés

La langue de l'écrivain que l'on désire étudier par référence à la norme commune « moyenne » connaît un traitement statistique similaire qui conduit à l'établissement d'index où les mots sont rangés par ordre de fréquence. Le principe de comparaison est simple : il met face à face deux mots identiques, pris l'un chez Van der Beke, l'autre chez l'auteur étudié. On pourrait se contenter de comparer les fréquences et les rangs, mais pour donner plus de précision à cette opération et la rendre accessible à tout chercheur, on ne retient que les mots les plus employés par l'auteur, les mots thèmes (généralement les 50 premiers mots thèmes).

Écoutons P. Guiraud expliquer la procédure, dans sa préface à l'*Index des mots d'* « *Alcools* » *(Apollinaire)* :

« Les mots thèmes sont les mots qui ont la plus haute fréquence absolue; nous appelons mots clés ceux qui ont la plus haute fréquence relative et nous prenons pour point de comparaison une liste de mots les plus employés de la langue (liste de Van der Beke). Le verbe *savoir* a le rang 58 et le substantif *femme* le rang 57 dans le vocabulaire d'*Alcools*, mais ce sont des mots généralement très employés et qui ont respectivement le rang 55 et 62 (chez Van der Beke); l'emploi qu'en fait Apollinaire correspond donc à l'importance que la langue leur accorde normalement. Par contre, le mot *automne* occupe le rang 75 dans *Alcools* et le rang 2 750 dans la liste de Van der Beke, c'est donc un mot qui occupe une place anormale dans le vocabulaire de l'auteur; nous l'appelons mot clé. L'importance relative des mots clés a été établie sur un indice qui est l'écart absolu des rangs divisé par la racine carrée du rang de la liste Van der Beke; ainsi l'indice pour *automne* est

$$\frac{2\,750 - 75}{\sqrt{2\,750}} = 50.$$

Il est possible de calculer les indices des 50 mots thèmes et de discriminer ainsi les mots clés, à partir desquels sera menée l'analyse des champs lexicaux et sémantiques dans *Alcools*. »

3. Autres directions

C'est également à la statistique que se fie Jean Cohen dans son étude de la *Structure du langage poétique* : il détermine la norme à partir du langage de prose représenté par le langage scientifique; il constitue, par tirage aléatoire, des échantillons de la langue de Berthelot, Claude Bernard et Pasteur, auxquels il compare des échantillons de la langue de Lamartine, Hugo et Vigny (v., p. 121 *sqq.*, l'analyse des *épithètes impertinentes*) ; il utilise aussi, pour juger de la pertinence des écarts, le test, bien connu des statisticiens, où entre le calcul du χ^2.

Enfin, il convient de signaler les analogies qui ont été établies entre les problèmes du style et ceux de la théorie de l'information (cf. Martinet, *Éléments de linguistique générale*, 6-11).

Un effet de style est repérable par la surprise qu'il provoque chez l'auditeur/lecteur. Tout semble se passer comme si une attente était déçue. Selon la norme, image de nos habitudes, nous anticipons sur l'énoncé que nous entendons ou lisons. A supposer que nous ayons entendu « *les petits ruisseaux font les...* », à ce point de l'énoncé nous attendons « *grandes rivières* » : il est, en effet, extrêmement probable qu'ainsi se terminera l'énoncé. En revanche, si *grandes rivières* était remplacé par *grandes illusions*, l'effet de surprise serait important, car il y avait très peu de chances, voire aucune, pour que l'énoncé se terminât ainsi. On peut donc rapporter l'effet de style au « degré de probabilité des unités linguistiques dans un contexte donné » (Martinet); plus le degré de probabilité est élevé, plus mince est l'effet de style; moins il est élevé, plus vif est l'effet. Puisque l'information d'une unité est inverse de la probabilité de celle-ci, le style se définit comme la recherche systématique de la « densité information-nelle » : ce sont les mots rares, c'est-à-dire les plus inattendus, ceux donc qui **s'écartent** le plus largement de la **norme**, qui portent l'information la plus grande. Une fois de plus, on voit comment le style peut relever de la science mathématique.

Conclusion

Jusqu'ici, nous avons tenté de découvrir, puis d'éclairer une certaine idée du style, sous-jacente et implicite dans les *I. O.* ou dans tel manuel scolaire, apparente et explicite dans les ouvrages ou les théories des stylisticiens : elle est essentiellement délimitée par les notions d'**écart** et de **norme.**

Cette « idée » suscite une méthodologie qui tend à définir la norme, soit par les descriptions des niveaux linguistiques, soit par le traitement statistique de la langue. Par référence à la norme ainsi établie, des écarts sont relevés soit au plan de la collectivité (visée de Ch. Bally), soit au plan de l'individualité des locuteurs (visée de P. Guiraud).

Cette procédure trouve ses applications aussi bien dans l'ordre de l'oral (où le locuteur ne cherche pas à donner à l'effet stylistique une valeur esthé-tique) que dans l'ordre scriptural (où celui qui écrit peut rechercher intention-nellement à mettre en valeur son message). On peut alors se demander si, pour l'analyse du style d'un écrivain, la méthode des écarts est suffisante, si le décompte des différents écarts est à lui seul capable de déceler et de décrire l'originalité de **la langue d'un auteur,** à qui, par-dessus tout, il importe de créer un *univers de langage systématiquement organisé.* Car le style est aussi dans la structu-ration spécifique du tout de la langue. Rupture avec le quotidien, certes, mais qui ne vaut que par et dans la « continuité » d'une « écriture ».

II. Le style comme continuité

A. Écart et totalité

Rendre compte du style d'un écrivain suppose toujours que l'on se place non au niveau de l'effet de style (ou d'un ensemble d'effets), mais à celui d'une œuvre ou de l'œuvre. Intéressantes, mais limitées, sont les études d'une figure, par exemple la métaphore chez Hugo, ou d'une construction, l'ordre des mots chez Proust. Ce qu'il faut au lecteur, c'est retrouver dans l'analyse du chercheur cette **unité** de la langue qui caractérise *la Légende des siècles* ou *A la recherche du temps perdu*. Il est banal de rappeler que l'on dit « langue de Hugo », « langue de Rimbaud », et que l'on distingue l'une de l'autre par un ton, un phrasé, qui **n'a pas son pareil,** c'est-à-dire qui marque Hugo et Rimbaud comme **auteurs.** L'écart de cette langue singulière d'un écrivain n'est pas fait d'une multitude de petites « innovations-à-tous-les-niveaux »; c'est l'écart d'un **tout systématique,** par rapport au **tout** de la langue commune. L'œuvre est système second construit en rapport avec le système premier de la langue; rendre compte du style d'un écrivain suppose donc l'analyse des structures qui sous-tendent et définissent l'œuvre-système.

B. Approches linguistiques de l'écriture

Pour dire ce qu'il y a de spécifique dans le style d'un écrivain, nous emploierons la notion d'**écriture** (bien que ce mot soit exagérément utilisé depuis peu, et dans des acceptions diverses).

Comment pouvons-nous définir l'**écriture**? Comme une exploration, dans l'ordre scriptural, de toutes les ressources de la langue, pour parvenir à la construction d'un **discours fermé.** Cela ne signifie pas que le discours de l'écrivain soit replié sur soi et coupé des référents extra-linguistiques, mais qu'il cherche à s'instaurer comme une totalité systématiquement structurée. Le texte est un tissu de trame serrée. « On reconnaît qu'une œuvre a du style à ceci qu'elle donne la sensation du fermé », dit Max Jacob dans la préface du *Cornet à dés.*

Le problème, d'ordre descriptif, qui se pose désormais est celui de l'utilisation des données de la linguistique (de type structural) afin de déceler le réseau des rapports où se prend l'écriture. Nous nous bornerons à donner de cette démarche quelques exemples.

C. Analyse structurale de la poésie

Nous voudrions seulement esquisser quelques traits méthodologiques, en insistant sur l'importance des thèses de Roman Jakobson. Ce maître de la linguistique contemporaine est lié par ses travaux d'origine au grand courant du « formalisme » russe et à l'École de Prague (illustre par la manière décisive dont elle a instauré la phonologie et, par voie de conséquence, la linguistique structurale). Dans ses *Essais de linguistique générale*, au chapitre « Linguistique et poétique », Jakobson définit ainsi la poésie : « La poésie ne consiste pas à ajouter au discours des ornements rhétoriques : elle implique une réévaluation totale du discours et de toutes les composantes quelles qu'elles soient » (p. 248). Dans le cours de la même étude, R. Jakobson montre comment l'écriture poétique n'est qu'une application systématique d'une des fonctions du message, « la fonction poétique » qui marque tout message, quotidien ou littéraire, quand s'établissent, dans la chaîne du discours, des équivalences.

Ainsi, dans le poème, des réseaux d'équivalence se constituent, où entrent en rapport les éléments phoniques, grammaticaux et sémantiques; une organisation du langage s'élabore, loin de celle du langage commun. En ce sens, il y a bien écart, mais au niveau de l'organisation des ensembles. La structuration se réalisera, en particulier, par un usage élevé des couplages et des parallélismes dont la simple rime fournit le premier exemple. La fonction de la rime n'est pas seulement de produire un effet de rythme sonore, mais aussi de mettre en relation des mots porteurs de sens; or, la similarité sonore recherchée par le poète trouve sa fonction, au-delà du simple niveau phonique, au plan du sémantisme : des mots rapprochés par la rime instaurent entre eux une certaine similarité sémantique. Ce qui est dit de la rime vaut aussi pour tout effet de « reprise », par exemple l'allitération. On connaît ce vers d'Apollinaire :

Le *R*hin le *R*hin est *iv*re où les *v*ignes se *mi*rent

dans lequel la texture phonique crée « un courant sous-jacent de signification » (Jakobson) : cette communion du *Rhin* et des *vignes* est soulignée par la reprise du son [R] de *Rhin* par le verbe *mirent*, tandis que l'image en miroir des sons [iv], [vi] de *ivre* et *vignes* signale le reflet que dénote *mirent*.

On trouvera dans l'analyse du sonnet *les Chats* de Charles Baudelaire (par R. Jakobson et Cl. Lévi-Strauss) un exemple des analyses qu'une « poétique » structurale propose. Nous donnons aussi dans la bibliographie quelques titres d'études ou d'ouvrages auxquels le lecteur pourra se reporter. Nous voudrions simplement souligner ce qu'il y a encore d'expérimental dans ces recherches et ce qui semble déjà acquis, sinon admis : qu'une étude de poème demande que l'on traite celui-ci comme « un objet construit » (Max Jacob) et que la procédure doit envisager chaque niveau phonique, métrique, syntaxique et sémantique comme un **système** et tracer les **relations** qui s'instaurent de **système à système** : relation versification/syntaxe, relation syntaxe/sémantique, relation versification/sémantique; on étudiera, par exemple, les **mises en valeur** du sémantisme par la syntaxe, mais aussi les **effacements** ou les **apparentements** sémantiques que provoque l'organisation syntaxique.

Au niveau, non plus d'un poème, mais de l'œuvre, traitée aussi comme totalité systématisée, c'est une démarche analogue qui sera adoptée : mise en relation des structures du vocabulaire avec les structures métriques et grammaticales, ce qui suppose une analyse structurale de l'ensemble métrique, de l'ensemble grammatical et de l'ensemble lexical.

Il sera essentiel de voir comment le vocabulaire d'un poète répartit ses champs lexicaux et ses champs sémantiques. Pour revenir à Apollinaire, au niveau du seul vocabulaire, comment rendre compte du sens des mots *feu*, *flamme*, *brasier*, *soleil*, *oiseau* (pris parmi les mots clés) sans décrire les champs où ces mots s'organisent pour prendre leur « sens apollinarien »? Il ne s'agit pas d'une étude de « thèmes », mais, sous le contrôle et avec l'aide de la linguistique, de faire apparaître une ou des structures formelles qui, à leur tour, seront comparées aux structures formelles des ensembles phonique, grammatical et métrique.

D. Analyse structurale du récit

Le développement de la linguistique structurale et l'influence, ces dernières années, du « formalisme » russe ont renouvelé profondément les études de l'« écriture » : nous signalons très succinctement, même si ces informations paraissent éloignées de notre propos (qui reste de comprendre les modalités de toute « rédaction »), quelques orientations de la recherche dans le domaine du « récit ». On consultera pour une vue d'ensemble des problèmes et des méthodes le nº 8 de la revue *Communications* (« L'analyse structurale du récit »).

Deux directions peuvent être tracées dans cette approche du récit : l'une de type « logico-sémantique », l'autre de type « rhétorico-grammatical » (expressions approximatives, mais permettant un classement).

a) Le type logico-sémantique

Il prend naissance dans les travaux des « formalistes » russes [1] et singulièrement chez Propp. Ce dernier travaille sur un vaste ensemble de contes populaires, qu'il étudie du point de vue de leur composition et de leur structure. Par un traitement de réduction, il distingue dans la masse des personnages et

---

(1) Cf. **Théorie de la littérature**, éd. du Seuil, Paris, 1965.

de leurs actions, trente et une **fonctions**, dont la combinaison permet de rendre compte de l'organisation d'ensemble des contes et de la logique de leur « fonctionnement ».

La méthode de Propp a été analysée et étendue à d'autres domaines. Par exemple, Todorov, qui utilise conjointement les travaux de Lévi-Strauss et de Greimas, cherche à découvrir « la succession des règles qui doivent engendrer le récit » d'un roman comme *les Liaisons dangereuses.* Le récit est considéré comme une immense phrase dont il faut énoncer les règles de génération, méthode qui rappelle quelque peu celle de la « grammaire générative » (v. GRAMMAIRE). Lire un récit, c'est découvrir un code particulier, celui qui sous-tend ce type de message écrit, ce code étant « une structure formelle constituée d'un petit nombre de catégories sémiques dont la combinatoire est susceptible de rendre compte, sous formes de sémèmes, de l'ensemble des contenus investis » (A.-J. Greimas).

b) Le type rhétorico-grammatical

Il est de caractère moins abstrait. Ce sont surtout les analyses de E. Benveniste qui sont utilisées : le récit est traité comme un message dans lequel tel ou tel pôle remplit, aux différents moments du récit, une fonction de premier plan.

Les éléments grammaticaux qui signifient l'émetteur, le récepteur et le référent, c'est-à-dire les « pronoms personnels » et ceux qui marquent le procès, c'est-à-dire les « temps verbaux », réclament une étude minutieuse, car ils fondent la grammaire du récit. Les distinctions que Benveniste établit entre le « discours » et l'« histoire » (v. *Problèmes de linguistique générale*) permettent de renouveler l'analyse des textes, en la situant en profondeur, dans le code de la langue. Les analyses du style ne sont plus réduites à une enquête sur les écarts, mais dépassent celle-ci pour pénétrer jusqu'au lieu où écrire devient exploration ou subversion du code de la langue.

Il reste que ces deux types d'analyse structurale (à peine esquissés ici) ne s'opposent pas, mais sont complémentaires l'un de l'autre et ont une portée commune : ils cherchent à découvrir, sous la surface du texte, les structures profondes spécifiques d'un récit. La question qui est posée est celle du processus de production des textes : l'acte d'écrire « se révèle comme exploration et découverte des possibilités du langage; comme activité qui affranchit l'homme de certains réseaux linguistiques » [1]. Nous voici, apparemment, loin de notre point de départ où nous nous interrogions sur les *I. O.* concernant la rédaction...

_____

(1) J. Kristeva, « Pour une sémiologie des paragrammes », *Tel quel*, n° 29.

Conclusion

Ce parcours des problèmes du style ne débouchera pas sur des « recettes », à peine sur des conseils pédagogiques. Notre fin était d'amener le lecteur à réfléchir sur les présupposés qui fondent l' « art » de la rédaction et de l'explication de textes. Elle était aussi d'ouvrir, en les signalant, sur les voies de la recherche contemporaine.

Il faut, en effet, quand on parle du « style », distinguer deux domaines — complémentaires — où successivement nos élèves et étudiants sont engagés : celui de l'**étude stylistique** (en donnant au mot l'extension la plus large) et celui de la **rédaction** (de la simple narration à la complexe dissertation).

◆ L'étude stylistique

Nous avons vu qu'il convenait de bien délimiter au préalable les deux ordres, l'oral et le scriptural.

Dans l'oral, où la visée esthétique est rare, la recherche des procédés expressifs, fondée sur une stylistique de l'écart, nous paraît suffisante, bien que très contestable.

Dans le scriptural, il est indispensable de distinguer les textes « non littéraires », des textes « littéraires » (même si la répartition dans l'une et l'autre catégorie est souvent difficile à effectuer). Sur le plan des textes « non littéraires », comme dans l'ordre oral, l'usage d'une stylistique des écarts peut conduire à des résultats parfois satisfaisants. Sur le plan des textes « littéraires », elle ne peut être qu'un premier temps de l'analyse; l'essentiel vient ensuite lorsque l'on essaie de rendre compte du texte comme **totalité,** comme ensemble systématisé; c'est sur ce point qu'une analyse structurale peut apporter son aide. Du moins, car la méthode d'analyse structurale des textes demeure expérimentale, la connaissance des thèses contemporaines peut-elle aider à ressentir l'insuffisance radicale d'une stylistique de l'écart.

◆ La rédaction

La stylistique des écarts, nous l'avons plusieurs fois aperçu, est le corollaire de la conception qui établit entre la pensée et le langage une distance. Elle conduit inévitablement à un « art d'écrire » qui se résout en pratique de l'ornementation, conséquence de cette croyance implicite que la pensée attend les mots susceptibles de la parer ou de l'habiller. Il est entendu, dans ce cas, que le **choix** de la plus jolie parure ressortit au **goût** de chacun. Mais alors, quoi de plus insaisissable que le « goût », dont il est interdit, comme on le sait, de disputer!

Le néfaste de cette attitude nous paraît être de cultiver chez l'élève le sentiment qu'écrire est un acte où ne s'engage pas sa personne et que les idées ne valent que par le paravent des mots, non par les mots qui les constituent. Écrire ne relève plus que d'une maligne habileté. Simultanément, le maître ne peut enseigner la « rédaction » que par l'imprégnation des œuvres à laquelle il conseille à l'élève de se livrer intensément. N'est-ce pas le bon moyen d'affiner ou de former le « goût » ?

Selon la conception que l'on se forge du style, ou selon l'idée que l'on s'en forme (souvent dans une semi-conscience), on adopte une attitude de confiance ou de défiance envers l'acte de rédaction, et toute la pédagogie s'en trouve modifiée.

Écrire n'est pas, après un choix dans un assortiment, plaquer le mot sur l'idée préexistante. Car l'idée n'existe que par le mot, dans l'oral comme dans le scriptural. Cependant, à la différence du parler oral qui admet les ruptures, la spontanéité, les hésitations, les retours ou les méandres, écrire exige une construction vigilante, soutenue, une attention aux rapports des mots les uns avec les autres. Une phrase, un paragraphe, au-delà de l'indispensable correction grammaticale, constituent une **totalité**, non pas dans cet accord de l'idée et des mots, mais dans la cohésion des rapports (phoniques, grammaticaux, sémantiques) que l'élève doit apprendre à explorer et à mettre en œuvre.

Bibliographie

1. Ouvrages et articles cités

J. Marouzeau, **Précis de stylistique française**, Masson, Paris, 4e éd., 1959.

Ouvrage classique. Se situe dans le sillage des travaux de Bally. Insiste essentiellement sur la notion de choix. Préface intéressante dont nous avons essayé de donner un aperçu critique. Contient une bibliographie qui ne dépasse pas les années 50.

R.-L. Wagner, **la Grammaire française. Les niveaux, les domaines, les normes, les états de langue**, C.D.U. et S.E.D.E.S., Paris, 1968.

Excellent ouvrage, que nous citons ici, non seulement à cause de ses analyses stimulantes des problèmes grammaticaux, mais aussi pour les pages qu'il réserve au style (pp. 64-83), dans lesquelles il rend hommage à Ch. Bally et développe des vues originales sur le style des écrivains. Lecture vivement recommandée.

Ch. Bally, **Traité de stylistique française** (2 volumes), Georg et Klincksieck, Genève-Paris, 3e éd., 1951.

On ne peut pas aborder les problèmes de stylistique sans avoir lu ces deux volumes qui ont été publiés peu de temps après le **Précis de stylistique, esquisse d'une méthode fondée sur l'étude du français moderne** (Eggimann, Genève, 1905).

J. Cohen, **Structure du langage poétique,** Flammarion, Paris, 1966.

Une étude qui essaie de se fonder sur les données de la linguistique contemporaine; traite le langage poétique par comparaison avec le langage de la prose (étalon : le langage scientifique). Méthode des écarts. Utilisation de la statistique. Ouvrage qui prête à controverse, et pour cela doit être lu.

Pierre-R. Léon, **Laboratoire de langues et correction phonétique,** Didier, Paris, 1962.

Traite dans sa dernière partie des problèmes de phonostylistique; sur lesquels il fait le point très précisément. Bibliographie abondante. A lire du même auteur dans **la Grammaire du français parlé** (*Le français dans le monde,* n° 57, juin 1968), un article intitulé « Aspects phonostylistiques des niveaux de langue » (pp. 68-72).

R. Le Bidois, **l'Inversion du sujet dans la prose contemporaine, étudiée plus spécialement dans l'œuvre de Marcel Proust,** Éd. d'Artrey, Paris, 1952.

Un exemple d'étude stylistique qui se situe dans la recherche des procédés expressifs au niveau syntaxique.

R. Barthes, **Essais critiques,** Éd. du Seuil, coll. « Tel quel », Paris, 1964.

Nous citons ce recueil d'études qui donne un aperçu sur la méthode et les thèses de Barthes. Mais il faut lire aussi : **le Degré zéro de l'écriture, Sur Racine, Critique et vérité** (Éd. du Seuil). Barthes est de ceux qui ont su comprendre combien la linguistique pouvait apporter à l'étude critique de la littérature. Ses œuvres sont à lire attentivement.

G. Genette, **Figures** et **Figures II,** Éd. du Seuil, coll. « Tel quel », Paris, 1966 et 1969.

Recueils d'études très vivement conduites. Montrent l'importance du structuralisme linguistique. Éclairent d'un jour neuf les problèmes de rhétorique.

T. Todorov, **les Anomalies sémantiques,** article paru dans **Recherches sémantiques** (n° 1 de la revue *Langages,* éditée par Didier-Larousse, Paris, mars 1966).

On lira du même auteur, **les Catégories du récit littéraire,** dans le n° 8 de la revue *Communications* (éditée par Le Seuil, 1966) et **Littérature et signification,** Larousse, coll. « Langue et langage », Paris, 1967.

P. Guiraud, **les Caractères statistiques du vocabulaire, essai de méthodologie,** P.U.F., Paris, 1954.

Ouvrage fondamental pour comprendre les applications de la statistique lexicale à l'analyse du style littéraire. La dernière partie comporte une série de résultats concernant le vocabulaire symboliste. Il faut compléter la lecture de cet ouvrage par celle de : **Langage et versification d'après l'œuvre de Paul Valéry. Étude sur la forme poétique dans ses rapports avec la langue,** Klincksieck, Paris, 1953.

A. Martinet, **Éléments de linguistique générale,** Armand Colin, Paris, édition revue, 1968.

Sur les rapports du style et de la théorie de l'information, lire, pp. 187-205, *Information, fréquence et coût.* (V. aussi, sur cette question, dans **Problèmes et méthodes de la statistique linguistique,** P.U.F., Paris, 1960, de P. Guiraud, pp. 65-74, chap. vi : *Langage et information.*)

Théorie de la littérature (textes des formalistes russes, réunis, présentés et traduits par T. Todorov, préface de Roman Jakobson), Éd. du Seuil, coll. « Tel quel », Paris, 1965.

Ouvrage capital, présentant les thèses des « formalistes », jusqu'à ce jour à peu près inconnues du lecteur français. On y découvre des voies nouvelles d'accès à l'analyse du récit et de la poésie. (V., en particulier, les articles de V. Propp, *les Transformations des contes fantastiques,* et de B. Tomachevski, *Thématique*).

R. Jakobson et Cl. Lévi-Strauss, **« les Chats » de Charles Baudelaire,** analyse parue dans la revue *l'Homme,* nº 2, 1962.

On peut ajouter à celle-ci une autre étude du seul R. Jakobson, **Une microscopie du dernier spleen dans « les Fleurs du mal »,** parue dans la revue *Tel Quel,* nº 29, printemps 1967. Comme antidote, on lira la critique de la méthode de R. Jakobson, dans un article de M. Riffaterre, **Describing Poetic Structures : Two Approches to Baudelaire's « les Chats »,** paru dans la revue américaine, *Yale French Studies,* octobre 1966.

Communications : les nos 4 et 8 de cette revue sont consacrés aux *Recherches sémiologiques* et à *l'Analyse structurale du récit.*

Ouvrages importants par les réflexions méthodologiques et théoriques sur les applications directes ou indirectes de la linguistique structurale aux récits de types divers (romans, mythes, reportages de presse, cinémas).

Cl. Lévi-Strauss : son nom est cité ici à cause de sa contribution à l'analyse (v. *supra*) des *Chats,* en commun avec R. Jakobson; mais il faut souligner l'importance qu'a eue pour lui la linguistique structurale, au niveau théorique (v. **l'Anthropologie structurale**) et au plan des applications (v. **les Structures élémentaires de la parenté** et la série des *Mythologies :* **le Cru et le cuit, Du miel aux cendres, l'Origine des manières de table).**

A.-J. Greimas, **Sémantique structurale, recherche de méthode,** Larousse, coll. « Langue et langage », Paris, 1966.

Ouvrage important pour la théorie de l'analyse du contenu sémantique. La dernière partie est réservée à l'analyse de l'univers de Bernanos. De lecture difficile, mais importante, pour qui veut s'informer des recherches actuelles sur l'analyse du « sens » des textes, littéraires ou non.

E. Benveniste, **Problèmes de linguistique générale**, Gallimard, coll. « Bibliothèque des Sciences humaines », Paris, 1965.

Tout est à lire dans cet ouvrage qui rassemble les articles les plus importants de Benveniste. Nous avons fait allusion surtout aux études suivantes : *Structures des relations de personne dans le verbe, la Nature des pronoms, De la subjectivité dans le langage, les Relations de temps dans le verbe français.*

◆ Sur les problèmes de l'« écriture », on pourra consulter les différents numéros de la revue *Tel Quel* (particulièrement le n° 29) et quatre ouvrages récents :

Linguistique et littérature, n° 12 de la revue *Langages* (sous la direction de R. Barthes);

Théorie d'ensemble, recueil d'études du groupe Tel Quel;

Linguistique et littérature (Actes du colloque de Cluny), éditions de *la Nouvelle Critique*, Paris, 1968 (rassemble 20 communications de linguistes et d'écrivains).

Littérature et idéologies (Actes du colloque de Cluny II), éditions de *la Nouvelle Critique*, Paris, 1971 (32 communications qui constituent un prolongement à l'ouvrage précédent).

La Stylistique, n° 3 de la revue *Langue française*, Larousse, 1969.

2. Ouvrages généraux

◆ Il suffira de se reporter aux manuels de bibliographie :

H. A. Hatzfeld, **A Critical Bibliography of the New Stylistics applied to the Romance Litterature,** Chapel-Hill, coll. « Studies in comparative literature », n° 5, University of North Carolina, 1953.

H. A. Hatzfeld et Y. Le Hir, **Essai de bibliographie critique de stylistique française et romane (1955-1960),** P.U.F., Paris, 1961 (constitue un complément du premier).

◆ Pour une esquisse des différents courants, lire :

G. Antoine, **la Stylistique française, sa définition, ses buts, ses méthodes,** article paru dans la *Revue de l'enseignement supérieur*, janvier 1959.

H. Mitterand, **la Stylistique,** article paru dans la revue *Le français dans le monde*, n° 42, juillet-août 1966 (revue éditée par Hachette et Larousse).

P. Guiraud, **la Stylistique,** P.U.F., coll. « Que sais-je ? », n° 646.

INDEX

L

langage, 7, 140; ~ et langue, 89; ~ et réalité, 248; apprentissage du ~, 182 *sqq.*

langue, 90 *sqq.*, 96 *sqq.*, 103, 123; ~ commune, 186; ~ définie comme une forme, 107; ~ d'un auteur, 262; ~ écrite, 186; ~ et langage, 89; ~ et pensée, 249; ~ et réel, 248; ~ naturelle, 28; ~ parlée, 186; ~ quotidienne, 28; ~ relâchée, 186; aspect graphique de la ~, 68; logique de la ~, 106; niveaux de ~ 186; organisation de la ~, 98.

lecture, 11, 33, 44; ~ et clichés, 249; apprentissage de la ~, 11, 33, 45, 53.

lexème, 102, 103, 110 *sqq.*, 196.

lexical (champ), 206, 239; structures ~, 198.

lexicographie, 222, 226.

lexicologie, 222, 229 *sqq.*

lexico-syntagmatique (patron), 236.

lexie, 197, 198.

lexique, 29, 181; ~ et grammaire, 191; ~ et sélection, 182; ~ général ou global, 181; ~ individuel, 181; ~ technique, 185; répartition des mots dans le ~, 200 *sqq.*

liaisons, 59.

inéarité du discours, 123, 126.

linguistique, 88, 89 *sqq.*, 108 *sqq.*; ~ diachronique ou historique, 93, 94; ~ évolutive, 93; ~ synchronique ou statique ou descriptive, 94.

locuteur, 7, 9; sentiment du ~, 207.

logico-sémantique (approche ~ du récit), 265.

logique de la langue, 80, 106.

M

manuels de grammaire, 76, 77; ~ de style, 251.

marque stylistique du locuteur, 256.

marques du présent de l'indicatif, 21; redoublement de ~ 16.

matrice (phrase), 131.

mentalisme, 78; *mentalistes* (critères), 76, 82.

message, 9 *sqq.*; ~ écrit, 17, 249; ~ oral, 249; fonction poétique du ~, 264; transmission du ~, 16.

métalangage, 73, 187.

métalangue, 187.

métaphore, 208.

métonymie, 208.

micro-contexte, 230.

milieu (influence du ~ sur l'apprentissage de la langue), 184.

modalité de l'élément linguistique, 193.

modèle de la compétence linguistique, 123, 124.

modulation, 54.

monème, 111, 196.

monosémique (terme), 207.

morphème, 21, 22, 102, 103, 110, 111, 113, 196.

morphologie, 102, 114, 115.

morpho-syntaxe, 116; ~ du verbe, 144, 152, 153.

mots, 109, 190, 194 *sqq.*; ~ clés, 204, 205, 261; ~ fréquents, 186; ~ grammaticaux, 191; ~ graphiques, 195, 196; ~ phonétiques, 195, 196; ~ pleins, 191, 192; ~ rares, 186; ~ souches ou vedettes, 226; ~ stables, 201; ~ techniques, 185; ~ thèmes, 204, 205, 261; ~ vides, 191, 192; classement des ~ dans les dictionnaires, 226; collocations du ~, 239; définition du ~, 226 *sqq.*; distribution en ~, 35; environnement du ~ et classement lexico-syntagmatique, 235; idiosémie du ~, 230; problèmes de définition du ~, 194; statut lexical du ~, 233; statut lexico-syntagmatique du ~, 234; statut syntagmatique du ~, 217.

motivation psychologique [et style], 246.

N

narration [et style], 245, 267.

niveaux de l'analyse linguistique, 108, 189; ~ de langue, 186 *sqq.*

nombre (marque du), 19, 20.

normative (grammaire), 84, 88.

norme des calculs, 260; ~ des niveaux, 258; ~ et français oral, 24; ~ et style, 58; ~ sémantique, 260.

sémème, 219.

semi-consonne, v. SEMI-VOYELLE.

sémio-lexical (réseau), 217.

sémiologie, 90.

sémique (grille), 238.

semi-voyelle [ou semi-consonne], 38, 40; prononciation des ~, 57.

sens du mot et définition, 226; captation de ~, 208; critère de ~, 75.

sentiment linguistique, 8.

séquence [figée], 198.

série associative, 190; ~ fermée, 193; ~ ouverte, 193.

signe, 10, 28, 100, 106; ~ et code, 15; graphie des ~, 11.

signifiant, 28, 37, 100, 101, 106.

signifié, 28, 100, 101, 106.

socio-linguistique, 90.

son [et graphie], 33 *sqq.*

statistique [et stylistique], 260.

structural (exercice), 141, 147, 157, 236; analyse ~ de la poésie, 264; linguistique ~, 132, 134.

structuralisme, 43, 81, 104.

structure, 89; ~ de la langue, 96 *sqq.*; ~ profonde et ~ superficielle, 126, 128; ~ sujet-verbe-c.o.i., 161; ~ lexicales, 198.

style, 245 *sqq.*; ~ et calcul mathématique, 260, 261; ~ et densité informationnelle, 262; ~ et *Instructions officielles*, 246; ~ et narration, 245; ~ et niveaux linguistiques, 258 *sqq.*; ~ et norme, 258 *sqq.*; ~ et observation, 251, 252; ~ et probabilité, 262; ~ et procédés affectifs, 256; ~ et rédaction, 246; ~ et sémantique, 259; ~ littéraire, 257; ~ quotidien, 257; art du ~, 253; continuité du ~, 263 *sqq.*; effets de ~ 253; élégance du ~, 254; fonction ornementale du ~, 252; manuels de ~, 251.

stylistique, 254, 257; ~ et grammaire, 252; ~ et statistique, 260.

substance [et forme], 105 *sqq.*

syllabes, 36, 48 *sqq.*; ~ ouvertes et ~ fermées, 50; compte des ~, 49; *syllabique* (lecture), 36, 51.

synchronie, 9, 10, 93, 95, 189.

synonymie, 186, 206, 207, 237.

syntactico-sémantique (ordre), 221.

syntagmatique (axe), 103, 105; indicateur ~, 127 *sqq.*; lois ~, 103; règles ~, 124, 127; statut ~ du verbe *passer*, 217.

syntagme, 103, 111, 112, 113; ~ autonome, 197; ~ conditionné, 215; ~ fermé, 215; ~ libre, 215.

syntaxe, 102; ~ et morphologie, 114, 115; ~ et sémantique, 115, 265.

système de la langue, 28, 97, 98; ~ et enseignement du vocabulaire, 189; ~ et orthographe, 67; ~ graphique du français, 68; ~ verbal, 27; œuvre, ~ second, 263.

T

taxinomie, 122, 124.

temps verbaux à l'oral et à l'écrit, 27.

terminaux, 132.

terminologie, 75; ~ technique, 187.

texte [et stylistique des écarts], 267.

traduction automatique, 230.

traits propres au code oral, 24; ~ sémantiques, 192; combinaison de ~ sémiques, 221.

transformation (règles de), 127.

troncation phrastique, 26.

U - V

unités significatives, 15.

usage de la langue, 97; bon ~, 24, 78, 84.

valeur des phonèmes, 43; ~ du présent, 98.

versification, 265.

virtuème, 221.

vocabulaire, 181; ~ de base, 201; ~ de fréquence, 202; ~ de l'aviation, 212; ~ des chemins de fer, 211; ~ disponible, 202; ~ et associations, 213; ~ et identités, 213; ~ et lexique, 200; ~ et milieux socio-culturels, 182; ~ et oppositions, 213; ~ politique, 213; analyse synchronique du ~, 213; caractères statistiques du ~, 199.

voyelles, 38; ~ à double timbre, 58; ~ orales et ~ nasales, 40; ~ ouvertes et ~ fermées, 40; classement des ~, 40; prononciation des ~, 57.

TABLE DES MATIÈRES

DEUXIÈME PARTIE

Phonie, prosodie, graphie

TROISIÈME PARTIE

Grammaire

Quatrième partie
Lexique et vocabulaire

Cinquième partie
Les problèmes du style

Documents

Berger-Levrault, Nancy – Avril 1972 – Dépôt légal : 1972-2ᵉ – 779242 – Nº série éditeur : 7593
Imprimé en France *(Printed in France)* – 403-42171 J-6-76

autres périodiques Larousse

LANGAGES (une publication DIDIER-LAROUSSE).

Conseil de Direction : R. Barthes, J. Dubois, A.-J. Greimas, B. Pottier, B. Quemada, N. Ruwet.

Chacun des numéros de la nouvelle revue internationale de linguistique « Langages » est consacré à un thème défini : recherches sémantiques; logique et linguistique; les grammaires génératives; linguistique française; la sémiologie; la pathologie du langage; la phonologie, etc.

Le premier article du numéro fait la synthèse des recherches actuelles sur la question traitée; les autres articles développent des points particuliers.

« Langages » fait une large place à la linguistique internationale et publie des traductions en français de textes importants, restés confinés pendant des années dans leur revue et leur langue d'origine, et dus à des savants étrangers de renommée mondiale. Chaque numéro de « Langages » est confié à un spécialiste (T. Todorov, O. Ducrot, N. Ruwet, A.-J. Greimas, J. Dubois, M. Arrivé, etc.) qui est en quelque sorte le responsable, qui choisit lui-même les contributions qu'il présente et discute. Une documentation et une bibliographie critique sur le sujet traité sont incluses dans chaque numéro.

Chaque numéro 15 × 23 cm, couverture en couleurs, 128 pages (4 numéros : mars - juin - septembre - décembre.)

Déjà parus : 1. RECHERCHES SÉMANTIQUES (T. Todorov) - 2. LOGIQUE ET LINGUISTIQUE (E. Goumet, O. Ducrot, J. Gattegno) - 3. LINGUISTIQUE FRANÇAISE le verbe et la phrase (A.-J. Greimas, J. Dubois) - 4. LA GRAMMAIRE GÉNÉRATIVE (N. Ruwet) - 5. PATHOLOGIE DU LANGAGE (J. Dubois, L. Irigaray, P. Marcie, H. Hécaen - 6. LA GLOSSÉMATIQUE l'héritage de Hjelmslev au Danemark (K. Togeby) - 7. LINGUISTIQUE FRANÇAISE théories grammaticales (M. Arrivé, J.-Cl. Chevalier) - 8. LA PHONOLOGIE GÉNÉRATIVE (Sanford A. Schane) - 9. LES MODÈLES EN LINGUISTIQUE (M. Gross) - 10. PRATIQUES ET LANGAGES GESTUELS (A.-J. Greimas) - 11. LA SOCIOLINGUISTIQUE (J. Sumpf) - 12. LITTÉRATURE ET LINGUISTIQUE (R. Barthes) - 13. ANALYSE DU DISCOURS (J. Dubois, J. Sumpf) - 14. NOUVELLES TENDANCES EN GRAMMAIRE GÉNÉRATIVE (N. Ruwet) - 15. PSYCHOLINGUISTIQUE (J. Mehler) - 16. LA LINGUISTIQUE EN UNION SOVIÉTIQUE (J. Lhermite) - 17. L'ÉNONCIATION (T. Todorov) - 18. L'ETHNOLINGUISTIQUE (B. Pottier) - 19. LA LEXICOGRAPHIE (J. Rey) - 20. ANALYSE DISTRIBUTIONNELLE ET STRUCTURALE (J. Dubois et F. Dubois-Charlier).

A paraître en 1971 : 21. PHILOSOPHIE DU LANGAGE (J. Sumpf) - 22. SÉMIOTIQUE LITTÉRAIRE (Chabrol) - 23. LA LINGUISTIQUE EN GRANDE-BRETAGNE (D. Robinson) - 24. LA NEUROLINGUISTIQUE (H. Hecaen).